MALDOSAS
IMPECÁVEIS
PERFEITAS
INACREDITÁVEIS
PERVERSAS
DESTRUIDORAS

SARA SHEPARD

Impecáveis
PRETTY LITTLE LIARS

Tradução
FAL AZEVEDO

Para JSW

Título original
FLAWLESS
Pretty Little Liars Novel

Copyright © 2006 by Alloy Entertainment e Sara Shepard

Todos os direitos reservados; nenhuma parte desta obra pode ser
reproduzida sob qualquer forma sem autorização do editor.

Direitos para a língua portuguesa reservados
com exclusividade para o Brasil à
EDITORA ROCCO LTDA.
Rua Evaristo da Veiga, 65 – 11º andar
Passeio Corporate – Torre 1
20031-040 – Rio de Janeiro – RJ
Tel.: (21) 3525-2000 – Fax: (21) 3525-2001
rocco@rocco.com.br | www.rocco.com.br

Printed in Brazil/Impresso no Brasil

preparação de originais
AMANDA ORLANDO

CIP-Brasil. Catalogação na fonte.
Sindicato Nacional dos Editores de Livros, RJ.

S553i   Shepard, Sara, 1977-
Impecáveis/Sara Shepard; tradução de Fal Azevedo
Primeira edição. – Rio de Janeiro: Rocco Jovens Leitores, 2011.
(Pretty little liars; v.2) – Tradução de: Flawless: pretty little liars novel
Sequência de: Maldosas
ISBN: 978-85-7890-026-9

1. Amizade – Literatura infantojuvenil. 2. Segredo – Literatura infantojuvenil.
3. Conduta – Literatura infantojuvenil. 4. Ficção policial norte-americana.
5. Literatura infantojuvenil norte-americana. I. Azevedo, Fal, 1971-. II. Título. III. Série.
10-0981   CDD – 028.5   CDU – 087.5

O texto deste livro obedece às normas do
Acordo Ortográfico da Língua Portuguesa.

Impecáveis

Olho por olho, e todos ficarão cegos.

— GANDHI

COMO TUDO REALMENTE COMEÇOU

Você conhece aquele garoto que mora a algumas casas descendo a rua e que é simplesmente a pessoa mais esquisita do mundo? Quando você está na varanda da frente da sua casa, quase dando um beijo de boa-noite em seu namorado, você pode vê-lo do outro lado da rua, *parado ali, olhando tudo.* Que, de vez em quando, aparece do nada quando você está no meio da sua sessão de fofocas com suas melhores amigas – só que talvez não seja tão de vez em quando assim. Ele é o gato preto que parece conhecer seus caminhos. Se ele passa em frente à sua casa, você pensa: *Vou me dar mal na prova de biologia.* Se ele olha para você de um jeito engraçado, é melhor você se cuidar.

Toda cidade tem um garoto-gato-preto. Em Rosewood, o nome dele era Toby Cavanaugh.

– Acho que ela precisa de mais *blush*. – Spencer Hastings se afastou e deu uma boa olhada em uma de suas melhores amigas, Emily Fields. – Eu ainda consigo ver as sardas.

— Tenho corretivo da Clinique. — Alison DiLaurentis saiu correndo para pegar sua *nécessaire* de maquiagem, de veludo azul.

Emily se olhou no espelho apoiado na mesinha de centro da sala de visitas da casa de Alison. Virou o rosto para um lado, depois para o outro e fez beicinho com seus lábios cor-de-rosa.

— Minha mãe me mata se me vir com tudo isso na cara.

— Tudo bem, mas a gente mata você se tirar — advertiu Aria Montgomery, que estava, por motivos que só ela conhecia, se exibindo pelo quarto, metida num sutiã angorá, que tricotara recentemente.

— É, Em, você está linda — concordou Hanna Marin. Hanna sentou de pernas cruzadas no chão, se virando para verificar se não estava pagando cofrinho em seu jeans Blue Cult, pequeno demais e de cintura baixa.

Era uma noite de sexta-feira de abril e Ali, Aria, Emily, Spencer e Hanna estavam fazendo o que sempre faziam quando dormiam umas nas casas das outras, no sexto ano: maquiando-se exageradamente, se entupindo de batata frita sabor vinagre e sal e assistindo a *Cribs* na MTV, na televisão de tela plana de Ali. Naquela noite, o quarto estava ainda mais bagunçado, porque as roupas de todas estavam espalhadas pelo chão, já que elas haviam decidido trocar as roupas entre si pelo resto do ano escolar.

Spencer ergueu um cardigã amarelo-limão de *cashmere* na frente do corpo.

— Pega para você — disse Ali. — Vai ficar legal.

Hanna colocou uma calça de veludo cotelê verde-oliva de Ali em volta de seus quadris, virou-se para Ali e fez uma pose.

— O que você acha? Será que o Sean ia gostar?

Ali gemeu e bateu em Hanna com uma almofada. Desde que elas haviam ficado amigas, em setembro, tudo sobre o que Hanna conseguia falar era do quanto ela amaaaaaava Sean Ackard, o menino da sala delas no colégio Rosewood Day, onde estudavam desde o jardim de infância. No quinto ano, Sean era apenas mais um menino baixinho e sardento, mas, durante o verão, ele crescera alguns bons centímetros e perdera sua gordura de bebê. Agora, todas as garotas queriam beijá-lo.

Era incrível quanta coisa podia mudar em um ano.

As garotas – todas, menos Ali – sabiam *disso* muito bem. No ano passado, elas estavam apenas... *ali*. Spencer era a garota certinha, que se sentava nas carteiras da frente da classe e erguia a mão para responder a todas as perguntas. Aria era a maluquinha que inventava coreografias em vez de jogar futebol como o restante da turma. Emily era a nadadora tímida e bem classificada no *ranking* estadual, que tinha toda uma vida escondida sob a superfície – se você conseguisse chegar a conhecê-la. E Hanna podia até ser boba e espalhafatosa, mas estudava a *Vogue* e a *Teen Vogue* e, de vez em quando, dava alguns conselhos sobre moda, vindo sabe Deus de onde, mas que ninguém mais sabia.

Havia algo de especial em cada uma delas, claro, só que elas viviam em Rosewood, Pensilvânia, um subúrbio a mais de trinta quilômetros da Filadélfia, e *tudo* era especial em Rosewood. O cheiro das flores era mais doce, a água tinha um gosto melhor, as casas eram maiores. As pessoas costumavam brincar dizendo que os esquilos de lá passavam a noite limpando tudo por ali e capinando os dentes-de-leão que nasciam por entre as pedras do calçamento para que Rosewood parecesse perfeita para os moradores. Num lugar onde tudo parecia tão impecável, era difícil manter-se à altura.

Mas, de alguma forma, Ali conseguia. Com seu cabelo longo, seu rosto em formato de coração e seus enormes olhos azuis, ela era a garota mais linda da região. Depois que Ali as uniu e as fez ficarem amigas – algumas vezes parecia que ela as havia *descoberto* –, as garotas tinham mesmo algo a mais em suas vidas. De repente, elas tinham passe livre para fazer todas as coisas que jamais ousaram antes. Como vestir saias curtas no banheiro das meninas de Rosewood Day depois que desciam do ônibus escolar. Ou mandar bilhetinhos com marca de batom para os meninos da sala. Ou andar pelo corredor de Rosewood Day lado a lado, intimidadoras, ignorando os perdedores.

Ali pegou um batom bem vermelho e passou em seus lábios.

– Quem sou eu?

As outras riram. Ali estava imitando Imogen Smith, uma garota da sala delas que gostava um pouco demais de seu batom Nars.

– Não, espera aí. – Spencer apertou as bochechas dela e passou uma almofada para Ali.

– Legal. – Ali colocou a almofada embaixo da camiseta polo, pink, e todas riram ainda mais. Corria o boato de que Imogen tinha ido até o final com Jeffrey Klein, um menino do décimo ano, e que ela estava grávida dele.

– Vocês, garotas, são malvadas. – Emily ficou vermelha. Ela era a mais recatada do grupo, talvez por causa de sua criação supersevera... seus pais achavam que toda diversão era do mal.

– O que foi, Em? – Ali ficou de braços dados com Emily. – Imogen está muito gorda. Ela deveria *desejar* estar grávida.

As garotas riram de novo, mas um pouco sem jeito. Ali tinha talento para encontrar a fraqueza de uma menina e, mesmo que ela estivesse certa sobre Imogen, as meninas de vez em quando se perguntavam se Ali não falaria mal *delas* quando não estivessem por perto. Às vezes, era difícil ter certeza.

Elas recomeçaram a vasculhar as roupas umas das outras. Aria amou de paixão um vestido Fred Perry, ultraelaborado, de Spencer. Emily estendeu a minissaia jeans sobre seu corpo e perguntou às outras se não era curta demais. Ali achou o jeans Joe, de Hanna, com um ar meio boca de sino demais e o tirou, mostrando seus shorts aveludados rosa claros, de menino. Quando estava passando pela janela para ir ligar o som, ela congelou.

— Ah, meu Deus! — gritou ela, correndo para trás do sofá cor de amora.

As meninas deram meia-volta. Toby Cavanaugh estava na janela. Ele estava... bem *parado ali*. Olhando para elas.

— Ei, ei, ei! — Aria cobriu o peito. Ela havia tirado o vestido de Spencer e estava usando apenas o sutiã tricotado. Spencer, que estava vestida, correu para a janela.

— Afaste-se de nós, pervertido! — gritou ela. Toby deu um sorriso malicioso antes de se virar e sair correndo.

A maioria das pessoas mudava de calçada quando via Toby. Ele era um ano mais velho que as meninas, pálido, alto e magricela, e sempre vagava sozinho pela vizinhança, parecendo espionar a todos. Elas haviam ouvido rumores sobre ele: que fora pego beijando seu cachorro na boca; que era um nadador tão bom porque tinha guelras em vez de pulmões; que dormia em um caixão dentro de sua casa na árvore, no quintal dos fundos.

Só havia uma pessoa com quem Toby falava: sua meia-irmã, Jenna, que estava no mesmo ano que elas. Jenna também era uma idiota sem salvação, apesar de muito menos assustadora – ela, pelo menos, era capaz de formular frases completas. E até tinha uma certa beleza, de um jeito monótono, com seu cabelo escuro e espesso, olhos verdes, grandes e intensos, e lábios vermelhos e grossos.

– Eu sinto como se tivesse sido *violada*. – Aria torceu seu corpo naturalmente magro como se ele estivesse coberto de bactérias *E. coli*. Ela havia acabado de aprender sobre isso nas aulas de biologia. – Como ele ousa nos assustar?

O rosto de Ali ficou vermelho de ódio.

– Temos que nos vingar.

– Como? – Hanna arregalou seus olhos castanho-claros.

Ali pensou por um minuto.

– Deveríamos fazer com que ele experimentasse um pouco de seu próprio veneno.

A coisa a fazer, ela explicou, era assustar Toby. Quando ele não estava perambulando pela vizinhança espionando as pessoas, era quase certo que estaria em sua casa na árvore. Ele passava quase o tempo todo enfiado ali, jogando Game Boy ou, quem sabe, construindo um robô gigante para atacar o Rosewood Day. Mas, como a casa da árvore ficava, é óbvio, em cima de uma árvore – e como Toby sempre recolhia a escada de corda para que ninguém pudesse segui-lo – elas não tinham como simplesmente aparecer por lá e gritar "Bu!".

– Então precisamos de fogos de artifício. Por sorte, sabemos exatamente onde encontrar. – Ali sorriu.

Toby era obcecado por fogos de artifício; ele mantinha um monte deles escondidos no pé da árvore e vivia acendendo rojões através da claraboia de sua casinha de madeira.

– Nós entramos lá sorrateiramente, roubamos um e o acendemos na janela dele – explicou Ali.

– Tudo bem – concordou Aria –, mas e se alguma coisa der errado?

Ali suspirou, fazendo drama.

– Ah, gente, vamos lá.

Estavam todas quietas. Então, Hanna limpou a garganta.

– Por mim parece bom.

– Tudo bem – cedeu Spencer. Emily e Aria deram de ombros, concordando.

Ali bateu palmas e indicou o sofá perto da janela.

– Eu vou fazer isso. Vocês podem assistir dali.

As meninas se arrastaram até a janela perto da sacada e assistiram a Ali dando uma corridinha pela rua. A casa de Toby era em diagonal com a dos DiLaurentis, e construída no mesmo estilo vitoriano impressionante, mas nenhuma das duas era tão grande quanto a casa de fazenda da família de Spencer, que ladeava o quintal da residência de Ali. A propriedade dos Hastings incluía seu próprio moinho, oito quartos, garagem para cinco carros, separada da casa, piscina com deque e um celeiro reformado à parte.

Ali correu para o quintal lateral dos Cavanaugh e foi na direção da casa da árvore de Toby. Ela ficava parcialmente escondida por causa dos olmos e pinheiros altos, mas a rua fornecia iluminação suficiente para que elas tivessem uma vaga ideia do que estava acontecendo. Um minuto depois, elas tinham certeza de ter visto Ali segurando um rojão em formato de cone nas mãos a mais ou menos sete metros, distância suficiente para que ela tivesse uma visão clara através da janela azul tremulante da casa da árvore.

—Você acha que ela vai mesmo fazer isso? – sussurrou Emily. Um carro em alta velocidade passou pela casa de Toby, iluminando-a.

– Não. – Spencer mexia, nervosa, em seus brincos de diamantes. – Ela está blefando.

Aria colocou a ponta de sua trança negra na boca.

– Está mesmo.

– Como é que a gente vai saber se Toby está mesmo lá dentro? – perguntou Hanna.

Um silêncio angustiado se instalou. As meninas haviam participado de todas as peças que Ali pregara, mas haviam sido brincadeiras inocentes – se enfiar na banheira de hidromassagem de água salgada no spa Fermata, pingar tinta preta no shampoo da irmã de Spencer ou mandar falsas cartas de amor do diretor Appleton para a boba da Mona Vanderwaal, que estava no mesmo ano que elas. Mas algo sobre essa brincadeira específica as deixava um pouco... desconfortáveis.

Boom!

Emily e Aria deram um pulo para trás. Spencer e Hanna grudaram os rostos contra o vidro da janela. Ainda estava escuro do outro lado da rua. Uma luz brilhante piscou na janela da casa na árvore, mas foi só isso.

Hanna deu uma olhada.

– Talvez não tenha sido o rojão.

– E o que mais poderia ser? – perguntou Spencer, sarcástica. – Um tiro?

Em seguida, os pastores-alemães dos Cavanaugh começaram a latir. As garotas agarraram os braços umas das outras. A luz do pátio lateral se acendeu. Ouviram-se vozes em alto volume e o sr. Cavanaugh atravessou correndo a porta que dava para o pátio. De repente, pequenas labaredas começaram a sair da janela da casa na árvore. O fogo começou a se espalhar. Parecia o filme que os pais de Emily a faziam assistir todo os anos, no Natal. E, então, ouviram-se sirenes. Aria olhou para as outras.

– O que está acontecendo?
– Você acha que...? – sussurrou Spencer.
– E se Ali... – começou Hanna.
– Meninas. – Uma voz veio de trás delas. Ali estava na entrada da grande sala. Seus braços estavam ao lado do corpo e o rosto, mais pálido do que elas jamais tinham visto.
– O que aconteceu? – perguntaram todas ao mesmo tempo.

Ali parecia preocupada.
– Não sei. Mas não foi minha culpa.

A sirene chegou mais e mais perto... até que uma ambulância estacionava na entrada da garagem da casa dos Cavanaugh. Paramédicos saltaram da ambulância e correram em direção à casa da árvore. A corda havia sido baixada.

– O que aconteceu, Ali? – Spencer se virou, passando pela porta. – Você tem que nos contar o que aconteceu.

Ali a seguiu:
– Spence, não.

Hanna e Aria olharam uma para a outra; estavam com muito medo para ir atrás. Alguém poderia vê-las.

Spencer se abaixou atrás de um arbusto e olhou do outro lado da rua.

Então viu o buraco feio, recortado, na janela da casa na árvore de Toby. Ela sentiu alguém se arrastando atrás dela.

– Sou eu – informou Ali.
– O que... – começou Spencer, mas, antes que pudesse terminar, um paramédico começou a descer da casa da árvore, tra-

zia alguém nos braços. Toby estava *machucado*? Será que estava... *morto*?

Todas as meninas, as que estavam dentro e as que estavam fora, esticaram o pescoço para ver. Seus corações começaram a bater mais rápido. Então, por um segundo, eles pararam.

Não era Toby. Era Jenna.

Alguns minutos depois, Ali e Spencer entraram. Ali contou a elas tudo o que acontecera com uma calma quase sinistra: o rojão havia atravessado a janela e atingido Jenna. Ninguém a tinha visto acender o rojão, então elas estavam seguras, contanto que ficassem de boca fechada. Afinal de contas, o rojão era de Toby. Se a polícia fosse botar a culpa em alguém, seria nele.

Durante toda a noite, elas choraram, agitadas, acordando e adormecendo diversas vezes. Spencer, muito estressada, passou horas em posição fetal, sem dizer nenhuma palavra, zapeando do E! para o Cartoon Network e para o Animal Planet. Quando acordaram, no dia seguinte, a novidade já havia se espalhado por toda a vizinhança: alguém havia confessado.

Toby.

As meninas pensaram que era uma brincadeira, mas o jornal local confirmou que Toby tinha confessado que, ao brincar com um rojão aceso em sua casa na árvore, tinha apontado para o rosto da irmã sem querer... e que o rojão a havia *cegado*. Ali leu essa parte em voz alta, quando estavam todas reunidas em volta da mesa da cozinha da casa dela, de mãos dadas. Elas sabiam que deveriam estar aliviadas, porém... sabiam a verdade.

Nos poucos dias que passou no hospital, Jenna ficou histérica – e confusa. Todos lhe perguntavam o que havia acontecido, mas ela parecia não se lembrar. Jenna disse que também não era capaz de falar sobre nada do que acontecera imediatamente antes do acidente. Os médicos cogitaram que aquilo pudesse ser estresse pós-traumático.

O colégio Rosewood Day fez uma palestra não-brinque--com-fogos-de-artifício em homenagem a Jenna, seguida de um baile e uma venda beneficente de bolos. As meninas, Spencer em especial, participaram de forma entusiasmada, apesar, claro, de fingirem não saber de nada a respeito do que havia acontecido. Quando alguém perguntava, elas diziam que Jenna era uma menina muito doce e uma das amigas mais chegadas que tinham. Várias garotas que nunca falaram com Jenna estavam dizendo exatamente a mesma coisa. Quanto a Jenna, nunca mais voltou a Rosewood Day. Foi para uma escola especial para cegos, na Filadélfia, e ninguém mais a viu depois daquela noite.

As coisas ruins em Rosewood Day, a certa altura, eram sempre gentilmente tiradas do caminho, e Toby não foi exceção. Seus pais o mantiveram estudando em casa pelo resto do ano letivo. O verão passou e, no ano seguinte, Toby foi mandado a um reformatório no Maine. Ele partiu sem cerimônias comoventes de despedida, num dia claro em meados de agosto. Seu pai o levou de carro até a estação, onde ele foi sozinho pegar o trem para o aeroporto. As meninas assistiram enquanto os Cavanaugh derrubavam a casa na árvore naquela tarde. Era como se quisessem apagar o máximo que conseguissem da existência de Toby.

Dois dias depois da partida de Toby, os pais de Ali levaram as meninas para acampar nas Montanhas Pocono. As cinco desceram corredeiras, escalaram as pedras e se bronzearam nos bancos de areia do lago. De noite, quando a conversa acabava caindo no tema Toby e Jenna – e isso aconteceu muito naquele verão –, Ali lembrava a elas de que não podiam contar *nada* a *ninguém*, *nunca*. Tinham de manter aquele segredo para sempre... o que fortaleceria a amizade delas por toda a eternidade. Naquela noite, quando se enfiaram na barraca de cinco lugares, usando capuzes de cashmere J.Crew, Ali deu a cada uma delas uma pulseira colorida brilhante, para simbolizar a união. Amarrou a pulseira no pulso de cada uma e pediu que repetissem, depois dela:

– Eu prometo não contar nada até o dia da minha morte.

Elas sentaram em círculo, Spencer, depois Hanna, Emily e Aria, dizendo exatamente essas palavras. Ali colocou a própria pulseira por último.

– Até o dia da minha morte – sussurrou ela, depois de fazer o nó, suas mãos espalmadas sobre o coração. As meninas apertaram as mãos. Apesar de ser uma situação pavorosa, elas achavam que tinham sorte por terem umas às outras.

As meninas usaram suas pulseiras ao longo de muitos banhos, férias curtas na primavera durante as quais iam para a capital do país e Colonial Williamsburg – ou, no caso de Spencer, para as Bermudas – durante treinos enlameados de hóquei e surtos de gripe. Ali dava um jeito de estar com sua pulseira sempre mais limpa que as das outras, como se sujá-la fosse enfraquecer seu propósito. Algumas vezes, elas tocavam as pulseiras com a ponta dos dedos e sussurravam "até o dia da minha morte", para lembrarem a si mesmas como eram próximas. Aquilo se tornou a senha delas; todas sabiam o que significava. Na verdade, Ali dissera a frase há menos de doze meses, no último dia de aula do sétimo ano, quando as meninas estavam comemorando o início do verão. Ninguém poderia saber que, em poucas horas, Ali iria desaparecer.

Ou que aquele seria o dia de sua morte.

1

E NÓS PENSÁVAMOS QUE ÉRAMOS AMIGAS

Spencer Hastings estava no gramado verde-maçã, na frente da capela do colégio Rosewood Day, com suas três ex-melhores amigas, Hanna Marin, Aria Montgomery e Emily Fields. As meninas tinham parado de se falar havia mais de três anos, não muito tempo depois que Alison DiLaurentis desaparecera misteriosamente, mas haviam se reencontrado naquele dia, na homenagem póstuma para ela. Dois dias antes, operários de uma obra tinham encontrado o corpo de Alison embaixo de uma laje de concreto, atrás da casa onde ela vivera.

Spencer olhou de novo para a mensagem de texto que acabara de receber em seu Sidekick.

>Eu ainda estou aqui, suas vacas. E eu sei de tudo. —A

— Ah, meu Deus — sussurrou Hanna. A tela de seu BlackBerry mostrava a mesma coisa. E era o que também podia ser lido no Treo de Aria e no Nokia de Emily. Durante a semana anterior, cada uma delas recebera e-mails, bilhetes e mensagens instantâneas de alguém que assinava com a letra *A*. Os recados eram, na maioria das vezes, sobre coisas que aconteceram no sétimo ano, o ano em que Ali desaparecera, mas mencionavam também novos segredos... coisas que estavam acontecendo *naquele exato momento*.

Spencer acreditara que A pudesse ser Alison – que, de alguma forma, ela havia voltado – mas isso agora estava fora de questão, certo? O corpo de Ali havia ficado preso embaixo do concreto. Ela estava... morta... há muito, muito tempo.

– Você acha que isso tem a ver... com A Coisa com Jenna? – sussurrou Aria, passando a mão no queixo anguloso. Spencer guardou o telefone de volta na bolsa de *tweed* Kate Spade.

– Nós não deveríamos falar sobre isso aqui. Alguém pode nos ouvir. – Ela deu uma olhada nervosa na direção dos degraus da igreja onde Toby e Jenna Cavanaugh estiveram parados alguns momentos antes. Spencer não via Toby desde antes do desaparecimento de Jenna, e a última vez que vira Jenna fora na noite do acidente, nos braços do paramédico que a carregava.

– Que tal os balanços? – sussurrou Aria, indicando o playground do setor de educação infantil de Rosewood Day. Era onde elas costumavam se encontrar.

– Perfeito. – Spencer começou a abrir caminho no meio da multidão de pessoas enlutadas. – Encontro com vocês lá.

Era fim de uma tarde de outono, um dia claro como cristal. O ar recendia a maçãs e lenha queimada. Um balão flutuava bem alto no céu. Era o dia perfeito para a cerimônia póstuma de uma das meninas mais lindas de Rosewood.

Eu sei de tudo.

Spencer sentiu um calafrio. Tinha de ser um blefe. Quem quer que fosse esse A, não poderia saber *de tudo*. Não sobre A

Coisa com a Jenna... E, com certeza, não sobre o segredo que só Spencer e Ali conheciam. Na noite do acidente de Jenna, Spencer testemunhara algo que suas amigas não tinham visto, mas Ali a fizera manter segredo sobre aquilo, mesmo de Emily, Aria e Hanna. Spencer queria contar a elas, mas como naquela época não podia, deixou o assunto de lado e fingiu que nada acontecera.

Mas... algo acontecera.

Naquela noite fresca de primavera, em abril, no sexto ano, logo depois de Ali ter lançado um rojão na janela da casa na árvore, Spencer correu para fora. O ar cheirava a cabelo queimado. Ela viu os paramédicos tirando Jenna da casa na árvore pela instável escada de cordas.

Ali estava perto dela.

— Você fez aquilo de propósito? — perguntou Spencer, apavorada.

— Não! — Ali agarrou o braço de Spencer. — Foi um...

Por anos, Spencer tentou bloquear o que aconteceu em seguida: Toby Cavanaugh vindo na direção delas. O cabelo dele estava todo bagunçado e emplastado, e seu rosto, sempre tão pálido, estava todo vermelho. Ele foi direto para cima de Ali.

— *Eu vi você*. — Toby tremia, de tão bravo. Ele deu uma olhada para a garagem de sua casa, onde um carro de polícia estava estacionado. — Eu vou contar o que aconteceu.

Spencer engasgou. As portas da ambulância se fecharam com um estrondo e as sirenes se afastaram da casa fazendo barulho. Ali estava calma.

— Tá bom, mas eu vi *você*, Toby — disse ela. — E se você contar, eu vou contar também. Para os seus *pais*.

Toby recuou.

— Não.

– *Sim*. – Ali o mediu com os olhos. Apesar de ela ter só mais ou menos um metro e cinquenta, de repente, pareceu bem mais alta. – *Você* acendeu o rojão. Você feriu sua irmã.

Spencer agarrou o braço dela. O que ela estava fazendo? Mas Ali se soltou.

– Meia-irmã – murmurou Toby, quase sem fazer som nenhum. Ele olhou na direção de sua casa na árvore e, depois, na direção do final da rua. Outro carro de polícia entrou devagar na casa dos Cavanaugh. – Eu vou pegar você – rosnou ele para Ali. – Pode esperar.

E então, desapareceu.

Spencer segurou Ali pelo braço.

– O que nós vamos fazer?

– Nada – disse Ali, de forma quase delicada. – Está tudo bem.

– Alison... – Spencer piscou sem acreditar. – Você não escutou nada? Ele disse que viu o que você fez. Ele vai contar tudo para a polícia agora mesmo.

– Eu acho que não. – Ali sorriu. – Não com o que eu tenho contra ele. – Ela então se inclinou e sussurrou o que ela havia visto Toby fazendo. Era tão nojento que Ali tinha esquecido que estava segurando o rojão aceso, até que ele estourou nas mãos dela e atravessou a janela da casa na árvore.

Ali obrigou Spencer a prometer que não contaria para as outras nada sobre aquilo, e avisou que, se contasse a elas, ia dar um jeito de fazer com que Spencer – e só Spencer – levasse toda a culpa. Apavorada com o que Ali poderia fazer, Spencer manteve a boca fechada. Ela não pensava que Jenna poderia dizer alguma coisa – certamente, Jenna se lembrava de que não fora Toby que fizera aquilo –, mas estivera confusa, tendo delírios... dissera que toda aquela noite era um borrão em sua memória.

Então, um ano depois, Ali desapareceu.

A polícia havia interrogado todo mundo, incluindo Spencer, perguntando se sabiam de alguém que queria machucar Ali. *Toby*, Spencer se lembrou imediatamente. Ela não conseguia esquecer o momento em que ele dissera: *Eu vou pegar você*. Mas dedurar Toby significava contar aos policiais a verdade sobre o acidente de Jenna — no qual ela tinha sua parcela de responsabilidade. Sobre o qual ela sabia a verdade e não havia contado a ninguém. Significava, também, contar às suas amigas o segredo que estivera escondendo por mais de um ano. Por isso, Spencer não disse nada.

Spencer acendeu outro Parliament e saiu do estacionamento da igreja de Rosewood. *Viu só?* A não poderia saber de tudo, como dizia sua mensagem de texto. A não ser que, bem, A fosse Toby Cavanaugh... mas isso não fazia o menor sentido. Os recados de A para Spencer falavam sobre um segredo que só Ali conhecia: no sétimo ano, Spencer havia beijado Ian, o namorado de sua irmã Melissa. Spencer havia contado isso para Ali — e para mais ninguém. E A também sabia sobre Wren, o agora ex de sua irmã, com quem Spencer tinha dado mais do que apenas um beijo na semana anterior.

Mas os Cavanaugh *moravam* na rua de Spencer. Com binóculos, Toby pode ter conseguido olhar de sua janela. E Toby ainda *estava* em Rosewood, embora fosse setembro. Ele não deveria estar no colégio interno?

Spencer parou na entrada de tijolos do Colégio Rosewood Day. Suas amigas já estavam lá conversando, rodeadas pelos brinquedos do parquinho da escola primária. Era um lindo castelo, com torres, bandeirolas e um escorregador em formato de dragão. O estacionamento estava deserto, as passagens para pedestres, feitas de tijolos, estavam vazias e os campos de jogos estavam silenciosos; toda a escola tivera um dia de folga em homenagem a Ali.

– Bem, todas nós recebemos mensagens de texto desse tal de A? – perguntou Hanna, quando Spencer se aproximava. Todas elas exibiram seus celulares, nos quais estava estampada a mensagem *Eu sei de tudo*.

– Eu recebi outras duas – disse Emily, sondando o terreno. – Pensei que fossem de Ali.

– Eu também pensei! – arfou Hanna, batendo a mão no trepa-trepa. Aria e Spencer concordaram com a cabeça. Elas se entreolharam nervosas, com os olhos arregalados.

– O que as suas diziam? – Spencer olhou para Emily.

Emily afastou uma mecha de cabelo louro-avermelhado do olho.

– É... particular.

Spencer ficou tão surpresa, que riu alto.

– Você não tem segredos, Em! – Emily era a garota mais pura e doce de todo o planeta.

Emily pareceu ofendida.

– É, bem, eu tenho.

– Ah. – Spencer sentou-se em um dos degraus estreitos. Ela inspirou profundamente, esperando sentir cheiro de mato molhado e serragem. Em vez disso, sentiu cheiro de cabelo queimado, como na noite do acidente de Jenna.

– E você, Hanna?

Hanna franziu seu narizinho atrevido.

— Se Emily não vai falar sobre as dela, eu não quero falar sobre as minhas. Era uma coisa sobre a qual só Ali sabia.

— É o meu caso também — disse Aria, apressadamente. Ela baixou os olhos. — Desculpem.

Spencer sentiu uma fisgada no estômago.

— Bom, todo mundo aqui tinha segredos que só *Ali* conhecia?

Todas concordaram. Spencer bufou, brava.

— Achei que fôssemos melhores amigas umas das outras.

Aria se virou para ela e franziu a testa.

— Então, o que as suas mensagens diziam?

Spencer não achou que seu segredo sobre Ian fosse tão interessante assim. Não era nada comparado ao que ela sabia sobre A Coisa com Jenna. Mas, naquele momento, ela sentia orgulho demais para contar.

— É um segredo que só Ali sabia, como o de vocês. — Ela colocou seu cabelo louro escuro atrás das orelhas. — Mas A também me mandou um e-mail sobre algo recente. É como se alguém estivesse me *espionando*.

Os olhos azul-claros de Aria se arregalaram.

— A mesma coisa comigo.

— Então, tem alguém vigiando todas nós — concluiu Emily. Uma joaninha pousou com delicadeza em seu ombro, e ela espantou o bichinho, como se achasse que era uma coisa muito mais perigosa.

Spencer se levantou.

— Vocês acham que pode ser... Toby?

Todas pareceram surpresas.

— Por quê? — perguntou Aria.

— Ele faz parte da Coisa com Jenna — disse Spencer, cuidadosa. — E se ele souber?

Aria mostrou a mensagem de texto em seu Treo.

— Você acha mesmo que tudo isso é sobre... A Coisa com Jenna?

Spencer passou a língua pelos lábios. *Conte a elas.*

— Nós ainda não sabemos por que Toby aceitou levar a culpa — sugeriu ela, testando para ver o que as outras poderiam dizer.

Hanna pensou por um momento.

— A única forma de Toby saber o que fizemos é uma de nós ter contado. — Ela olhou para as outras com desconfiança. — *Eu não contei.*

— Nem eu — falaram apressadamente Aria e Emily.

— E se Toby descobriu de outro jeito? — perguntou Spencer.

— Você quer dizer, se alguém mais viu Ali naquela noite e contou a ele? — Aria quis saber. — Ou se ele viu Ali?

— Não... quero dizer... eu não sei — disse Spencer. — São só suposições.

Conte a elas, Spencer pensou de novo, mas não podia. Todas pareciam tão cuidadosas umas com as outras como haviam estado logo depois que Ali desapareceu, quando a amizade delas se desintegrara. Se Spencer contasse a verdade sobre Toby, elas a odiariam por não ter contado à polícia quando Ali sumiu. Talvez até mesmo a culpassem pela morte de Ali. Talvez elas devessem. E se Toby realmente tivesse... feito aquilo?

— Foi só uma ideia. — Ela se ouviu dizendo. — É provável que eu esteja errada.

— Ali disse que ninguém sabia daquilo, exceto nós. — Os olhos de Emily estavam úmidos. — Ela *jurou*. Lembra?

— Além disso — acrescentou Hanna —, como Toby poderia saber tanto quanto nós? Eu poderia acreditar nisso se fosse alguma antiga colega de hóquei dela, ou o irmão, ou a mãe, ou alguém com que ela conversasse de verdade. Mas ela odiava Toby. Todos nós o detestávamos.

Spencer deu de ombros.

— Você tem razão.

Assim que disse aquilo, Spencer relaxou. Suas preocupações não faziam sentido.

Tudo estava quieto. Talvez quieto demais. O galho de uma árvore estalou e Spencer virou-se imediatamente. Estava se movendo como se alguém tivesse acabado de sair de lá. Um passarinho marrom, empoleirado no telhado de Rosewood Day, olhou para ela como se também soubesse algumas coisas.

— Acho que alguém está tentando mexer com a nossa cabeça — sussurrou Aria.

— É, sim — concordou Emily, mas pareceu hesitante.

— Bom, e se nós recebermos outros torpedos? — Hanna puxou o vestido preto e curto sobre as coxas magras. — Nós precisamos, pelo menos, ter uma ideia de quem é.

— E se, quando recebermos outro torpedo, ligássemos umas para as outras? — sugeriu Spencer. — Podemos tentar montar esse quebra-cabeça. Mas eu acho que nós não devemos fazer nada, tipo, maluco. Temos que tentar não nos preocupar.

— Não estou preocupada — declarou Hanna, depressa.

— Nem eu — disseram Aria e Emily ao mesmo tempo. Mas, quando uma buzina soou na avenida principal, todas pularam.

— Hanna! — Mona Vanderwaal, a melhor amiga de Hanna, colocou sua cabeça louro-clara para fora da janela de um Hummer H3 amarelo. Ela usava grandes óculos de aviador cor-de-rosa.

Hanna olhou para as outras sem remorso.

— Tenho que ir — murmurou, antes de correr colina acima.

Ao longo dos últimos anos, Hanna havia se reinventado como uma das garotas mais populares de Rosewood Day. Ela perdera peso, tingira o cabelo num tom ruivo-escuro sexy, comprara todo um novo guarda-roupa, cheio de roupas de grifes e, agora, ela e Mona Vanderwaal — também uma ex-garota-esquisita — pavoneavam-se pela escola, boas demais para todos os outros. Spencer se perguntava qual seria o grande segredo de Hanna.

— Eu também tenho que ir. — Aria arrumou a bolsa roxa e molenga num dos ombros. — Bom... eu ligo para vocês, meninas. — E foi andando em direção ao seu Subaru.

Spencer ainda enrolou um pouco no playground. Emily também, e seu rosto, geralmente alegre, parecia abatido e cansado. Spencer colocou a mão no braço sardento de Emily.

— Você está legal?

Emily balançou a cabeça.

— Ali. Ela está...

— Eu sei.

Elas se abraçaram desajeitadamente e, depois, Emily saiu em direção às árvores, dizendo que ia pegar um atalho para casa. Por anos, Spencer, Emily, Aria e Hanna não haviam se falado, mesmo quando se sentavam uma atrás da outra na aula de história, ou quando estavam sozinhas no banheiro feminino. Ainda assim, Spencer conhecia particularidades de todas elas — partes intrincadas de suas personalidades que só um amigo próximo poderia conhecer. Sabia, por exemplo, que sem dúvida era Emily quem estava pior com a morte de Ali. Elas costumavam chamar Emily de "matadora", porque ela defendia Ali como se fosse um rottweiler ciumento.

De volta ao seu carro, Spencer sentou-se no banco de couro e ligou o rádio. Ela girou o dial e achou a 610 AM, a estação de esportes dos Phillies. Algo sobre aqueles caras com excesso de testosterona, gritando sobre os times Phillies e Sixers, a acalmava. Ela tivera a esperança de que falar com suas velhas amigas pudesse clarear um pouco as coisas, mas agora tudo parecia ainda mais... terrível. Mesmo com o enorme vocabulário que adquirira de tanto estudar para o vestibular, ela não podia pensar numa palavra melhor para descrever a situação.

Quando o telefone tocou em seu bolso, ela o pegou achando que deveria ser Emily ou Aria. Talvez até mesmo Hanna. Spencer franziu a testa e abriu sua caixa de recados.

Spence, eu não a culpo por não contar às outras nosso segredinho sobre Toby. A verdade pode ser perigosa – e você não quer se machucar, quer? —A

2

HANNA 2.0

Mona Vanderwaal parou o Hummer de seus pais, mas manteve o motor ligado. Ela jogou o celular em sua enorme bolsa cor de conhaque Lauren Merkin e deu um sorriso malicioso para sua amiga Hanna.

– Tentei ligar para você.

Cautelosa, Hanna permaneceu na calçada.

– Por que você está aqui?

– Do que você está falando?

– Bem, eu não pedi para você me dar uma carona. – Tremendo, Hanna apontou para seu Toyota Prius, no estacionamento. – Meu carro está logo ali. Alguém contou a você que eu estava aqui ou...?

Mona enrolou uma longa mecha de cabelo louro-claro em volta do dedo.

– Saí da igreja agora e estou indo para casa, sua maluca. Eu vi você e encostei. – Ela deu uma risadinha. – Você tomou o Valium da sua mãe? Parece um pouco confusa.

Hanna tirou um Camel Ultra Light do maço de cigarros que estava em sua bolsa Prada preta e o acendeu. Claro que ela parecia confusa. Sua antiga melhor amiga havia sido assassinada e, durante toda a semana, ela vinha recebendo mensagens de texto apavorantes de alguém chamado A. Em todos os instantes daquele dia – enquanto se arrumava para o funeral de Ali, comprava uma Coca Diet no Wawa, dirigia em direção à igreja de Rosewood – ela tivera certeza de que alguém a estava observando.

– Eu não vi você na igreja – murmurou.

Mona tirou os óculos de sol e mostrou os olhos azuis.

– Você olhou bem na minha direção. Eu acenei para você. Nada disso soa familiar?

Hanna deu de ombros.

– Eu... eu não me lembro.

– Bem, acho que você estava ocupada com suas velhas amigas – respondeu Mona, ressentida.

Hanna se arrepiou. Suas antigas amigas eram um assunto delicado entre elas: um milhão de anos atrás, Mona era uma das meninas de quem Ali, Hanna e as outras tiravam sarro. Ela havia se tornado o alvo preferido delas depois que Jenna se acidentara.

– Desculpe. A igreja estava lotada.

– Não é como se eu estivesse me escondendo. – Mona pareceu magoada. – Eu estava sentada atrás de Sean.

Hanna respirou fundo. *Sean.*

Sean Ackard agora era seu ex-namorado; o relacionamento deles havia implodido na festa de volta às aulas de Noel Kahn, na noite da última sexta-feira. Hanna havia decidido que aquela sexta-feira seria a noite em que perderia a virgindade, mas, quando ela começou a se insinuar para Sean, ele a empurrou e lhe passou um sermão sobre respeitar o próprio corpo. Para se vingar, Hanna levou a BMW dos Ackard para dar um passeio com ela e Mona, e a arrebentou, batendo contra um poste, na frente de uma loja de material de construção.

Mona pisou no acelerador com seu *peep-toe* de salto alto, ressuscitando o motor de um bilhão de cilindros do carro.

– Então, escute. Temos uma emergência... nós ainda não temos companhia.

– Para o quê? – Hanna piscou.

Mona ergueu uma das sobrancelhas louras perfeitamente feitas.

– Alô-ô, Hanna!? Para a Foxy! É neste fim de semana! Agora que você chutou Sean, precisa convidar alguém legal.

Hanna olhou para os pequenos dentes-de-leão que cresciam nas fendas da calçada. Foxy era o baile de caridade anual, organizado pela Liga de Caça à Raposa de Rosewood – era daí que vinha o nome do baile. Uma doação de 250 dólares para alguma instituição de caridade garantia um jantar, dança, uma chance de ter sua fotografia publicada no *Philadelphia Inquirer* e no glam-R5.com – o blog de colunismo social da região – e era uma grande desculpa para usar uma roupa linda, beber e dar uns amassos no namorado de outra pessoa. Hanna havia pagado por seu lugar em julho, pensando que iria com Sean.

– Eu nem sei se vou – murmurou, tristonha.

– Claro que você vai. – Mona revirou os olhos e suspirou. – Olha, liga para mim quando reverterem sua lobotomia. – Dito isso, ela ligou o carro e saiu, cantando pneus.

Hanna andou devagarinho até o seu Prius. Suas amigas haviam ido embora, e seu carro prateado parecia solitário no estacionamento vazio. Uma sensação desconfortável tomava conta dela. Mona era sua melhor amiga, mas havia toneladas de coisas que Hanna não estava contando a ela no momento. Como as mensagens de A. Ou sobre como fora presa no sábado de manhã por roubar o carro do senhor Ackard. Ou sobre como Sean é que dera um chute *nela*, e não o contrário. Sean era tão diplomático que dissera aos amigos apenas que eles "haviam decidido conhecer outras pessoas". Hanna achou que poderia mudar um bocadinho a história em seu benefício e, assim, ninguém descobriria a verdade.

Mas se ela contasse a Mona qualquer dessas coisas, isso mostraria que sua vida estava saindo do controle. Hanna e Mona haviam se reinventado juntas, e a regra era que, por serem, juntas, as musas da escola, tinham de ser perfeitas. Isso significava que deveriam permanecer magricelas, comprar os jeans *skinny* Paige antes de qualquer outra pessoa e nunca perder o controle. Qualquer fenda em suas armaduras poderia mandá-las de volta ao mundo das perdedoras fora de moda, e elas não queriam voltar para lá. Nunca. Por isso, Hanna tinha que fingir que nada horroroso acontecera na semana anterior, mesmo que, sem dúvida, tivesse acontecido.

Hanna nunca passara pela experiência de saber que algum conhecido seu tivesse morrido; muito menos assassinado. E o fato de essa pessoa ser *Ali* – somado aos recados de A – tornava a situação toda ainda mais assustadora. Se alguém sabia mesmo sobre A Coisa com Jenna... e se contasse... *e* se esse alguém ainda por cima tivesse algo a ver com a morte de Ali, a vida de Hanna estava, definitivamente, fora de controle.

Hanna entrou com o carro na garagem de tijolos estilo georgiano de sua casa com vista para o monte Kale. Quando viu seu reflexo no espelho retrovisor do carro, ficou horrorizada ao constatar que sua pele estava manchada e oleosa, e seus poros estavam *enormes*. Ela se inclinou na direção do espelho e, então, de repente... sua pele estava perfeita. Hanna respirou fundo e de forma irregular algumas vezes, antes de sair do carro. Nos últimos dias, tivera um monte de alucinações como essa.

Tremendo, entrou quieta em casa e foi até a cozinha. Quando chegou nas portas-balcão de vidro, ficou paralisada.

A mãe de Hanna estava sentada à mesa da cozinha, com um prato de queijo e biscoitos na sua frente. Seu cabelo ruivo--escuro estava preso em um coque elaborado e seu relógio Chopard, incrustado de diamantes, cintilava à luz do sol da tarde. Seus fones de ouvido sem fio, da Motorola, estavam em suas orelhas.

E ao lado dela... estava o pai de Hanna.

– Nós estávamos esperando por você – informou o pai.

Hanna deu um passo para trás. O cabelo dele estava mais grisalho e ele usava óculos de aro redondo, mas, fora isso, estava exatamente igual: alto, olhos enrugados, camiseta polo azul. Sua voz ainda era a mesma, profunda e calma, como a de um locutor de rádio. Fazia quatro anos que Hanna não o via ou falava com ele.

– O que você está *fazendo* aqui? – falou ela sem pensar.

– Eu estava na Filadélfia a trabalho – explicou o sr. Marin, sua voz desafinando de nervosismo ao pronunciar a palavra *trabalho*. Ele ergueu sua caneca de café com a figura de um doberman. Era a caneca que ele usava quando morava com elas; Hanna se perguntou se ele havia procurado por ela no armário. – Sua mãe me ligou para contar sobre Alison. Meus pêsames, Hanna.

– Ah, tá. – Hanna pareceu distraída. Ela estava perplexa.

– Você precisa conversar sobre algum assunto? – A mãe mordiscou um pedaço de cheddar.

Hanna balançou a cabeça, aturdida. A relação da sra. Marin com Hanna era mais como chefe/estagiária do que como mãe/filha. Ashley Marin havia lutado para abrir seu caminho no mundo dos executivos de publicidade na agência McManus & Tate da Filadélfia e tratava a todos como se não passassem de mais um empregado. Hanna não conseguia lembrar qual havia sido a última vez que a mãe lhe fizera uma pergunta gentil. Provavelmente nunca.

– Hum... então... está tudo bem. Obrigada assim mesmo – respondeu ela, um pouco arrogante.

Será que eles podiam mesmo culpá-la por ser um pouco amarga? Depois do divórcio, seu pai se mudara para Annapolis, começara um relacionamento com uma mulher chamada Isabel, herdando uma linda quase-enteada, Kate. O pai tornara sua nova casa tão pouco acolhedora para ela que Hanna o visitara apenas uma vez. Seu pai não tentava ligar para ela, mandar e-mails, nada, havia anos. Ele nem sequer mandava presentes de aniversário – só cheques.

O pai suspirou.

– Esta, provavelmente, não é a melhor forma de discutir as coisas.

Hanna olhou para ele.

– Discutir as coisas.

O sr. Marin limpou a garganta.

– Bem, sua mãe me ligou também por outra razão. – Ele baixou os olhos. – O carro.

Hanna franziu a testa. Carro? Que carro? *Ah*.

– Já é ruim o suficiente que você tenha roubado o carro do sr. Ackard – continuou o pai. – Mas... abandonar o local do acidente?

Hanna olhou para a mãe.

– Pensei que isso tivesse sido resolvido.

– Nada está resolvido. – A sra. Marin a encarou.

Tá, até parece, Hanna queria dizer.

Quando os policiais a soltaram, no sábado, sua mãe lhe dissera, de modo misterioso, que "estava dando um jeito nas coisas" e que Hanna não precisava se preocupar. O mistério foi resolvido quando ela pegou sua mãe com um jovem policial, Darren Wilden, dando uns amassos na cozinha da casa delas, na noite seguinte.

– Estou falando sério – disse a sra. Marin, e Hanna interrompeu seu sorriso malicioso. – A polícia concordou em arquivar o caso, sim, mas isso não muda tudo o que está acontecendo com *você*, Hanna. Primeiro, você roubou na Tiffany, e agora isso. Não sei o que fazer. Então, liguei para o seu pai.

Hanna encarou o prato de queijo, muito desconcertada para olhar para qualquer um dos dois nos olhos. A mãe também havia contado ao pai que ela fora pega por roubar na Tiffany?

O sr. Marin limpou a garganta.

– Apesar de o caso estar encerrado para a polícia, o sr. Ackard quer continuar com o assunto de forma privada, sem levá-lo a um tribunal.

Hanna mordeu a boca por dentro.

– O seguro não paga por essas coisas?

– Não é bem isso – respondeu o pai. – O sr. Ackard fez uma proposta à sua mãe.

– O pai de Sean é cirurgião plástico – explicou a mãe dela –, mas a menina dos olhos dele é uma clínica de reabilitação para vítimas de queimaduras. Ele quer que você se apresente lá amanhã, às três e meia da tarde.

Hanna franziu o cenho.

— Por que nós não podemos só dar o dinheiro a ele?

O pequeno telefone LG da sra. Marin começou a tocar.

— Eu acho que isso vai ser uma boa lição para você fazer algum bem para a comunidade. Entender o que você fez.

— Mas eu *entendo*! — Hanna Marin não queria sacrificar seu tempo livre em uma clínica para pessoas queimadas. Se ela *tinha* que fazer trabalho voluntário, por que não podia ser em algum lugar mais chique? Tipo na ONU, com Nicole e Angelina?

— Já está tudo resolvido — disse a sra. Marin, bruscamente. Depois, gritou ao telefone: — Carson? Você fez os ensaios?

Hanna se sentou, as unhas cravadas nos pulsos. Na verdade, ela queria ir lá para cima tirar o vestido do funeral — ele estava fazendo suas coxas parecerem enormes ou era só seu reflexo nas portas da varanda? —, refazer a maquiagem, perder uns dois quilos e tomar um gole de vodca. Depois, poderia voltar e se apresentar outra vez.

Quando deu uma olhada para o pai, ele lhe deu um sorrisinho. O coração de Hanna deu um salto. Seus lábios se abriram como se ele fosse falar, mas então o celular dele também tocou. Ele ergueu um dos dedos, fazendo sinal para Hanna esperar.

— Kate? — atendeu ele.

O coração de Hanna encolheu. *Kate*. A linda e perfeita quase enteada.

O pai dela encaixou o telefone embaixo do queixo.

— Ei! Como foi a corrida? — Ele fez uma pausa e depois sorriu, radiante. — Menos de dezoito segundos? Isso é *incrível*!

Hanna pegou um pedaço de cheddar do prato. Quando estivera em Annapolis, Kate nem sequer olhara para ela. Ela e Ali, que acompanhara Hanna para dar apoio moral, logo haviam se tornado as melhores amigas do mundo, excluindo Hanna completamente. Aquilo fizera Hanna devorar qualquer lanchinho num raio de um quilômetro e meio – tudo isso aconteceu no tempo em que ela era gorducha e feia, e comia sem parar. Quando ela se contorceu com as mãos na barriga de tanta dor, o pai apertara seu dedo do pé e perguntara "Minha porquinha não está se sentindo bem?" na frente de *todo mundo*. Depois disso, Hanna buscara refúgio no banheiro e enfiara uma escova de dentes na garganta.

O naco de cheddar pairava, indeciso, na frente da boca de Hanna. Respirando fundo, ela o embrulhou em um guardanapo e jogou tudo no lixo. Todas aquelas coisas aconteceram há muito tempo... quando ela era uma Hanna bem diferente. Só Ali sabia sobre aquilo e Hanna enterrara esse segredo bem fundo.

3

TEM ALGUMA LISTA DE ADESÃO AOS AMISH POR AÍ?

Emily Fields parou na frente do Gray Horse Inn, um prédio de pedra caindo aos pedaços que fora um hospital durante a Guerra da Independência dos Estados Unidos. O gerente atual havia transformado os andares superiores em uma pousada para forasteiros ricos e mantinha um café no salão. Emily espiou através das janelas do café e viu alguns de seus colegas de classe e suas famílias comendo pãezinhos com salmão defumado, tostex italianos e saladas Cobb. Parecia que todos estavam desfrutando de um lanchinho pós-funeral.

—Você conseguiu.

Emily se virou e viu Maya St. Germain apoiada num vaso de terracota, cheio de peônias. Maya tinha ligado quando Emily estava saindo do playground de Rosewood Day, perguntando se elas poderiam se encontrar ali. Assim como Emily, Maya ainda estava com a roupa do funeral — uma saia plissada, curta, de veludo preto, botas pretas e um suéter sem mangas, com um delicado laço em volta do pescoço. E, assim como Emily, parecia que Maya tinha garimpado nas profundezas de seu guarda-roupa para encontrar algo preto que parecesse adequado para a ocasião.

Emily sorriu com tristeza. Os St. Germain haviam se mudado para a antiga casa de Ali. Quando os pedreiros começaram a cavar pelo gazebo dos DiLaurentis, que nunca fora terminado, a fim de limpar o terreno para a quadra de tênis dos St. Germain, encontraram os restos mortais de Ali debaixo do concreto. Desde então, carros de imprensa, viaturas policiais e bisbilhoteiros em geral haviam cercado a propriedade sete dias por semana, vinte e quatro horas por dia. A família de Maya tinha se refugiado na pousada até que as coisas se acalmassem.

– Oi. – Emily olhou em volta. – Seus pais estão lanchando?

Maya balançou seus cachos grossos e castanho-escuros.

– Eles foram para Lancaster. Para ficar perto da natureza ou alguma coisa assim. Sinceramente, acho que eles estão em choque, então, talvez a vida simples do campo faça algum bem a eles.

Emily sorriu, pensando nos pais de Maya tentando se integrar aos Amish na pequena comunidade a oeste de Rosewood.

– Quer ir até o meu quarto? – perguntou Maya, erguendo uma das sobrancelhas.

Emily puxou a saia – suas pernas eram musculosas por causa da natação – e parou para pensar. Se a família de Maya não estava lá, elas estariam a sós. Em um quarto. Com uma cama.

Quando Emily viu Maya pela primeira vez, ficou enfeitiçada. Ela sempre procurara por uma amiga que pudesse substituir Ali. Ali e Maya eram mesmo parecidas de várias maneiras – as duas eram destemidas e divertidas, e pareciam as únicas duas pessoas no mundo que entendiam a Emily real. Elas tinham mais uma coisa em comum: Emily sentia alguma coisa *diferente* quan-do estava com elas.

— Vamos lá. — Maya se virou para entrar na casa. Emily, sem saber muito bem o que fazer, foi atrás dela.

Ela seguiu Maya pela escada em espiral que rangia, até seu quarto, com decoração inspirada no ano 1776. O lugar cheirava a lã molhada, tinha piso de pinho diagonal, uma cama *queen size* com dossel, coberta por uma colcha enorme e diferente, e um objeto esquisito, que parecia com um batedor de manteiga, no canto.

— Meus pais colocaram meu irmão e eu em quartos separados. — Maya sentou-se na cama, que rangeu.

— Que legal — comentou Emily, se empoleirando na beirada de uma cadeira bamba que, provavelmente, havia pertencido a George Washington.

— Bem, como você *está*? — Maya se inclinou na direção dela. — Deus, eu vi você no funeral. Você parecia... devastada.

Os olhos cor de avelã de Emily se encheram de lágrimas. Ela *estava* devastada com a perda de Ali. Emily havia passados os últimos três anos e meio esperando que Ali aparecesse em sua varanda, saudável e brilhante como sempre. E, quando começou a receber os torpedos de A, teve certeza de que Ali estava de volta. Quem mais poderia saber? Mas agora Emily sabia que Ali tinha ido embora de verdade. Para sempre. E, além disso, alguém conhecia seu segredo mais constrangedor — que ela fora apaixonada por Ali — e que sentia a mesma coisa por Maya. E talvez a mesma pessoa também soubesse a verdade sobre o que elas haviam feito com Jenna.

Emily se sentia mal por ter se recusado a contar para suas antigas amigas o que diziam os recados de A, mas é que ela simplesmente... *não podia*. Uma das mensagens continha uma antiga carta de amor que ela havia escrito para Ali. A ironia é que ela *podia* contar a Maya o que diziam as mensagens, mas tinha medo de contar a ela sobe A.

— Acho que ainda estou muito chocada — respondeu, por fim, sentindo o início de uma dor de cabeça. — Mas eu também... estou só cansada.

Maya chutou as botas para longe.

— Por que você não tira uma soneca? Não será sentada nessa cadeira de tortura que você vai se sentir melhor.

Emily agarrou os braços da cadeira.

— Eu...

Maya deu um tapinha na cama indicando que era para Emily se sentar lá.

—Você precisa de um abraço.

Um abraço *faria* com que ela se sentisse melhor. Emily afastou o cabelo louro-avermelhado do rosto e se sentou na cama, perto de Maya. Seus corpos se fundiram. Emily podia sentir as costelas de Maya através do tecido da camisa dela. Ela era tão pequena que era provável que Emily conseguisse erguê-la e girá-la pelo quarto.

Elas se afastaram um pouco, ficando a alguns centímetros do rosto uma da outra. Os cílios de Maya eram de um preto profundo, e ela tinha pontinhos dourados em seus olhos. Devagar, Maya ergueu o queixo de Emily. Ela a beijou, primeiro, gentilmente. Depois, com mais intensidade.

Emily sentiu um já familiar arrepio de excitação enquanto Maya roçava a beirada de sua saia. De repente, ela enfiou a mão por baixo do tecido. Suas mãos estavam surpreendentemente frias.

Emily abriu os olhos e se afastou.

As cortinas de babados do quarto de Maya estavam abertas e Emily podia ver os Escalades, caminhonetes Mercedes e Lexus

Hybrids no estacionamento. Sarah Isling e Taryn Orr, duas meninas que estavam no mesmo ano que Emily, saíram pela porta do restaurante, seguidas por seus pais. Emily se afastou.

Maya se sentou novamente.

– O que houve?

– O que você está *fazendo*? – Emily ajeitou a camisa desabotoada.

– O que você pensa que eu estou fazendo? – Maya sorriu.

Emily olhou para a janela de novo. Sarah e Taryn haviam ido embora.

Maya remexeu-se para cima e para baixo no colchão molenga.

– Você sabia que no sábado vai ter uma festa de caridade chamada Foxy?

– Sabia. – Todo o corpo de Emily tremia.

– Acho que nós devemos ir – continuou Maya –, parece que vai ser divertido.

Emily franziu a testa.

– Os convites custam duzentos e cinquenta dólares. E você tem que ser convidada.

– Meu irmão ganhou convites. E são suficientes para nós dois. – Maya se inclinou para perto de Emily. – Você pode ser minha acompanhante?

Emily saiu da cama.

– Eu... – Ela deu um passo para trás, tropeçando no tapete. Uma porção de pessoas de Rosewood Day ia à Foxy. Todos os garotos e garotas populares, todos os atletas... todo mundo. – Preciso ir ao banheiro.

Maya pareceu confusa.

– Fica ali.

Emily fechou a porta empenada. Ela se sentou no vaso e encarou o desenho na parede que mostrava uma mulher Amish usando uma touca e um vestido comprido. Talvez fosse um sinal. Emily estava sempre procurando por sinais que a ajudassem a tomar decisões – em seu horóscopo, em biscoitos da sorte, em coisas aleatórias como essas. Talvez, esse desenho significasse: *Seja como os Amish*. Eles não levavam vidas castas? Suas vidas não eram loucamente simples? Eles não haviam queimado garotas que gostavam de outras garotas na fogueira?

E, então, o telefone dela tocou.

Emily tirou-o de seu bolso, perguntando-se se não seria sua mãe querendo saber onde ela estava. A sra. Fields não estava exatamente feliz com a amizade de Emily e Maya – por motivos racistas, perturbadores. Imagine se a mãe dela soubesse, então, o que elas estavam aprontando naquele momento.

O Nokia de Emily piscou: *1 nova mensagem*. Ela clicou em LER.

> Em! Ainda se dedicando ao mesmo tipo de "atividade" com sua melhor amiga, pelo que posso ver. Apesar de a maioria de nós ter mudado completamente, é bom saber que você ainda é a mesma! Vai contar a todos sobre seu novo amor? Ou eu devo fazer isso? —A

– Ah, não – sussurrou Emily.

De repente, ouviu um barulho perto dela. Deu um pulo, batendo o quadril contra a pia. Era apenas alguém dando descarga no banheiro do quarto ao lado. Depois, houve alguns sussurros e risadinhas. O som parecia vir do ralo da pia.

– Emily – Maya chamou –, tudo bem por aí?

— Hum... tudo — grasnou Emily. Ela se olhou no espelho. Seus olhos estavam arregalados e vazios, e seu cabelo louro-avermelhado estava desgrenhado. Quando ela finalmente saiu do banheiro, as luzes do quarto estavam apagadas e as cortinas, fechadas.

— *Psssst* — chamou Maya da cama. Ela estava deitada de lado, de forma sedutora.

Emily olhou em volta. Ela tinha certeza de que Maya não havia trancado a porta. Todos aqueles garotos de Rosewood estavam lanchando bem no andar de baixo...

— Eu não posso fazer isso — disse Emily.

— O quê? — Os dentes brancos ofuscantes de Maya brilhavam no escuro.

— Nós somos amigas. — Emily se encostou contra a parede. — Eu gosto de você.

— Eu gosto de você também. — Maya passou a mão em seu braço nu.

— Mas é só isso que eu quero que sejamos no momento — explicou Emily. — Amigas.

O sorriso de Maya desapareceu na escuridão.

— Desculpe. — Emily enfiou os sapatos de qualquer jeito, calçando o pé direito no esquerdo.

— Isso não significa que você precisa ir embora — disse Maya, tranquila.

Emily olhou para ela enquanto alcançava a maçaneta. Seus olhos estavam começando a se habituar à escuridão, e ela pôde ver Maya, que parecia desapontada, confusa e... linda.

— Tenho que ir — murmurou Emily —, estou atrasada.

— Atrasada para quê?

Emily não respondeu. Ela se virou para a porta. Como suspeitou, Maya não tinha se dado ao trabalho de trancá-la.

4

A VERDADE ESTÁ NO VINHO... OU, NO CASO DE ARIA, NA CERVEJA

Enquanto ia entrando apressadamente na casa *avant-garde* de linhas retas de sua família – que se destacava naquela rua típica de Rosewood, cheia de casas no estilo neoclássico vitoriano – Aria ouviu os pais falando baixinho na cozinha.

– Mas eu não entendo – dizia sua mãe, Ella (os pais de Aria prefeririam que ela os chamasse por seus primeiros nomes). – Na semana passada você me disse que conseguiria ir ao jantar dos artistas. É importante. Acho que Jason pode comprar algumas obras que eu fiz em Reykjavík.

– Mas eu já estou atrasado na correção dos trabalhos – respondeu o pai dela, Byron. – Eu ainda não voltei ao ritmo das aulas.

Ella suspirou.

– Como é que eles já entregaram trabalhos, se você só deu aula dois dias?

– Eu lhes dei a primeira tarefa antes de o semestre começar. – Byron pareceu distraído. – Vou compensar você, prometo. E sobre o Otto's? Sábado à noite?

Aria entrou pelo vestíbulo. Sua família tinha acabado de voltar de uma estadia de dois anos em Reykavík, na Islândia, onde o pai dela tirara um período sabático de seu trabalho como professor em Hollis, uma faculdade de artes liberais, em Rosewood. Tinha sido uma pausa agradável para todos eles. Aria precisava dar um tempo após o desaparecimento de Ali; seu irmão, Mike, precisava adquirir alguma cultura e disciplina; e Ella e Byron, que haviam começado a passar dias sem se falar, pareciam ter se apaixonado de novo na Islândia. Mas, então, novamente no lar da família, todos eles estavam de volta aos seus hábitos disfuncionais.

Aria foi até a cozinha. O pai havia saído e a mãe estava em pé, perto da bancada, com a cabeça apoiada nas mãos. Ela se animou quando viu Aria.

— Como você está, gatinha? — perguntou Ella, atenciosa, mexendo no cartão que fora dado como lembrança do serviço fúnebre de Ali.

— Estou bem — murmurou Aria.

— Você quer falar sobre isso?

Aria sacudiu a cabeça.

— Mais tarde, talvez.

Ela saiu apressada para a sala, sentindo-se esgotada e incapaz de se concentrar, como se tivesse bebido seis latas de Red Bull. E não era apenas por causa do funeral de Ali.

Na semana anterior, A a atormentara por causa de um de seus segredos mais sombrios: no sétimo ano, Aria pegara o pai aos beijos com uma de suas alunas, uma garota chamada Meredith. Byron pedira que Aria não contasse nada para a mãe, e Aria nunca havia contado, apesar da culpa que sentia por causa disso. Quando A ameaçou contar a Ella toda a verdade, Aria pensou que A fosse Alison. Ali estava com Aria no dia em que ela flagrou Byron e Meredith juntos, e Aria nunca contara isso para mais ninguém.

Naquele momento, Aria sabia que A não podia ser Alison, mas a ameaça de A ainda a rondava, com a promessa de arruinar a família dela. Ela sabia que devia contar a Ella antes que A o fizesse – mas não conseguia se obrigar a fazer isso.

Aria foi até a varanda de trás, passando a mão pelo cabelo preto. Um facho de luz esbranquiçada passou zunindo. Era seu irmão, Mike, correndo pelo quintal com sua rede de lacrosse.

– Ei! – chamou ela, tendo uma ideia. Como Mike não respondeu, ela foi até lá fora, no gramado, e se plantou na frente dele. – Vou dar um pulo no centro. Quer vir?

Mike fez uma careta.

– O centro está cheio de hippies sujos. Além do mais, estou treinando.

Aria revirou os olhos. Mike estava tão obcecado em fazer parte da equipe de lacrosse de Rosewood Day que nem tinha se importado em tirar o terno cinza-chumbo que usara no funeral antes de começar seus exercícios. O irmão dela era a cara de Rosewood – usando o boné encardido de beisebol, viciado em PlayStation e economizando para comprar um Jeep Cherokee verde-exército assim que fizesse dezesseis anos. Infelizmente, não havia dúvida que eles tinham os mesmos genes – tanto Aria como seu irmão eram alto, tinham cabelo preto-azulado e feições angulares inesquecíveis.

– Bem, eu vou tomar um porre – informou ela a ele. – Você tem *certeza* de que quer treinar?

Mike estreitou os olhos azul-cinzentos para olhar para ela, processando a informação.

– Você não está me arrastando para algum sarau de poesia sem que eu saiba?

Ela negou com a cabeça.

— Nós iremos ao mais sórdido boteco de faculdade que conseguirmos achar.

Mike deu de ombros e largou a rede de lacrosse.

— Então vamos lá — respondeu ele.

Mike desabou em um dos reservados do bar.

— Este lugar é demais.

Eles estavam em Victory Brewery — que era mesmo o bar universitário mais sórdido que encontraram. De um lado, o bar era vizinho de um estúdio que colocava piercings e do outro, de uma loja chamada Hippie Gypsy, que vendia "sementes hidropônicas" — estranho, muito estranho. Havia uma mancha de vômito na calçada em frente ao bar, e um segurança que devia pesar uns cento e cinquenta quilos, meio cego, tinha sinalizado para eles entrarem direto. Estava muito envolvido na leitura de uma revista *Dubs* para reparar neles.

Lá dentro, o bar era escuro e imundo, com uma mesa de pingue-pongue em péssimo estado nos fundos. Esse lugar era bem parecido com o Snooker's, outro bar encardido, frequentado por universitários de Hollis, mas Aria havia jurado que nunca mais colocaria os pés lá. Ela havia conhecido um cara sexy chamado Ezra no Snooker's, duas semanas antes, mas aí ele acabou se revelando não ser bem um menino, e sim um professor de inglês — o professor de inglês *dela*. A enviou mensagens perturbadoras para Aria sobre Ezra e, quando Ezra, acidentalmente, viu o que A havia escrito, presumiu que Aria estivesse contando para toda a escola sobre eles. E assim acabou o romance de faculdade de Aria.

Uma garçonete de peitos enormes e usando tranças como as de Heidi, uma personagem de livros infantis, se aproximou da mesa deles e olhou para Mike cheia de suspeita.

— Você tem vinte e um anos?

— Ah, tenho. — Mike cruzou as mãos sobre a mesa. — Na verdade, eu tenho vinte e cinco anos.

— Nós vamos querer uma jarra de Amstel — interrompeu Aria, chutando Mike por debaixo da mesa.

— E — acrescentou Mike — eu quero uma dose de Jaeger.

Heidi Peitões parecia desconfortável, mas voltou com a jarra e a dose de licor. Mike bebeu o Jaeger num único gole e fez uma careta horrorizada, de garotinha. Ele bateu o copo com força na mesa de madeira e olhou para Aria.

— Acho que descobri por que você ficou tão maluca. — Mike tinha dito, na semana passada, que achava que Aria estava agindo de forma ainda mais maluquinha que o usual e jurara descobrir o porquê disso.

— Estou morrendo de curiosidade — disse Aria, seca.

Mike uniu os dedos como se desenhasse uma torre, uma atitude profissional que o pai deles sempre assumia.

— Acho que você está dançando em segredo na Turbulence. — Aria deu uma risada tão forte que a cerveja saiu pelo seu nariz. Turbulence era uma boate de striptease duas cidades adiante, perto de um aeroporto com uma só pista.

— Dois caras disseram ter visto uma garota por lá que era igualzinha a você — continuou Mike. — Você não precisa esconder isso de mim. Eu sou legal.

Aria deu um puxão discreto em seu sutiã de angorá. Ela havia feito um para ela mesma, e também para Ali e para suas velhas amigas no sexto ano, e havia usado o seu no memorial de Ali, como um tributo. Infelizmente, no sexto ano, Aria usava um número menor, e agora o tecido a apertava e dava uma coceira dos infernos.

— Você quer dizer que não acha que eu estou agindo de forma estranha porque: a) nós estamos de volta a Rosewood e eu odeio isso aqui; e b) minha antiga melhor amiga está morta?

Mike deu de ombros.

— Eu acho que você não gostava de verdade daquela garota.

Aria se virou. Tinha havido momentos nos quais ela realmente não gostava de Ali, isso era verdade. Em especial, quando Ali não a levava a sério, ou quando ela a infernizava, querendo saber detalhes sobre Byron e Meredith.

— Isso não é verdade — mentiu.

Mike colocou mais cerveja em seu copo.

— Não é muito estranho que ela estivesse, sei lá, jogada num buraco? E, tipo, coberta de concreto?

Aria estremeceu e fechou os olhos. Seu irmão não tinha tato algum.

— E aí, você acha que alguém a matou? — perguntou Mike.

Aria deu de ombros. Essa era a pergunta que a assombrava — uma pergunta que ninguém mais havia feito. No memorial de Ali, ninguém teve peito de dizer que ela havia sido *assassinada*, só que ela havia sido *encontrada*. Porém o que mais poderia ter acontecido, além de assassinato? Num minuto, Ali estava na festinha delas. No instante seguinte, tinha desaparecido. Três anos depois, o corpo aparece em um buraco no quintal da casa dela.

Aria se perguntou se A e o assassino de Ali tinham alguma ligação — e se essa questão envolvia, de alguma forma, A Coisa com Jenna. Quando o acidente de Jenna aconteceu, Aria pensou ter visto alguém *além* de Ali ao pé da casa na árvore de Toby. Mais tarde, naquela noite, aquela visão manteve Aria acordada e ela decidiu que deveria perguntar a Ali sobre aquilo. Ela vira

Ali e Spencer cochichando atrás da porta fechada do banheiro, mas, quando Aria pedira para entrar, Ali disse a ela para voltar a dormir. E, pela manhã, Toby confessou tudo.

— Eu aposto que o assassino é, tipo, alguém que vai sair do nada — disse Mike. — Como... alguém que você jamais adivinharia, nem em um milhão de anos. — Os olhos dele brilharam. — Que tal a sra. Craycroft?

A sra. Craycroft era a vizinha idosa deles, à direita. Uma vez, ela guardou cinco mil dólares em moedas dentro de jarras de Poland Spring e tentou trocá-las por dinheiro na Coinstar mais próxima. O canal de TV local fez uma matéria com ela e tudo.

— Ah, tá, você resolveu o caso — disse Aria, inexpressivamente.

— Bem, alguém como ela. — Mike bateu com os nós de seus dedos na mesa. — Agora que eu sei o que está acontecendo com *você*, posso voltar minha atenção a Ali D.

— Mande bala. — Se a polícia não tinha habilidade suficiente para encontrar Ali em seu próprio quintal, Mike podia muito bem tentar dar uma ajudazinha para eles.

— Bem, acho que precisamos jogar um pouco de cerveja-pong — sugeriu Mike, e, antes que Aria pudesse responder, ele já havia reunido algumas bolas de pingue-pongue e um copo com capacidade de 500 ml. — Esse é o jogo preferido de Noel Kahn.

Aria sorriu de forma maliciosa. Noel Kahn era um dos meninos mais ricos da escola e *o* mais perfeito exemplo de garoto de Rosewood, o que, em suma, fazia dele um ídolo para Mike. E, ironia das ironias, parecia ter uma queda por Aria, que ela estava tentando ao máximo desencorajar.

– Deseje-me boa sorte. – Mike segurou a bola de pingue-pongue em posição de saque. Ele errou o copo e a bola rolou da mesa para o chão.

– Primeira bola fora – cantarolou Aria, com voz monótona, e o irmão envolveu seu copo de cerveja com as mãos e derramou todo o conteúdo garganta abaixo.

Mike tentou, pela segunda vez, jogar a bola de pingue-pongue no copo de Ária, mas errou de novo.

– Você é péssimo! – provocou Aria, a cerveja começando a fazer com que ela se sentisse meio tontinha.

– Como se você fosse melhor – retrucou Mike.

– Quer apostar?

Mike bufou.

– Se você não conseguir, tem que me colocar para dentro da Turbulence. Eu *e* Noel. Mas não enquanto você estiver trabalhando – acrescentou ele, depressa.

– Se você não conseguir, vai ter que ser meu escravo por uma semana. E *durante* a escola também.

– Fechado – concordou Mike. – Você não vai mesmo conseguir, então não importa.

Ela empurrou o copo para o lado da mesa em que Mike estava e mirou. A bola fez uma curva desviando-se de uma das muitas irregularidades da mesa e aterrissou direitinho dentro do copo de vidro, sem sequer encostar nas laterais.

– Ahá! – gritou Aria. – Você já era!

Mike estava aturdido.

– Foi só uma jogada de sorte.

– Não importa! – Aria riu, se divertindo. – Assim sendo... será que eu deveria fazer você rastejar de quatro atrás de mim pela escola? Ou vestir o *faldur* da mamãe? – Ela deu uma risadinha. O *faldur* de Ella era um chapéu pontudo, tradicional da Islândia, que fazia quem o usasse parecer um elfo maluco.

– Dane-se. – Mike tirou a bola de pingue-pongue do copo. Ela escorregou da mão dele e saiu quicando para longe.

– Eu pego – ofereceu-se Aria, sentindo-se agradavelmente bêbada. A bola tinha rolado até a frente do balcão e Aria inclinou-se até o chão para pegá-la. Um casal passou por ela e se espremeu em assentos difíceis de serem espionados, num canto escondido e discreto. Aria notou que a mulher tinha cabelos escuros e compridos e uma teia de aranha tatuada no pulso.

Aquela tatuagem lhe era familiar. *Muito* familiar. E, quando ela sussurrou alguma coisa para o cara com quem estava, ele começou a tossir feito um louco. Aria endireitou o corpo.

Era o pai dela. Com Meredith.

Ela correu ao encontro do irmão.

– Temos que ir.

Mike virou os olhos.

– Mas eu acabei de pedir uma segunda dose de Jaeger.

– Deixe para lá. – Aria pegou o casaco. – Vamos embora. Agora.

Ela jogou quarenta dólares em cima da mesa e puxou Mike pelo braço até ele ficar em pé. Ele cambaleava um pouco, mas ela conseguiu empurrá-lo na direção da porta.

Infelizmente, Byron escolheu exatamente aquele momento para dar umas de suas risadas inconfundíveis, que Aria sempre disse que parecia o som de uma baleia morrendo. Mike ficou imóvel, também reconhecendo a risada. O rosto do pai deles estava de perfil e ele estava tocando a mão de Meredith do outro lado da mesa.

Aria viu que Mike reconheceu o pai. Ele juntou as sobrancelhas.

– Espera aí – guinchou ele, olhando confuso para Aria.

Ela queria que seu rosto aparentasse despreocupação, mas, em vez disso, sentiu os cantos de sua boca desabarem. Sabia que estava fazendo a mesma cara que Ella fazia quando tentava proteger Aria ou Mike das coisas que poderiam feri-los.

Mike estreitou os olhos para encará-la e, depois, olhou de volta para o pai e Meredith. Ele abriu a boca para dizer alguma coisa, depois a fechou e deu um passo na direção deles. Aria o alcançou para detê-lo – não queria que isso acontecesse justo naquele momento. Ela não queria que isso acontecesse *nunca*. Depois, Mike endureceu o queixo, deu as costas para o pai e arrancou para fora do Victory, esbarrando na garçonete que os atendera no caminho.

Aria saiu logo atrás dele. Parada na vaga junto ao meio-fio, ela cerrou os olhos por causa da claridade da tarde, olhando de um lado para o outro procurando por Mike. Mas o irmão havia ido embora.

5

LAR DIVIDIDO

Spencer acordou no chão de seu banheiro, sem a menor noção de como fora parar lá. O relógio à prova d'água marcava 18:45 e, pela janela, o sol do final de tarde projetava longas sombras no jardim deles. Ainda era segunda-feira, o dia do funeral de Ali. Ela devia ter caído no sono... e andado enquanto dormia. Ela costumava ser sonâmbula crônica – seu estado piorou tanto no sétimo ano que tivera que passar uma noite na Clínica de Avaliação do Sono, da Universidade da Pensilvânia, com eletrodos ligados ao seu cérebro. O médico disse que era só estresse.

Ela se levantou e jogou água fria no rosto, olhando-se no espelho: cabelo louro e comprido, olhos verde-esmeralda, queixo pontudo. Sua pele era perfeita e seus dentes eram brilhantes de tão brancos. Parecia estranho que sua aparência não demonstrasse como ela se sentia péssima.

Ela examinou a equação em sua cabeça mais uma vez: A sabia sobre Toby e sobre A Coisa com Jenna. Toby estava de volta. Logo, Toby *tinha* de ser A, e ele estava dizendo a Spencer que mantivesse a boca fechada. Era a mesma tortura do sexto ano, tudo igual.

Ela voltou para o quarto e encostou a testa no vidro da janela. À sua esquerda ficava o moinho particular da família, que não funcionava mais havia muito tempo, mas seus pais amavam o tom rústico e autêntico que ele dava à propriedade. À sua direita, a fita com a frase "Não Ultrapasse" pintada em letras pretas ainda estava por todo o gramado dos DiLaurentis. O santuário de Ali, feito de flores, vela, fotos e outras bugigangas em homenagem a ela, havia crescido, engolindo todo o beco.

Do outro lado da rua ficava a casa dos Cavanaugh. Dois carros na garagem, uma cesta de basquete no quintal, a bandeirola vermelha na caixa de correspondência. Mas lá *dentro*...

Spencer fechou os olhos, lembrando-se do mês de maio no sétimo ano, um ano depois da Coisa com Jenna. Ela tinha entrado num trem para encontrar com Ali na cidade, onde iam fazer compras. Estava tão ocupada escrevendo uma mensagem de texto para Ali em seu sensacional Sidekick novo que só cinco ou seis paradas depois ela notou que havia alguém do outro lado do vagão. Era *Toby*. Encarando-a.

Suas mãos começaram a tremer. Ele havia estado no internato o ano todo, então Spencer não o via há meses. Como de hábito, o cabelo dele caía sobre os olhos e ele usava fones de ouvido enormes, mas alguma coisa nele naquele dia parecia... mais intensa. *E mais assustadora.*

Todos os sentimentos de culpa e ansiedade sobre A Coisa com Jenna que Spencer havia tentado enterrar voltaram à tona. *Eu vou pegar você.* Ela não queria ficar no mesmo vagão que ele. Ela colocou uma perna no corredor, depois a outra, mas o cobrador entrou na sua frente, de forma abrupta.

—Você está indo para a rua Treze ou para a Market East? – rugiu ele.

Spencer encolheu-se de volta no banco.

– Para a Treze – sussurrou ela. Quando o cobrador saiu de vista, ela deu uma olhada para Toby de novo. O rosto dele se abriu em um sorriso enorme e sinistro. E, um segundo depois, sua boca estava impassível mais uma vez, mas seus olhos diziam: *Espere... só... para... ver.*

Spencer se levantou rapidamente e passou para outro vagão. Ali estava esperando por ela na plataforma da rua Treze, e quando elas olharam para a parte de trás do trem, Toby as estava encarando.

– Vejo que alguém saiu de sua prisãozinha – disse Ali, com um sorriso malicioso.

– É sim. – Spencer riu da situação. – E ele ainda é um perdedor com P maiúsculo.

Mas, poucas semanas depois, Ali desapareceu. E aí não foi tão engraçado.

Um barulho de assobio vindo do computador de Spencer a fez dar um pulo. Era seu alerta de recebimento de e-mails. Ela foi verificar, agitada, e clicou na nova mensagem.

Oi, amor, não falo com você há dois dias e vou ficar louco de saudade. — Wren

Spencer suspirou, sentindo algo se agitar dentro dela. No instante em que pusera os olhos em Wren – sua irmã o levara para conhecer os pais em um jantar de família – alguma coisa acontecera com ela. Era como... como se ele a tivesse enfeitiçado no segundo em que se sentou no Moshulu, tomou um gole de vinho tinto e a olhou dentro dos olhos. Ele era inglês, exótico, engraçado e inteligente, e gostava das mesmas bandas *indie* que Spencer. *Ela* sabia... e, pelo jeito, ele também.

Antes de Melissa pegá-los dando uns amassos na sexta-feira à noite, ela e Wren haviam experimentado vinte inacreditáveis minutos de paixão. Mas, por causa da fofoca de Melissa, e porque os pais de Spencer *sempre* ficavam do lado da irmã, eles a proibiram de voltar a ver Wren. Ela estava louca de saudade dele também, mas o que poderia fazer?

Sentindo-se meio grogue e instável, desceu as escadas e passou pelo longo e estreito corredor, que a mãe havia transformado em galeria e onde expunha as paisagens de Thomas Cole, que herdara do avô. Ela entrou na cozinha espaçosa da família. Seus pais a haviam restaurado para que se parecesse como era em 1800 – exceto pelos eletrodomésticos de última geração. Sua família estava reunida em volta da mesa da cozinha, cercada de embalagens de comida tailandesa para viagem.

Spencer hesitou ao entrar. Não falava com eles desde antes do funeral de Ali – ela havia dirigido sozinha até lá e mal os havia visto mais tarde, na frente da igreja.

Na verdade, ela não falava com a família desde que eles a haviam repreendido por causa de Wren, dois dias antes, e agora eles a estavam evitando de novo, passando a jantar sem ela. E tinham companhia. Ian Thomas, um antigo namorado de Melissa – e o primeiro dos ex-namorados de Melissa que Spencer havia beijado – estava sentado no que deveria ser o lugar de Spencer.

– Oh! – guinchou ela.

Ian foi o único que olhou para ela.

— Ei, Spence! Como vai você? — perguntou, como se jantasse na casa dos Hastings todos os dias. Já era difícil o suficiente para Spencer que Ian estivesse treinando o time de hóquei dela em Rosewood, mas aquilo era bizarro.

— Eu estou... bem — disse Spencer, seus olhos correndo de um membro da família para outro, mas ninguém estava olhando para ela... ou explicando por que Ian estava se entupindo de comida tailandesa na cozinha deles. Spencer puxou uma cadeira para o canto da mesa e começou a colocar um pouco de frango com capim-limão em seu prato.

— Bem, hum, Ian. Então, você está jantando conosco?

A sra. Hastings lançou um olhar penetrante em sua direção. Spencer fechou a boca, tomada por uma sensação quente e sufocante.

— Nós nos encontramos no, hum, enterro — explicou Ian. Uma sirene o interrompeu e Ian derrubou o garfo. O barulho parecia estar vindo da casa dos DiLaurentis. Havia carros de polícia por lá o tempo todo.

— Que coisa de doido, não? — Ian passou uma das mãos pelo cabelo louro cacheado. — Eu não sabia que ainda havia tantos carros de polícia por aqui.

Melissa lhe deu uma cotovelada de leve.

— Você já tem uma longa ficha na polícia, morando lá naquele lugar perigoso que é a Califórnia? — Melissa e Ian tinham terminado porque ele se mudara para o outro lado do país, para fazer faculdade em Berkeley.

— Não — respondeu Ian. Antes que ele pudesse continuar, Melissa, de um jeito bastante próprio, mudara o assunto para outro tópico: ela mesma. Ela se virou para a sra. Hastings.

— Bem, mamãe, as flores no memorial eram da mesma cor que eu quero pintar as paredes da minha sala.

Melissa pegou uma revista *Martha Stewart Living* e a abriu em uma página marcada. Ela estava sempre falando sobre reformas; estava redecorando o sobrado na Filadélfia que os pais lhe haviam comprado como presente por ter entrado na Escola de Administração da Universidade da Pensilvânia. Eles nunca fariam nada parecido com aquilo para Spencer.

A sra. Hastings inclinou-se para ver.

– Encantador.

– Muito legal – concordou Ian.

Uma risada de descrença escapou da boca de Spencer.

O *serviço fúnebre* de Alison DiLaurentis tinha sido naquele mesmo dia e tudo o que elas podiam pensar em conversar era sobre cores de tinta?

Melissa virou-se para Spencer.

– O que foi isso?

– Bem... quer dizer... – gaguejou Spencer. Melissa parecia ofendida, como se Spencer tivesse mesmo dito alguma coisa rude. Ela agitou o garfo. – Esquece.

Houve outro silêncio. Até mesmo Ian parecia meio ressabiado com ela. O pai tomou um grande gole de vinho.

– Verônica, você viu a Liz por lá?

– Sim, eu conversei um pouco com ela – disse a mãe de Spencer. – Achei que ela parecia fantástica... considerando tudo. Por Liz, Spencer entendeu que fosse Elizabeth DiLaurentis, a tia mais nova de Ali, que vivia naquela área.

– Deve ter sido horrível para ela – declarou Melissa, solene. – Não posso nem imaginar.

Ian fez um *hummmm* de empatia. Spencer sentiu seu lábio de baixo tremer. *Oi, e eu?* Ela queria gritar. *Vocês não se lembram? Eu era a melhor amiga de Ali.*

Depois de alguns minutos de silêncio, Spencer se sentiu menos bem-vinda. Ela esperou que alguém perguntasse como estava indo, oferecesse a ela um pedaço de *tempura* ou, pelo menos, que dissesse "saúde" quando ela espirrasse. Mas eles ainda a estavam punindo por beijar Wren. Mesmo que aquele dia fosse... *aquele*.

Uma bola se formou em sua garganta. Ela estava acostumada a ser a favorita de todo mundo: dos professores, dos treinadores de hóquei, do editor do livro do ano. Mesmo o rapaz que tingia seu cabelo, Uri, dissera que ela era sua cliente favorita porque o cabelo dela pegava cor de um jeito lindo. Ela havia ganhado vários prêmios na escola e tinha trezentos e setenta amigos no MySpace, sem contar as bandas. E mesmo que jamais pudesse ser a favorita dos pais — era impossível eclipsar Melissa — ela não podia suportar que eles a odiassem. Especialmente naquele momento, quando tudo em sua vida estava tão instável.

Quando Ian se levantou e pediu licença para dar um telefonema, Spencer respirou fundo.

— Melissa. — Sua voz estava estridente.

A irmã olhou para ela e depois voltou a brincar com a comida tailandesa em seu prato.

Spencer limpou a garganta.

— Será que você pode falar comigo, por favor?

Melissa mal moveu os ombros.

— Quero dizer... não posso... não posso ter você me odiando. Você tem toda razão. Sobre... você sabe o quê. — As mãos dela tremiam tanto que ela as manteve presas debaixo das pernas. Pedir desculpas a fazia sentir-se nervosa.

Melissa dobrou as mãos sobre suas revistas.

— Desculpe — disse ela. — Achei que isso estava fora de questão. — Ela se levantou e levou o prato até a pia.

— Mas... — Spencer estava chocada. Olhou para os pais. — Eu realmente sinto muito... — Ela sentiu as lágrimas se acumulando em seus olhos.

O rosto de seu pai esboçou uma sombra de simpatia, mas então ele desviou o olhar depressa. A mãe colocou o que sobrara do frango com capim-limão em um Tupperware e deu de ombros.

— Você cavou sua própria cova, Spencer — disse ela, enquanto levantava para levar as sobras do jantar para a enorme geladeira de aço inoxidável

— Mas...

— Spencer. — A voz do sr. Hastings parecia dizer *pare de falar*.

Spencer calou a boca. Ian entrou trotando na cozinha com um sorriso enorme e abobalhado no rosto. Ele sentiu a tensão no ar e seu sorriso se apagou.

— Vamos lá. — Melissa ficou em pé e segurou o braço dele. — Vamos sair para comer a sobremesa.

— Claro. — Ian deu uma batidinha no ombro de Spencer. — Spence? Quer vir junto?

Spencer não queria mesmo ir — e pela cutucada que Melissa deu nele, pareceu que ela também não queria que a irmã fosse, mas Spencer nem teve chance de responder. A sra. Hastings disse, rapidamente:

— Não, Ian, Spencer vai ficar sem sobremesa. — O tom de voz dela era o mesmo que usava para repreender os cães.

— Obrigada de qualquer forma. — Spencer tentou segurar o choro. Para disfarçar, ela enfiou uma garfada enorme de molho picante de manga na boca. Mas escorreu pela sua garganta antes que sequer precisasse engolir; o molho espesso queimando enquanto descia. Por fim, depois de uma série de barulhos horríveis, Spencer cuspiu aquilo num guardanapo. Mas quando as lágrimas pararam de cair, foi que ela viu que os pais não se aproximaram para ter certeza de que não estava sufocando. Eles simplesmente haviam saído da cozinha.

Spencer enxugou os olhos e olhou para o nojento bolo mastigado que tinha cuspido no guardanapo. Era daquele jeito que ela se sentia.

6

A CARIDADE NÃO É ASSIM TÃO DOCE

Na terça-feira à tarde, Hanna arrumou a blusa creme e o cardigã soltinho que tinha vestido depois da escola e correu de propósito pelos degraus do consultório de cirurgia plástica William Atlantic e da clínica de reabilitação de queimados. Se você fosse tratar algumas queimaduras sérias, iria à clínica de William Atlantic. Se fosse fazer uma lipo, iria à clínica de Bill Beach.

O prédio havia sido construído na parte de trás no bosque, e apenas um pequeno pedaço podia ser visto através das imponentes árvores. O mundo todo cheirava a flores silvestres. Uma tarde perfeita de outono para ficar de bobeira na piscina do country club e observar os garotos jogando tênis. Era uma tarde perfeita para dar uma corridinha de dez quilômetros a fim de queimar o pacote de cheetos que ela detonara na noite anterior, enlouquecida pela visita surpresa do pai. Aquela podia até mesmo ser uma tarde perfeita para observar um formigueiro ou tomar conta dos gêmeos de seis anos da vizinha. Qualquer coisa seria melhor do que o que ela *estava* fazendo: sendo voluntária numa clínica para pessoas com queimaduras.

Ser voluntária era quase um xingamento para Hanna. Sua última experiência tinha sido no desfile de caridade do colégio Rosewood. Meninas de Rosewood usando roupas de grife desfilaram pelo palco, o pessoal deu lances pelas roupas exibidas e o dinheiro foi para a caridade. Ali vestiu um Calvin Klein estonteante, bem justo, e um pirralho cheirando a fraldas deu um lance de mil dólares por ele. Hanna, por outro lado, teve de usar uma monstruosidade rodada e cor de néon de Betsey Johnson, que a fazia parecer ainda mais gorda do que era. A única pessoa a dar lances na roupa que ela usava fora seu pai. Uma semana depois, seus pais anunciaram que iriam se divorciar.

E, então, seu pai estava de volta. Ou alguma coisa parecida.

Quando Hanna pensava na visita do pai no dia anterior, sentia-se tonta, ansiosa e brava, tudo ao mesmo tempo. Desde sua transformação, sonhava com o momento em que o encontraria de novo. Ela estava magra, era popular e equilibrada. Em seu sonho, ele sempre reaparecia com Kate, que ficara gorda e cheia de espinhas, e Hanna parecia muito mais bonita que ela.

– Ôôô! – gritou ela. Alguém saiu pela porta no momento em que ela estava entrando.

– Olhe por onde anda – resmungou a pessoa. Então, Hanna ergueu os olhos. Ela estava diante de portas duplas de vidro, perto de um cinzeiro e de um enorme vaso com prímulas. A pessoa saindo do prédio era... Mona.

O queixo de Hanna caiu. Mona estava com o mesmo olhar surpreso. Elas estudaram uma à outra.

– O que você está fazendo aqui?

– Visitando uma amiga da minha mãe. Plástica de seios. – Mona havia cortado o cabelo louro-claro acima dos ombros sardentos. – E você?

— Hum, a mesma coisa. — Hanna observou Mona com atenção. O radar de mentiras de Hanna apitou dizendo a ela que Mona podia estar mentindo. Mas, então, talvez Mona pudesse sentir a mesmíssima coisa sobre ela.

— Bem, vou embora daqui. — Mona endireitou a bolsa vinho num dos ombros. — Ligo para você mais tarde.

— Tudo bem — grasnou Hanna. Elas seguiram em direções opostas. Hanna se virou e deu uma olhada em Mona, só para constatar que a amiga estava olhando para ela por sobre o ombro.

— Agora, preste atenção — disse Ingrid, a enfermeira-chefe alemã, impassível e corpulenta. Elas estavam na sala de exames, e Ingrid ensinava Hanna como limpar as latas de lixo. Como se houvesse algum mistério nisso.

Todas as salas de exame eram pintadas de verde-abacate e as únicas coisas penduradas nas paredes eram pôsteres austeros, que mostravam doenças de pele. Ingrid designou Hanna para o ambulatório; e um dia, se Hanna fizesse tudo direito, em vez do ambulatório, ela teria permissão de limpar os quartos dos pacientes internados — onde as pessoas com queimaduras graves ficavam. Sortuda.

Ingrid puxou o saco de lixo.

— Isto aqui vai para o latão de lixo azul, que fica lá atrás. E você precisa esvaziar as latas de lixo hospitalar também. — Ela fez um gesto em direção a algo idêntico a uma lata de lixo. — Esse tipo de lixo precisa ser sempre recolhido separadamente do lixo comum. E você tem que usar isto aqui. — Ela deu um par de luvas de látex para Hanna. Hanna olhou como se *elas* estivessem cobertas de lixo hospitalar.

Em seguida, Ingrid indicou o corredor.

— Há dez outras salas de exame aqui — explicou ela. — Esvazie as lixeiras e limpe as tampas também. E, depois, venha me procurar.

Tentando prender a respiração — ela tinha horror àquele cheiro de hospital, gente doente e desinfetante —, Hanna se arrastou até o armário de material de limpeza para pegar mais sacos de lixo. Ela olhou para o corredor, imaginando onde eram os quartos dos pacientes. Jenna tinha sido internada aqui. Um monte de coisas, desde o dia anterior, tinham feito com que pensasse na Coisa com Jenna, apesar de ela continuar tentando tirar aquilo da cabeça. A ideia de que alguém sabia — e podia espalhar o fato — era algo que ela realmente não conseguia entender.

Apesar de a Coisa com Jenna ter sido um acidente, algumas vezes Hanna achava que não era bem assim. Ali tinha dado um apelido a Jenna: Branca, como em Branca de Neve, porque Jenna tinha uma semelhança irritante com a personagem da Disney. Hanna também achava que Jenna se parecia com a Branca de Neve — mas no bom sentido. Jenna não era bem-cuidada como Ali, mas havia algo estranhamente bonito nela. Certa vez, ocorrera a Hanna que a única personagem da Branca de Neve com a qual ela se parecia era o Dunga.

Ainda assim, Jenna era um dos alvos prediletos de Ali, então, lá no sexto ano, Hanna rabiscara uma fofoca sobre os seios de Jenna abaixo do suporte de toalhas de papel do banheiro feminino. Ela derrubara água na carteira de Jenna, na aula de álgebra, para que ela tivesse uma mancha falsa de xixi nas calças. Ela tirou sarro do sotaque falso que Jenna usava para falar na aula de francês II... por isso, quando os paramédicos tiraram Jenna da casa na árvore, Hanna ficou enjoada. Ela havia sido a primeira a concordar em pregar uma peça em Toby. E ainda pensara: "talvez, se pregarmos uma peça em Toby, possamos pregar uma peça em Jenna também". Era como se ela tivesse desejado que aquilo acontecesse.

As portas automáticas fizeram barulho ao se abrirem, no final do corredor, tirando Hanna de seu devaneio. Ela ficou paralisada, com o coração disparado, desejando que a pessoa chegando fosse Sean, mas não era. Frustrada, tirou o BlackBerry do bolso do casaco e digitou o número dele. Caiu direto na caixa postal, e Hanna desligou. Ela ligou de novo, sem esperanças, mas, novamente, a ligação caiu na caixa postal.

– Ei, Sean! – cantarolou Hanna depois do bipe, tentado parecer despreocupada. – Aqui é Hanna, de novo. Eu queria mesmo conversar, então, hum, você sabe onde me encontrar.

Ela já havia deixado três mensagens para ele naquele dia, dizendo que estaria na clínica naquela tarde, mas Sean não tinha respondido. Ela se perguntou se ele estava numa reunião do Clube da Virgindade – onde, recentemente, assinara um pacto de virgindade, jurando não fazer sexo, tipo, *nunca*. Talvez ele ligasse para Hanna quando terminasse a reunião. Ou... talvez, não ligasse. Hanna reprimiu o pensamento, tentando afastar essa possibilidade da mente.

Ela suspirou e foi até a sala que servia como vestiário para os empregados e como almoxarifado. Ingrid tinha pendurado a bolsa Ferragamo de estanho em um gancho, perto de uma coisa de vinil vagabundo da Gap, e ela reprimiu a vontade de tremer de raiva. Ela guardou o telefone na bolsa, pegou um rolo de papel toalha e uma garrafa de desinfetante em spray e foi para uma sala de exames vazia. Na verdade, fazer esse trabalho talvez mantivesse sua cabeça longe dos problemas com Sean e A.

Quando estava terminado de esfregar a pia, sem querer, esbarrou em um armário de metal que estava próximo. Dentro dele, havia prateleiras com caixas de papelão etiquetadas com nomes familiares. Tylenol 3. Vicodin. Hanna espiou lá dentro. Havia centenas de amostras de remédios. Elas estavam... estavam ali. Só. Não estavam trancadas.

Aquilo era a sorte grande.

Hanna, mais que depressa, enfiou algumas mãos cheias de Percocet nos bolsos incrivelmente fundos de seu casaco. Pelo menos, ia poder se divertir no final de semana com Mona fora dali.

Então, alguém colocou a mão em seu ombro. Hanna deu um pulo para trás e se virou, derrubando o montinho de papel toalha ensopado com desinfetante e um vidro cheio de cotonetes no chão.

– Por que você ainda está na sala de exame dois? – Ingrid franziu a testa. Ela parecia um pug mal-humorado

– Eu... eu só estava tentado fazer tudo direito. – Hanna logo se abaixou para recolher as toalhas de papel no lixo e torceu para que os Percocet não caíssem de seus bolsos. Seu pescoço queimava onde Ingrid havia encostado.

– Bem, venha comigo – disse Ingrid. – Tem alguma coisa fazendo barulho em sua bolsa. Está perturbando os pacientes.

– Tem certeza de que é na *minha* bolsa? – perguntou Hanna. – Eu mexi agora na minha bolsa e...

Ingrid fez com que Hanna a seguisse de volta ao vestiário. Com certeza, havia um barulhinho vindo do bolso interno da bolsa dela.

– É só meu celular. – Hanna se animou. Talvez Sean *tivesse* ligado!

— Bem, resolva isso sem fazer muito barulho e, depois, volte ao trabalho.

Hanna tirou o BlackBerry da bolsa para checar quem estava ligando. Ela tinha uma nova mensagem.

Hannakins: Esfregar o chão em Bill Beach não vai ajudá-la a ter sua vida de volta. Nem mesmo você pode arrumar essa bagunça. E, além disso, sei de algo que vai garantir que você não volte a ser a musa de Rosewood – nunca mais. —A

Hanna olhou em volta no vestiário, confusa. Leu de novo a mensagem, enjoada e com a garganta seca. O que A poderia saber que garantisse uma coisa daquelas?
Jenna.
Se A sabia que...
Hanna digitou voando uma resposta no teclado de seu telefone: *Você não sabe de coisa nenhuma.* Ela apertou ENVIAR. Em segundos, A respondeu:

Eu sei de tudo. Eu poderia DESTRUIR VOCÊ.

7

OH, CAPITÃO, MEU CAPITÃO

Terça-feira, Emily estava parada, indecisa, na frente da porta do escritório da treinadora Lauren.

— Posso falar com a senhora?

— Bem, eu tenho apenas alguns minutos antes de ter que entregar isso aos juízes — disse Lauren, segurando sua escala da competição. Aquele era o dia da Rosewood Tank, a primeira competição de natação da temporada. Na teoria, seria uma competição amistosa, todas as escolas preparatórias haviam sido convidadas, e não contava pontos, mas Emily sempre costumava se depilar para competir e ficava nervosa em todas as competições, como se a pontuação valesse. Mas não desta vez.

— O que foi, Fieldsy? — perguntou Lauren.

Lauren Kinkaid tinha trinta e poucos anos, cabelos louros permanentemente danificados pelo cloro e sempre usava camisetas com frases motivacionais de natação como AME SUAS BOLHAS ou TENHA ESTILO NO ESTILO LIVRE. Fazia seis anos que ela era a técnica de natação de Emily. Primeiro, na Liga Mirim, depois no ensino fundamental, e, então, em Rosewood. Não eram muitas as pessoas que conheciam Emily tão bem – não bem o suficiente para chamá-la de "Fieldsy", para saber que seu jantar favorito pré-competição era filé apimentado do China Rose ou que, quando o nado borboleta de Emily estava três décimos de segundo mais rápido, significava que ela estava menstruada. E isso tornava o que Emily ia dizer muito mais difícil.

– Eu quero sair da equipe – disse Emily, de uma vez por todas.

Lauren piscou. Ela pareceu aturdida, como se alguém tivesse acabado de lhe dizer que a piscina estava cheia de enguias elétricas.

– Po-por quê?

Emily fixou o olhar no chão de linóleo xadrez.

– Não é mais divertido.

Lauren bufou.

– Bem, não é sempre divertido. Às vezes, dá trabalho.

– Eu sei. Mas... não quero mais fazer isso.

– Você tem *certeza*?

Emily suspirou. Ela pensou que tinha certeza. Na semana anterior, tinha certeza. Estivera nadando por anos, jamais se perguntando se gostava daquilo ou não. Com a ajuda de Maya, Emily tinha reunido a coragem para admitir a si mesma – e aos seus pais – que queria sair da equipe.

Claro que isso tinha sido antes... de tudo. Agora, ela se sentia mais como um ioiô do que nunca. Num minuto, queria sair da equipe. No instante seguinte, queria sua vida de boa menina normal de volta, a vida na qual ela ia para a natação, saía com sua irmã, Carol nos fins de semana, e passava horas brincando no ônibus com as outras meninas da equipe e lendo as previsões de seu horóscopo. E agora ela queria a liberdade de perseguir seus próprios interesses de novo. Exceto que... quais eram seus interesses, além de nadar?

— Eu estou tão cansada — disse Emily afinal, numa tentativa de explicação.

Lauren apoiou a cabeça na mão.

— Eu ia torná-la a capitã da equipe.

Emily ficou embasbacada.

— Capitã?

— Bem... é. — Laura mexia nervosamente na caneta. — Pensei que você merecia. Você é um membro valioso da equipe, sabe? Mas se você não quer mais nadar, então...

Nem mesmo seus irmãos mais velhos, Jake e Beth, que haviam nadado pelos quatro anos do ensino médio, e conseguiram bolsas de natação na faculdade, tinham sido capitães.

Lauren enrolou o apito no dedo.

— E se eu pegar mais leve por um tempinho? — Ela pegou na mão de Emily. — Sei que tem sido duro o que aconteceu com sua amiga...

— É, sim. — Emily olhou para o pôster de Michael Phelps de Lauren, torcendo para não começar a chorar de novo. Toda vez que alguém mencionava Ali, ou seja, a cada dez minutos, ela ficava com um tique nervoso nos olhos e na boca.

— O que você me diz? — Lauren tentou persuadi-la.

Emily passou a língua pela parte de trás de seus dentes. Capitã. Claro, ela era a campeã estadual nos cem metros borboleta, mas Rosewood Day tinha uma equipe de natação excelente — Lane Iler acabara em quinto lugar nos quinhentos metros em estilo livre nas finais nacionais da faixa etária delas e a Universidade de Stanford já prometera a Jenny Kestler que ela participaria de todas as competições naquele ano. Lauren pensar em Emily em vez de Lanei ou Jenny *significava* alguma coisa. Talvez fosse um sinal de que sua vidinha, tomada pelo efeito ioiô, fosse voltar ao normal.

— Tudo bem — ouviu-se ela dizendo.

— Ótimo. — Lauren deu um tapinha em sua mão. Ela mexeu em uma de suas muitas caixas de papelão, cheias de camisetas, e deu uma para Emily. — Para você. Um presente de começo de temporada.

Emily desdobrou a camiseta. GAROTAS QUE BORBOLETEIAM SÃO AS MAIS GAYS. Ela olhou para Lauren com a garganta arranhando de tão seca. Lauren *sabia*?

Lauren ergueu a cabeça.

— É uma referência ao estilo de natação — explicou ela devagar. — Você sabe, o nado borboleta.

Emily olhou de novo para a camiseta. Não estava escrito *gays*, mas *gatas*.

— Oh — grasnou ela, dobrando a camiseta. — Obrigada.

Emily saiu do escritório de Lauren e atravessou o saguão da piscina com as pernas tremendo. O lugar estava lotado de nadadores, todos lá para participar do Tank. E, então, ela parou, sentindo de repente que alguém olhava para ela. Do outro lado do saguão, ela viu Ben, seu ex-namorado, encostado contra o armário de troféus. Seu olhar era tão intenso que ele nem piscava. A pele de Emily começou a coçar e seu rosto ficou vermelho. Ben deu um sorriso malicioso e se virou para sussurrar algo para seu melhor amigo, Seth Cardiff. Seth riu, deu outra olhada para Emily e sussurrou alguma coisa de volta para Ben. Depois disso, ambos riram silenciosamente.

Emily se escondeu atrás de uma turma de nadadores do St. Anthony.

Essa foi outra razão pela qual ela quis sair da equipe – para que não tivesse mais que encontrar com o ex-namorado, que *sabia* dela, todos os dias depois que as aulas acabassem. Ele havia flagrado Maya e Emily em uma situação mais-que-apenas-amizade na festa de Noel, na última sexta-feira.

Ela disparou pelo corredor vazio que levava aos vestiários masculino e feminino, pensando de novo sobre a última mensagem de A. Era estranho, mas, quando Emily lera o torpedo no banheiro do hotel de Maya, foi quase como se pudesse *ouvir* a voz dela. Acontece que isso era impossível, certo? Além disso, Ben era a única pessoa que sabia sobre Maya. Talvez, de alguma forma, ele tivesse descoberto que Emily tentara beijar Ali. Será que... Ben era A?

– Aonde você está indo?

Emily se virou para trás. Ben a seguira corredor adentro.

– Ei. – Emily tentou sorrir. – E aí?

Ben estava vestindo seu blusão de moletom detonado da Champion, que ele achava que trazia sorte, então, o usava em toda competição. Ele tinha raspado de novo o cabelo durante o final de semana. Isso fazia com que seu rosto, que já era anguloso, parecesse severo.

– *Nada* aqui – respondeu ele, com maldade, sua voz ecoando nos azulejos das paredes. – Pensei que você estava saindo da equipe.

Emily deu de ombros.

– É sim, bem, acho que mudei de ideia.

– É mesmo? Você parecia ter tanta certeza na sexta-feira. Sua namorada parecia tão orgulhosa de você.

Emily desviou o olhar.

— Nós estávamos bêbadas.

— Certo. — Ele deu um passo na direção dela.

— Pense o que quiser. — Ela se virou para seu armário. — E aquela mensagem que você mandou não me assustou.

Ben franziu as sobrancelhas.

— Que mensagem?

Ela congelou.

— A mensagem que diz que você vai contar para todo mundo — disse ela, testando-o.

— Eu não escrevi nenhuma mensagem para você. — Ben endureceu o queixo. — Mas... eu poderia contar para todo mundo. Você ser lésbica é uma historinha deliciosa.

— Eu não sou gay — insistiu Emily, entre os dentes.

— Ah, não? — Ben chegou mais perto. Emily sentiu sua respiração. — Prove.

Emily deu uma risada que parecia um latido. Ah, era só o *Ben*.

Mas, depois, ele inclinou-se na direção dela, agarrou seu pulso e a empurrou contra o bebedouro.

Ela respirava pesadamente. A respiração quente de Ben estava contra o pescoço dela e cheirava a Gatorade de uva.

— Para com isso — sussurrou ela, tentando se livrar dele.

Ben só precisou de um de seus braços fortes para segurá-la. Ele pressionou seu corpo contra o dela.

— Eu disse *prove*.

— Ben, para com isso! — Lágrimas de medo escorriam dos olhos dela. Emily bateu nele com vontade, mas isso só o fez usar mais força. Ele passou a mão no peito dela. Um guincho escapou de sua garganta.

— Algum problema?

De repente, Ben se afastou. Atrás deles, do lado mais afastado da sala, estava um garoto usando uma jaqueta da escola Tate Pre. Emily olhou meio de lado. O que...

— Isso não é problema seu, cara – disse Ben em voz alta.

— O que não é problema meu? – O garoto chegou mais perto. Parece que é, sim.

Toby Cavanaugh.

— Cara. – Ben se virou.

Os olhos de Toby baixaram para a mão de Ben no pulso de Emily. Ele fez um sinal com o queixo para Ben.

Ben deu uma olhada para Emily e depois a soltou. Ela se afastou dele, e Ben usou o ombro para manter a porta do vestiário masculino aberta. Depois, silêncio.

— Você está bem? – perguntou Toby.

Emily assentiu de cabeça baixa.

— Acho que sim.

— Tem certeza?

Emily olhou para Toby de esguelha. Ele havia ficado mesmo bem alto agora. Seu rosto não se parecia mais com o de um roedor assustado, mas, bem, ele tinha maçãs do rosto altas e lindos olhos escuros. Isso a fez pensar na mensagem de A. *Apesar de a maioria de nós ter mudado completamente...*

Seus joelhos ficaram bambos. Não poderia ser... *poderia?*

— Preciso ir – murmurou ela e saiu correndo, com os braços abertos, para dentro do vestiário feminino.

8

ATÉ MESMO OS TÍPICOS GAROTOS DE ROSEWOOD FAZEM BUSCAS ESPIRITUAIS

Na tarde de terça-feira, enquanto dirigia da escola para casa, Aria passou pelo campo de lacrosse e reconheceu a figura solitária, correndo em disparada em volta da área do gol, com a rede em riste na frente do rosto. Ele estava treinando passes e correndo na grama molhada e enlameada. Nuvens agourentas e cinzentas tinham se acumulado no céu, e começava a garoar.

Aria encostou o carro de repente.

– Mike! – Ela não via o irmão desde que ele saíra intempestivamente do Victory no dia anterior. Algumas horas mais tarde, ele havia ligado para casa, dizendo que estava jantando na casa de um amigo, Theo. E, mais tarde ainda, ligara para avisar que ia dormir lá.

O irmão levantou o rosto e olhou para ela, do outro lado do campo, e franziu a testa.

– Que foi?

– Vem cá.

Mike se arrastou pelo gramado perfeito, cortado rente.

— Entra aqui — mandou Aria.

— Eu estou treinando.

—Você não pode evitar este assunto para sempre. Temos que conversar a respeito.

— A respeito do quê?

Ela ergueu uma de suas sobrancelhas perfeitamente arqueadas.

— Ah, o que foi que vimos ontem? No bar?

Ele brincou com um dos cadarços de couro da rede. Gotas de chuva batiam contra a aba de seu boné Brine.

— Não sei do que você está falando.

— Como é? — Aria estreitou os olhos. Mas Mike nem mesmo olhou para ela.

— Tudo bem. — Ela engatou a ré. — Seja um frutinha.

Mike apoiou a mão no vão da janela do carro.

— Eu... eu não sei o que vou fazer — disse ele, baixinho.

Aria pisou no freio.

— O quê?

— Se eles se divorciarem, eu não sei o que vou fazer — repetiu Mike. A expressão vulnerável e constrangida em seu rosto fazia com que ele parecesse ter dez anos. — Estourar meus miolos, talvez.

Lágrimas escorriam dos olhos dela.

— Isso não vai acontecer — garantiu ela, com a voz tremendo. — Eu prometo.

Mike fungou. Ela estendeu a mão para tocá-lo, mas ele se afastou e correu campo afora.

Aria decidiu ir embora, seguindo devagar pela rua sinuosa e molhada. O tempo chuvoso era seu favorito. Fazia com que se lembrasse dos dias de chuva do passado, quando tinha nove anos. Ela entrava de fininho no veleiro do vizinho, subia pela parte de dentro da vela e se aconchegava dentro de uma das cabines, ouvindo o barulho da chuva batendo na lona e escrevendo em sua agenda da Hello Kitty.

Ela sentia que pensava de forma mais clara em dias chuvosos e, neste momento, precisava mesmo pensar. Ela poderia ter lidado com A contando a Ella sobre a Meredith *se* aquilo tivese acontecido no passado. Os pais dela poderiam sobreviver a algo assim; Byron poderia dizer que aquilo nunca mais aconteceria e blá-blá-blá. Mas, agora que Meredith estava de volta, bem, isso mudava tudo. Na noite anterior, seu pai não viera jantar em casa – por causa dos, hum, trabalhos que ele tinha que corrigir – e Aria e sua mãe sentaram-se no sofá diante da televisão e assistiam a *Jeopardy!*, o programa de perguntas e respostas, com tigelas de sopa no colo. Ambas no mais absoluto silêncio. E a questão era que ela também não saberia o que iria fazer se os pais se divorciassem.

Subindo uma ladeira bem íngreme, Aria pisou no acelerador – o Subaru sempre precisava de um empurrãozinho extra nas subidas. Mas, em vez de continuar em frente, as luzes do interior do carro se apagaram, e o automóvel começou a descer a ladeira de ré.

– Droga – sussurrou Aria, puxando o freio de mão. Quando tentou a ignição de novo, o carro nem sequer deu partida.

Ela olhou para a estrada de duas pistas vazia. O som de um trovão ecoou e a chuva começou a despencar do céu. Aria mexeu na bolsa, pensando se deveria chamar um guincho, ou seus pais para buscá-la, mas, depois de remexer ali dentro, deu-se de conta de que havia esquecido o Treo em casa. A chuva caía tão forte que o para-brisa e as janelas embaçaram.

— Ah, meu Deus — sussurrou Aria, sentindo-se claustrofóbica. Ela começou a ver pontinhos pretos na sua frente.

Aria conhecia essa sensação de ansiedade: era um ataque de pânico. Ela já tivera alguns antes. Um depois da Coisa com Jenna, outro depois do desaparecimento de Ali e o terceiro aconteceu quando ela estava andando pela rua Laugavegur em Reykjavík e viu uma menina idêntica a Meredith em um outdoor.

Acalme-se, disse a si mesma. *É só chuva*. Ela respirou profundamente duas vezes para se acalmar, tampou os ouvidos com os dedos e começou a cantar "Frère Jacques" — por alguma razão, a versão em francês funcionou. Depois de cantar a música três vezes, os pontinhos pretos começaram a desaparecer. A chuva perdera a força de furacão e estava apenas torrencial. O que precisava fazer era andar até a casa da fazenda pela qual havia passado e perguntar se podia usar o telefone deles. Ela manteve a porta do carro aberta, segurou seu blazer de Rosewood por cima da cabeça e começou a correr. Uma rajada de vento ergueu sua minissaia e ela enfiou o pé em uma poça de lama enorme. A água entrou por entre as tiras de sua sandália de salto alto.

— Que inferno — resmungou.

Estava apenas a alguns metros de distância da casa quando um Audi azul-marinho passou. Ele passou sobre a poça d'água, molhando Aria completamente e depois parou quando viu o Subaru quebrado. Deu ré devagar, até chegar perto dela. O motorista baixou o vidro.

— Você está bem?

Aria apertou os olhos, a chuva gotejava da ponta de seu nariz. No banco do motorista estava Sean Ackard, um garoto da sala dela. Ele era um menino típico de Rosewood: jaqueta com capuz, pele hidratada, feições bem americanas, carro caro. A diferença é que ele jogava futebol em vez de lacrosse. *Não* era o tipo de pessoa que ela queria ver justo numa hora daquelas.

– Estou bem – gritou ela.

– Na verdade, você está ensopada. Precisa de uma carona?

Aria estava tão molhada que sentia como se o rosto estivesse enrugado como uma ameixa seca. O carro de Sean parecia seco e aconchegante. Por isso, ela deslizou para o banco do carona e fechou a porta.

Sean disse a ela que jogasse o blazer, que estava pingando, no banco de trás. Depois, inclinou-se e aumentou o aquecimento.

– Para onde vamos?

Aria tirou os cachinhos pretos de sua testa.

– Na verdade, só preciso usar seu celular, depois eu deixo você em paz.

– Tudo bem. – Sean mexeu em sua mochila em busca do celular.

Aria encostou-se ao banco e olhou em volta. Sean não havia enchido seu carro com adesivos de bandas, como alguns caras faziam, e a parte de dentro não cheirava a suor masculino. Em vez disso, cheirava a uma combinação de pão e cachorro recém-lavado. Havia dois livros no chão, em frente ao banco dos passageiros: *Zen e a arte de manutenção de motocicletas* e *O Tao do Puff*.

– Você gosta de filosofia? – Aria afastou as pernas, para não molhar os livros.

Sean abaixou a cabeça.

– Bem, sim. – Ele parecia constrangido.

– Também li esses dois – disse Aria. – Eu li muitos filósofos franceses esse verão, quando estava na Islândia. – Ela fez uma pausa. Nunca havia realmente falado com Sean. Antes de partir, os garotos de Rosewood lhe davam medo, o que era parte do motivo pelo qual os odiava. – Hum, eu passei um tempo na Islândia. Meu pai tirou um ano sabático.

– Eu sei. – Sean deu um sorriso cínico a ela.

Aria olhou para as próprias mãos.

– Ah. – E então houve um silêncio desconfortável. O único som era o da chuva batendo e do movimento ritmado dos limpadores de para-brisa.

– Quer dizer que você lê, tipo, Camus e essas coisas? – perguntou Sean. Aria concordou, ele sorriu. – Eu li O *Estrangeiro* neste verão.

– Mesmo? – Aria ergueu o queixo, certa de que ele não tinha entendido nada. E, de qualquer forma, o que um típico garoto de Rosewood iria querer com livros profundos de filosofia? Se aquilo fosse uma analogia típica dos testes de lógica que eles às vezes faziam na escola, poderia ser "garotos de Rosewood: lendo filósofos franceses :: Turistas americanos na Islândia: comendo em qualquer lugar, menos no McDonald's". Coisas como essas simplesmente não aconteciam.

Quando Sean não respondeu, ela telefonou para casa do celular dele. Tocou sem parar até cair na caixa postal – eles não tinham ligado a secretária eletrônica ainda. Então, ligou para o número do pai, na faculdade – já passava das cinco horas e ele tinha deixado um bilhete na geladeira dizendo que ficaria no escritório entre as três e meia e as cinco e meia da tarde. Chamou, chamou e lá também ninguém atendeu.

Os pontinhos pretos começaram a piscar na frente de Aria mais uma vez enquanto ela imaginava onde o pai poderia estar... ou com quem poderia estar. Ela se inclinou sobre os braços nus, tentando respirar mais fundo. *Frére Jacques*, cantou em silêncio.

— Opa! — disse Sean, sua voz parecendo muito distante.

— Eu estou bem — afirmou Aria com a voz amortecida por suas pernas. — Eu só tenho que...

Ela ouviu Sean tatear pelo carro. Depois, ele enfiou um saco do Burger King nas mãos dela.

— Respira aqui dentro. Mas acho que ainda tem algumas batatas fritas, desculpe.

Aria colocou o saco em volta da boca e o inflou e desinflou devagar. Ela sentia a mão morna de Sean no meio de suas costas e, devagar, a tontura começou a ceder. Quando ela levantou a cabeça, Sean olhava para ela, aflito.

— Ataques de pânico? — perguntou ele. — Minha madrasta também tem. Sacos de papel sempre ajudam.

Aria amassou o saco em seu colo.

— Obrigada.

— Tem alguma coisa irritando você?

Aria balançou a cabeça rapidamente.

— Não, eu estou legal.

— Ah, qual é? — disse Sean. — Não é, tipo, por isso que as pessoas têm ataques de pânico?

Aria apertou os lábios.

— É complicado.

Além disso, ela queria dizer, *desde quando típicos garotos de Rosewood se interessam pelos problemas das meninas esquisitas?*

Sean deu de ombros.

— Você era amiga de Alison DiLaurentis, certo?

Aria concordou.

— É estranho, não é?

— É, sim. — Ela limpou a garganta. — Embora, hum, não seja estranho da forma como você acha que é. Quero dizer, *é* estranho desse jeito, mas é estranho de outros jeitos também.

— De quais jeitos?

Ela se inclinou para trás, sua roupa de baixo molhada estava começando a coçar. Naquele dia, na escola, pareceu que todos falavam com ela com sussurros infantis. Será que eles achavam que, se falassem no volume normal, Aria poderia ter uma crise de nervos instantânea?

— Eu só queria que todo mundo me deixasse em paz — falou ela. — Como era na semana passada.

Sean mexeu no desodorizador em formato de pinheiro que estava pendurado no espelho retrovisor, fazendo-o balançar.

— Sei o que você quer dizer. Quando minha mãe morreu, todo mundo pensou que, se eu ficasse um segundo sozinho, iria cometer uma loucura.

Aria endireitou-se no assento.

— Sua mãe morreu?

Sean olhou para ela.

— Sim. Mas foi há muito tempo. No quarto ano.

— Ah. — Aria tentou se lembrar de Sean no quarto ano. Ele era uma das crianças mais baixinhas da classe, e ela havia jogado queimado no mesmo time que ele um monte de vezes, mas foi só isso. Ela se sentiu mal por ser tão indiferente.

— Meus pêsames.

Ficaram em silêncio. Aria cruzou e descruzou as pernas descobertas. O carro começou a ficar com o cheiro de sua saia de lã molhada.

— Foi difícil — continuou Sean. — Meu pai teve um monte de namoradas. Eu nem mesmo gostava da minha madrasta, no começo. Mas me acostumei com ela, acho.

Aria sentiu os olhos se encherem de lágrimas: ela não queria ter que se acostumar com mudanças na família *dela*. Deu uma fungadela alta.

Sean chegou mais para a frente.

— Tem certeza de que não quer falar sobre isso?

Aria encolheu os ombros.

— Deveria ser um segredo.

—Vou dizer o que podemos fazer. E se você me contar o seu segredo e eu contar o meu para você?

—Tudo bem — concordou Aria, rapidamente. A verdade era que ela estava morrendo de vontade de falar com alguém sobre o assunto. Ela teria confidenciado aquilo para suas velhas amigas, mas elas foram tão discretas a respeito de seus segredos que envolviam A que isso fez com que Aria se sentisse ainda mais desconfortável em revelar os dela. — Mas você não pode contar nada.

— De jeito nenhum.

E, então, Aria contou a ele sobre Byron e Ella; Meredith e o que ela e Mike haviam visto no dia anterior no bar. A coisa toda simplesmente saiu.

— Não sei o que fazer — desabafou. — Sinto como se fosse eu quem devesse manter todos juntos.

Sean estava quieto, e Aria temeu que ele tivesse parado de escutar. Mas, então, ele ergueu a cabeça.

— Seu pai não deveria ter colocado você nessa situação.

— É, eu sei. — Aria deu uma olhada para Sean. Se você superasse a camisa enfiada dentro da calça e a bermuda cáqui, ele até que era bem bonitinho. Os lábios eram mesmo bem rosados e os dedos era nodosos, irregulares. Pela forma como sua camiseta polo justa estava esticada sobre o peito, ela imaginou que ele estava no auge da forma física para um jogador de futebol. De repente, ela ficou constrangida.

— É fácil conversar com você — disse Aria, tímida, fitando os próprios joelhos. Ela tinha deixado escaparem alguns pelinhos em seus joelhos quando se depilara. Isso não costumava fazer muita diferença, mas agora meio que fazia. — Por isso, hummm, obrigada.

— Claro. — Quando Sean sorria, seus olhos ficavam enrugados e ternos.

— Esta definitivamente não foi a forma como eu imaginei passar minha tarde — acrescentou Aria. A chuva ainda tamborilava no para-brisas, mas o carro tinha ficado bem quentinho durante o tempo em que ela tagarelava.

— Nem eu. — Sean olhou pela janela. A chuva tinha começado a diminuir. — Mas... não sei. Até que foi legal, não foi?

Aria deu de ombros. E então, lembrou.

— Ei, você me prometeu um segredo! É melhor que seja bom.

— Bem, não sei se é *bom*. — Sean se inclinou na direção de Aria e ela chegou mais perto. Por um louco segundo, pensou que eles poderiam se beijar.

— Bom, eu faço parte desse negócio chamado Clube da Virgindade — sussurrou Sean. Seu hálito cheirava a balas Altoids. — Você sabe do que se trata?

— Acho que sim. — Aria tentou evitar que seus lábios esboçassem um sorriso. — É aquele negócio de sem-sexo-até-o-casamento, certo?

— Certo. — Sean se afastou um pouco. — Bem... eu sou virgem. Mas... não sei se quero continuar a ser.

9

A MESADA DE ALGUÉM ACABA DE FICAR BEM MENOR

Na quarta-feira à tarde, o sr. McAdam, o professor de economia de Spencer, andava pelas fileiras da sala de aula, pegando papéis de uma pilha e colocando-os virados para baixo na carteira de cada estudante. Ele era um homem alto, com olhos saltados, nariz empinado e rosto redondo. Poucos anos antes, um de seus melhores alunos havia notado que ele se parecia com o Lula Molusco, do Bob Esponja, e o apelido pegara.

— Alguns destes testes estavam bastante bons — murmurou.

Spencer se endireitou. Ela fez o que sempre fazia quando não tinha certeza de como proceder em uma prova: pensou na pior nota que poderia tirar, uma nota que ainda assim garantisse que ela teria A como nota final da matéria. Na maioria das vezes, a nota em que pensava era tão baixa (embora, nota baixa para Spencer fosse um B+ ou, no máximo, um B-) que ela sempre acabava agradavelmente surpresa com o resultado. *Um B+*, disse ela a si mesma, enquanto o Lula Molusco colocou a prova em cima da carteira dela. *Essa é a pior nota possível.* E, então, ela virou a prova.

Um *B-*.

Spencer largou-a em cima da mesa como se estivesse pegando fogo. Verificou a prova procurando por questões em cuja correção Lula Molusco pudesse ter errado, mas ela realmente não sabia a resposta para as questões ao lado das quais havia um grande X vermelho.

Tudo bem, talvez não tivesse estudado o suficiente.

No dia anterior, quando haviam feito a prova, tudo em que ela fora capaz de pensar para preencher os parênteses das questões de múltipla escolha, havia sido: a) Wren, e em como ela nunca conseguia vê-lo; b) Os pais e Melissa, e no que poderia fazer para que a amassem de novo; c) Ali; e d); e); f) e g) o segredo nojento que ela sabia sobre Toby.

A tortura quanto a Toby era insana. Mas o que ela poderia fazer, ir à polícia? E dizer a eles... o quê? *Que um menino disse: Vou pegar você para mim, quatro anos atrás, e eu acho que ele matou Ali e que também vai me matar? Que recebi uma mensagem de texto que dizia que minhas amigas e eu estávamos em perigo?* Os policiais poderiam dar risada e dizer que ela estivera tomando muita Ritalina. E ela também tinha medo de contar para suas amigas o que estava acontecendo. E se A estivesse falando sério e acontecesse alguma coisa com elas caso abrisse a boca?

— Como você foi? — uma voz sussurrou.

Spencer deu um pulo. Andrew Campbell sentava-se ao seu lado e era tão bom aluno e perfeccionista quanto ela. Ele e Spencer eram o primeiro e o segundo alunos da classe e estavam sempre trocando de lugar. Seu teste era exibido orgulhosamente em cima de sua carteira. No topo da folha estava um A+, grande e vermelho.

Spencer trouxe o próprio teste para junto do peito.

— Fui bem.

— Que bom. — Uma mecha loura da juba de leão de Andrew caiu em seu rosto.

Spencer mostrou os dentes. Andrew era conhecido por ser xereta. Ela sempre pensara que isso era só um sintoma da gigantesca competitividade dele e, depois da última semana, se perguntou se ele poderia ser A. Mas, apesar de o interesse sincero de Andrew nos detalhes da vida de Spencer ser suspeito, ela não achava que ele fosse capaz de uma coisa como aquela. Andrew tinha ajudado Spencer no dia em que os pedreiros encontraram o corpo de Ali, cobrindo-a com um cobertor quando ela entrara em choque. A não faria nada como aquilo.

Enquanto o Lula Molusco passava lição de casa para eles, Spencer olhava para suas anotações. Sua letra cursiva, que costumava ser achatada e uniforme, próxima à linha, agora cobria a página, indecisa. Ela começou a passar tudo a limpo rapidinho, mas o sinal a interrompeu e Spencer se levantou sem jeito para sair. B-.

— Srta. Hastings?

Ela olhou para cima. Lula Molusco gesticulava para que fosse até a mesa dele. Ela andou até lá, arrumando seu blazer azul-marinho do uniforme de Rosewood e tomando cuidado para não tropeçar em suas botas de montaria caramelo, de camurça.

— Você é irmã de Melissa Hastings, não é?

Spencer sentiu que algo dentro ela morria um pouco.

— Hã-hã. — Era óbvio o que viria a seguir.

— Essa é uma ótima notícia para mim, então. — Ele batucou na mesa com a lapiseira. — Foi um prazer ter Melissa em minha sala de aula.

Tenho certeza de que foi, resmungou Spencer para si mesma.

– Onde ela está agora?

Spencer deu um sorriso falso. *Em casa, roubando o amor e a atenção de nossos pais.*

– Ela está em Wharton. Fazendo a MBA.

Lula Molusco sorriu.

– Eu sempre soube que ela iria para Wharton. – Então, deu uma boa olhada para Spencer. – A primeira parte das questões do trabalho que passei tem que ser entregue na próxima segunda-feira. E vou lhe dar uma sugestão: os livros extras que eu mencionei no resumo vão ajudar.

– Oh. – Spencer sentiu-se constrangida. Ele estava lhe dando uma dica porque lhe dera um B- e sentia pena dela, ou porque ela era irmã de Melissa? Ela endireitou os ombros.

– Eu já estava planejando comprá-los, de qualquer forma.

Lula Molusco olhou para ela, impassível.

– Bem, que ótimo.

Spencer se arrastou pelo corredor, perturbada. Em geral, ela ficava emparelhada com os melhores da turma, mas Lula Molusco a fizera se sentir como se ela fosse a pior aluna da classe.

Era o fim do dia escolar. Os alunos de Rosewood agitavam-se em torno de seus armários, enfiando livros em suas mochilas, fazendo planos por celular ou pegando seus equipamentos para os treinos esportivos. Spencer tinha hóquei às três horas, mas queria ir até a livraria Wordsmiths para comprar os livros do Lula Molusco antes disso. E depois tinha que checar com os responsáveis pelo livro do ano como estava a situação da lista dos voluntários para o Habitat for Humanity, e tinha que dar um oi para o orientador do grupo de teatro do colégio. Ela provavelmente chegaria uns minutinhos atrasada no hóquei, mas o que ela podia fazer?

Ao empurrar a porta da Wordsmiths, sentiu-se imediatamente mais calma. A livraria estava sempre silenciosa, sem vendedores sufocantes empurrando coisas para os clientes. Depois do desaparecimento de Ali, Spencer costumava ir até lá e ler as tirinhas de Calvin e Haroldo, só para ficar um pouco sozinha. Os funcionários também não ficavam bravos quando um celular tocava, que era exatamente o que o de Spencer estava fazendo naquele momento. O coração dela disparou... e então disparou de um jeito diferente quando ela viu quem era.

— Wren — sussurrou ela ao telefone, encostando-se na prateleira de livros de turismo.

— Você recebeu meu e-mail? — perguntou ele, com seu sotaque britânico sexy, quando ela atendeu.

— Hum... sim — respondeu Spencer. — Mas... eu não acho que você deveria ficar me ligando.

— Quer desligar, então?

Spencer olhou em volta, cautelosa, de olho em dois calouros tontos dando risadinhas na frente dos livros de autoajuda sobre sexo, e em uma senhora que estava folheando um guia de ruas da Filadélfia.

— Não — sussurrou ela.

— Bem, estou louco de vontade de te ver, Spence. Você pode me encontrar em algum lugar?

Spencer fez uma pausa. Chegava a doer o quanto ela queria dizer sim.

— Não tenho certeza se isso é uma boa ideia agora.

– O que você quer dizer com não ter certeza? – Wren riu. – Ah, Spencer, vamos lá. Já foi difícil o suficiente ter que esperar tanto para ligar para você.

Spencer balançou a cabeça.

– Eu... eu não posso – decidiu ela. – Sinto muito. Minha família... eles mal olham para mim. Quero dizer, talvez nós pudéssemos tentar daqui... daqui a alguns meses?

Wren ficou em silêncio por alguns instantes.

– Você está falando sério.

Spencer fungou, insegura, como resposta.

– Eu só pensei que... eu não sei. – A voz de Wren pareceu tensa. – Tem certeza?

Ela passou a mão pelo cabelo e olhou pelas enormes vitrines da Wordsmiths. Mason Byers e Penelope Waites, dois de seus colegas de classe, estavam se beijando do lado de fora do Ferra's, o restaurante do outro lado da rua. Ela os odiava.

– Tenho – respondeu, as palavras sufocadas na garganta. – Desculpe. – E desligou o telefone.

Ela suspirou. De repente, a livraria pareceu quieta demais. O CD de música clássica havia parado de tocar. Os pelos da sua nuca se arrepiaram. A poderia ter ouvido a conversa deles.

Tremendo, andou até a seção de economia, olhando com suspeita para um cara que parou em frente à prateleira com livros sobre a Segunda Guerra Mundial, e para uma mulher que mexia em um calendário cheio de fotos de buldogues. Algum deles poderia ser A? Como é que A sabia *de tudo*?

Ela logo encontrou os livros da lista do Lula Molusco, foi até o caixa e entregou seu cartão de crédito, brincando, nervosa, com os botões prateados de seu blazer azul-marinho do colégio. Queria faltar a todas as suas atividades e ao hóquei depois das compras. Queria ir para casa e se esconder.

– Ah... – A moça do caixa, que tinha três piercings na sobrancelha, ergueu o Visa de Spencer. – Há algo errado com este cartão.

– Impossível – rosnou Spencer. Depois, tirou seu MasterCard de dentro da bolsa.

A vendedora passou o cartão, mas a máquina fez um segundo bipe de recusa.

– Com este aqui acontece a mesma coisa. – A vendedora deu um telefonema rápido, balançou a cabeça algumas vezes e desligou. – Estes cartões foram cancelados – disse ela, calmamente, os olhos pesados de tanta maquiagem. – Acho que eu deveria cortá-los, mas... – Ela deu de ombros, com doçura, e os devolveu para Spencer.

Spencer agarrou os cartões da mão dela.

– Sua máquina deve estar quebrada. Estes cartões, eles são... – Ela quase disse: *eles são vinculados à conta bancária dos meus pais.*

Então, ela entendeu. Seus pais haviam cancelado os cartões.

– Você quer pagar em dinheiro? – a vendedora perguntou.

Seus pais haviam *cancelado* seus cartões de crédito. O que vinha a seguir, um cadeado na porta da geladeira? Cortar o aquecimento do quarto dela? Limitar a quantidade de oxigênio que ela respirava?

Spencer abriu caminho para fora da loja. Ela havia usado seu cartão de crédito para comprar uma fatia de pizza de soja, a caminho da cerimônia fúnebre de Ali. E tinha funcionado. Na manhã anterior, ela tinha pedido desculpas à família e agora seus cartões estavam bloqueados. Era um tapa na cara dela.

A raiva tomou conta de seu corpo. Então, era assim que eles se sentiam sobre ela.

Spencer olhou tristemente para os cartões. Ela já os usara tanto que a assinatura dela quase desaparecera. Endurecendo o queixo, ela fechou a carteira e abriu seu Sidekick, procurando o número de Wren na lista de chamadas recebidas. Ele atendeu no primeiro toque.

— Qual é o seu endereço? — perguntou ela. — Mudei de ideia.

10

A ABSTINÊNCIA FAZ O CORAÇÃO QUERER MAIS

Naquela mesma tarde de quarta-feira, Hanna estava em pé, na entrada da Associação Católica de Moços de Rosewood, uma mansão em estilo colonial reformada. A fachada era de tijolos vermelhos, e havia dois pilares brancos de dois andares de altura, e as modelagens em torno das calhas e das janelas pareciam pertencer a uma casinha de pão de gengibre. Os Briggs, uma família legendária, excêntrica e muito rica, haviam construído a casa, em 1886, enchendo-a com dez parentes, três hóspedes permanentes, dois papagaios e doze *poodles*. A maior parte dos detalhes históricos do edifício havia sido destruída para abrir caminho para uma piscina de seis raias, além de uma academia de ginástica e salas de "convivência". Hanna imaginava o que os Briggs pensariam sobre alguns dos grupos que agora se reuniam em sua mansão. Como o Clube da Virgindade.

Hanna jogou os ombros para trás e desceu pelo corredor de madeira até a sala 204, onde o Clube da Virgindade estava reunido. Sean continuava sem retornar as ligações dela. Tudo o que ela queria dizer era: *Deus, como estava arrependida!* Como eles iriam ficar juntos novamente, se ela não conseguia se desculpar com ele? O único lugar que ela sabia que Sean frequentava – e onde Sean *jamais* imaginaria que ela fosse – era o Clube da Virgindade.

Tudo bem, talvez fosse uma violação do espaço pessoal de Sean, mas era por um bom motivo. Ela sentia saudades dele, especialmente depois de tudo o que vinha acontecendo com A.

– Hanna?

Hanna girou nos calcanhares. Naomi Zeigler estava em um aparelho de *step*, na sala de ginástica. Ela vestia short Adidas vermelho-escuro, um top cor-de-rosa apertado, e meias cor-de-rosa, combinando. Uma faixa de cabelo vermelha mantinha o perfeito rabo de cavalo loiro no lugar.

Hanna forçou um sorriso, mas, por dentro, estava se encolhendo toda. Naomi e sua melhor amiga, Riley Wolfe, detestavam Hanna e Mona. Na última primavera, Naomi roubara o cara por quem Mona estava apaixonada, Jason Ryder, e o deixara duas semanas depois. No baile do ano anterior, Riley descobrira que Hanna iria usar um vestido Calvin Klein verde-escuro... e comprara o mesmíssimo vestido, só que vermelho-cereja.

– O que você está fazendo aqui? – gritou Naomi, ainda se exercitando. Hanna percebeu que a tela de LED do aparelho informava que Naomi havia queimado 876 calorias. Vaca.

– Vou me encontrar com alguém – resmungou Hanna. Ela pressionou a mão contra a porta da sala 204, tentando parecer casual, mas não notou que estava entreaberta. A porta se abriu, fazendo Hanna perder o equilíbrio. Todos lá dentro se viraram para olhar para ela.

– U-hu? – cantarolou uma mulher, vestindo uma jaqueta xadrez horrenda da Burberry. Ela colocou a cabeça para fora da sala e notou Hanna. – Você está aqui para a reunião?

– Uh... – gaguejou Hanna. Quando ela olhou para o aparelho de *step*, Naomi tinha desaparecido.

– Não tenha medo. – Hanna não sabia o que fazer, então seguiu a mulher para dentro da sala e se sentou.

A sala era revestida de madeira, escura e abafada. Os garotos estavam sentados em cadeiras de madeira de espaldar alto. A maioria parecia normal, ainda que um tanto comportadinhos demais. Os meninos eram bem gordinhos ou muito magrelos. Ela não reconheceu ninguém de Rosewood Day, exceto Sean. Ele estava sentado do outro lado da sala, perto de duas garotas loiras, olhando para Hanna, alarmado. Ela acenou rapidamente para ele, mas ele não reagiu.

– Eu sou Candace – disse a mulher que atendera à porta. – E você é...

– Hanna. Hanna Marin.

– Bom, seja bem-vinda, Hanna – disse Candace. Ela tinha uns quarenta e poucos anos, cabelos curtos alourados, e parecia ter se afogado no perfume Chloé Narcisse, o que era irônico, porque Hanna havia usado Narcisse na última sexta-feira, quando deveria ter ficado com Sean. – O que a traz aqui?

Hanna fez uma pausa.

– Eu acho que vim para... para saber mais sobre o assunto.

– Bem, a primeira coisa que eu quero que você saiba é que este é um lugar seguro. – Candace apoiou as mãos nas costas da cadeira onde uma garota loira estava sentada. – Tudo o que você nos contar é estritamente confidencial. Então, sinta-se à vontade para dizer qualquer coisa. Mas você tem que prometer que não vai repetir nada que outra pessoa disser, também.

— Oh, eu prometo — concordou Hanna, rapidamente. De jeito nenhum ela repetiria algo que outra pessoa dissesse. Aquilo significaria, para início de conversa, contar a alguém que havia estado ali.

— Há algo que você gostaria de saber? — perguntou Candace.

— Bem, eu não tenho certeza — gaguejou Hanna.

— Há algo que você gostaria de dizer?

Hanna olhou de soslaio para Sean. Ele devolveu o olhar, parecendo dizer: *Sim, o que você gostaria de dizer?*

Ela se endireitou.

— Eu tenho pensado muito sobre sexo. Quero dizer, estava muito curiosa a respeito. Mas agora... eu não sei. — Ela respirou fundo e tentou imaginar o que Sean gostaria de ouvir. — Eu acho que deveria acontecer com a pessoa certa.

— A pessoa certa que você *ame* — corrigiu Candace. — E com quem vai se casar.

— Sim — completou Hanna, rapidamente.

— Mas é difícil. — Candace caminhava pela sala. — Alguém tem alguma ideia para compartilhar com Hanna? Alguma experiência para dividir?

Um garoto loiro, usando calças cargo, quase bonitinho — se você apertasse bem os olhos — levantou a mão e, então, mudou de ideia e a abaixou. Uma menina de cabelos castanhos, vestindo uma camiseta cor-de-rosa, levantou dois dedos, timidamente, e disse:

— Eu também pensava muito sobre sexo. Meu namorado ameaçou terminar tudo comigo se eu não dormisse com ele. Por algum tempo, pensei em ceder, mas agora estou feliz por não ter feito isso.

Hanna assentiu, tentando parecer pensativa. Quem aquelas pessoas estavam tentando enganar? Ela imaginava se estariam, secretamente, morrendo de vontade de experimentar.

— Sean, e você? — perguntou Candace. — Você estava dizendo, na semana passada, que você e sua namorada tinham opiniões diferentes sobre sexo. Como estão as coisas?

Hanna sentiu o rosto ficar quente. Ela... não... *podia...* acreditar...

— Bem — resmungou Sean.

— Você tem certeza? Já conversou com ela, como nós sugerimos?

— Sim — respondeu ele, secamente.

Um longo silêncio se seguiu. Hanna se perguntou se eles sabiam que "ela" era... ela.

Candace caminhava pela sala, pedindo aos outros que falassem sobre suas tentações. Alguém já havia ficado "na horizontal" com um namorado ou namorada? Alguém já tinha "dado uns amassos"? Alguém já havia assistido o canal Skinamax? *Sim, sim, sim!*, respondia Hanna, mentalmente — embora soubesse que tudo aquilo era proibido no Clube da Virgindade.

Alguns outros garotos fizeram perguntas sobre sexo — a maioria estava tentando entender o que contava como "uma experiência sexual" e o que eles deveriam evitar.

— Tudo — respondeu Candace. Hanna estava espantada. Ela pensara que o Clube da Virgindade proibia o intercurso, mas não todo o cardápio sexual. Finalmente, a reunião teve uma pausa, e os garotos do Clube da Virgindade se levantaram de suas cadeiras para se esticar um pouco. Havia latas de refrigerante, copos de papel, um prato de biscoitos Oreo e um pacote de batatinhas em uma mesa, no canto da sala. Hanna se levantou, ajeitou as tiras das sandálias nos tornozelos e esticou os braços para o alto. Ela não pôde deixar de notar que Sean estava olhando para o seu abdome à mostra. Ela lhe lançou um olhar provocante e se aproximou.

– Oi – disse ela.

– Hanna... – Ele passou a mão pelo cabelo cortado curtinho, parecendo pouco à vontade. Quando ele cortara o cabelo, na última primavera, Hanna dissera que o corte fazia com que ele se parecesse um pouco com Justin Timberlake, só que menos vulgar. Em resposta, Sean havia feito uma imitação terrível, embora bonitinha, de "Cry Me a River". Naquela época, ele ainda era divertido. – O que você está fazendo? – perguntou ele.

Ela levou a mão à garganta.

– O que você quer dizer?

– Eu só... não sei se você deveria estar aqui.

– Por quê? – explodiu ela. – Eu tenho todo o direito de estar aqui, como qualquer pessoa. Eu só queria pedir desculpas, tá legal? Eu tentei ir atrás de você na escola, mas você fica fugindo de mim.

– Bem, é complicado, Hanna.

Hanna estava para perguntar o que era tão complicado quando Candace pôs as mãos nos ombros dos dois.

– Estou vendo que vocês já se conhecem!

– É. – Hanna engoliu a irritação momentaneamente.

– Nós estamos tão felizes em tê-la conosco, Hanna. – Candace parecia radiante. – Você seria um modelo bastante positivo para nós.

– Obrigada. – Hanna sentiu-se um pouco excitada. Ainda que fosse o Clube da Virgindade, não era sempre que ela era tão bem recebida. Nem pelo seu treinador de tênis do terceiro ano, nem pelos seus amigos, nem pelos seus professores, e, certamente, não pelos seus pais. Talvez o Clube da Virgindade fosse o seu destino. Ela já conseguia se imaginar como a porta-voz do Clube da Virgindade. Talvez fosse como ser Miss Estados Unidos, só que, em vez de uma coroa, receberia um fabuloso anel do Clube da Virgindade. Ou, talvez, uma bolsa do Clube da Virgindade. Uma bolsa Louis Vuitton cor de cereja, com suas iniciais e um CV pintado à mão.

– Então, você acha que vai se juntar a nós na semana que vem? – perguntou Candace.

Hanna olhou para Sean.

– Provavelmente.

– Maravilhoso! – disse Candace.

Ela deixou Hanna e Sean a sós de novo. Hanna encolheu a barriga, desejando não ter devorado a bomba de chocolate que havia impulsivamente comprado no caminhão de sorvete, antes da reunião.

– Então você andou falando sobre mim aqui, não foi?

Sean fechou os olhos.

– Sinto muito por ela ter dito aquilo.

– Não, tudo bem – interrompeu Hanna. – Eu nunca tinha percebido o quanto isso... significava para você. E realmente gostei de algumas coisas que eles disseram. Sobre, bem, a pessoa certa ser alguém que você ama. Eu concordo. E todos parecem ser realmente gentis. – Ela se surpreendeu com as palavras que saíram de sua boca. Estava sendo sincera, de verdade.

Sean deu de ombros.

– Tá bem.

Hanna franziu a testa, surpresa com a apatia dele. Então, suspirou e levantou os olhos.

– Sean, eu realmente sinto muito pelo que aconteceu. Sobre... sobre o carro. Eu só... só não sei como posso me desculpar. Eu me sinto tão estúpida. Mas não posso viver com você me odiando.

Sean estava quieto.

– Eu não odeio você. Eu disse umas coisas meio cruéis na última sexta-feira. Eu acho que nós dois estávamos passando por um momento difícil. Quer dizer, não acho que você deveria ter feito o que fez, mas... – Ele deu de ombros. – Você está trabalhando como voluntária na clínica, não é?

– Hum-hum. – Ela esperava que seu nariz não estivesse se enrugando de nojo.

Ele assentiu algumas vezes.

– Eu acho isso muito bom. Tenho certeza de que você vai alegrar o dia dos pacientes.

Hanna sentiu o rosto corar de gratidão, mas a doçura dele não a surpreendeu. Sean era um cara bom e compassivo – ele doava dinheiro para os sem-teto da Filadélfia, reciclava os telefones celulares velhos e nunca falava mal de ninguém, mesmo das celebridades que só existiam para isso. Esse era um dos motivos que a fizeram se apaixonar por ele, ainda no sexto ano, quando ele era um perdedor gordinho.

Mas, na semana anterior, Sean *tinha* sido dela. Ela havia percorrido um longo caminho desde que fora aquela garota bobona que fazia todo o trabalho sujo da fofoqueira da Ali, e não iria deixar um erro de julgamento idiota em uma festa arruinar o relacionamento deles. Embora... houvesse algo – ou *alguém* – que pudesse arruinar o relacionamento deles.

Eu posso ARRUINAR você.

— Sean? — O coração de Hanna estava acelerado. — Você andou recebendo alguma mensagem de texto estranha a meu respeito?

— Mensagem de texto? — repetiu Sean. Ele balançou a cabeça. — Não...

Hanna mordeu a unha.

— Se você receber, não acredite.

— Tudo bem. — Sean sorriu para ela. Hanna se sentiu elétrica.

— Então — disse ela, depois de uma pausa —, você ainda vai à Foxy?

Sean desviou o olhar.

— Acho que sim. Provavelmente com os outros caras.

— Guarde uma dança pra mim — ronronou ela e apertou a mão dele. Ela adorava as mãos dele: sólidas, quentes e masculinas. Ficava tão feliz ao tocá-lo que talvez *conseguisse* desistir de sexo até o casamento. Ela e Sean permaneceriam constantemente na vertical, cobririam os olhos para não ver cenas de sexo, e evitariam a loja da Victoria's Secret no shopping center. Se aquilo era necessário para ela ficar com o único garoto a quem, bem, *já conseguira amar,* então, talvez Hanna pudesse fazer aquele sacrifício.

Ou, talvez, se o modo com que Sean havia olhado para o abdome dela fosse algum sinal, ela pudesse convencê-lo do contrário.

11

A MÃE DA EMILY NÃO ENSINOU A ELA QUE NÃO SE DEVE ENTRAR EM CARROS DE ESTRANHOS?

Emily apertou o botão da máquina de chicletes no Fresh Fields. Era uma quarta-feira, depois do treino da natação, e ela estava comprando coisas para o jantar, que a mãe havia pedido. Ela comprava chiclete na máquina toda vez que ia ao Fresh Fields e tinha inventado um jogo: se apanhasse um chiclete amarelo, alguma coisa boa iria acontecer com ela. Ela olhou para o chiclete na palma de sua mão. Era verde.

– Oi. – Alguém havia se aproximado dela.

Emily olhou para cima.

– Aria. Oi.

Como sempre, Aria obviamente não tinha receio de se destacar com suas roupas. Ela vestia um colete felpudo azul-néon, que acentuava seus olhos, de um azul penetrante. E, embora usasse a saia do uniforme da escola, havia levantado a barra bem acima dos joelhos, combinando-a com *leggings* pretas e sapatilhas de balé azul-celeste. Seus cabelos pretos estavam presos em um rabo de cavalo alto, do tipo que as líderes de torcida costumam usar. O efeito funcionava, e a maioria dos homens com menos de setenta e cinco anos no estacionamento do Fresh Fields estava olhando para ela.

Aria chegou mais perto.

– Está tudo bem com você?

– Tudo bem. E você?

Aria deu de ombros. Ela lançou um olhar discreto para o estacionamento, que estava cheio de funcionários colocando os carrinhos espalhados pelo pátio de volta aos lugares certos.

– Você não recebeu mais nenhuma...

– Não. – Emily evitou os olhos de Aria. Ela havia apagado a mensagem de texto de A da segunda-feira, aquela sobre seu novo namorado, e era *quase* como se nada tivesse acontecido. – E você?

– Nada. – Aria deu de ombros de novo. – Acho que estamos a salvo.

Não, não estamos, Emily quis dizer. Ela mordeu as bochechas por dentro.

– Bem, você pode me ligar a qualquer hora. – Aria começou a andar em direção às máquinas de refrigerante.

Emily saiu da loja, um suor frio lhe cobria o corpo. Por que ela tinha sido a única pessoa a receber uma mensagem de A? Será que A a havia escolhido?

Ela pôs a sacola de compras na mochila, destrancou a bicicleta e pedalou para fora do estacionamento. Quando virou para uma rua lateral que, na verdade, não tinha nada além de quilômetros de cercas brancas, sentiu uma leve sensação de outono no ar. O outono em Rosewood sempre lembrava a Emily que era o início da temporada de natação. Aquilo normalmente era uma coisa boa, mas, naquele ano, Emily se sentia desconfortável.

A técnica Lauren havia feito o anúncio oficial da capitã da equipe no dia anterior, depois que o Rosewood Tank terminara. Todas as garotas haviam corrido para cumprimentar Emily e, quando ela contara aos pais, os olhos da mãe se encheram de lágrimas. Emily sabia que devia se sentir feliz – as coisas estavam voltando ao normal. Só que ela sentia como se *ela própria* tivesse mudado, de forma definitiva.

– Emily! – gritou alguém, às suas costas.

Ela se virou para ver quem a estava chamando, e a roda dianteira da bicicleta derrapou em algumas folhas molhadas. De repente, se viu no chão.

– Ai, meu Deus, você está bem? – gritou a voz.

Emily abriu os olhos. Parado de pé, à sua frente, estava Toby Cavanaugh. O gorro do casaco estava levantado, fazendo seu rosto parecer sombrio.

Ela deu um gritinho. O incidente do dia anterior, no corredor dos armários, continuava a voltar à sua mente. O rosto de Toby, sua expressão frustrada. Como ele tinha simplesmente *olhado* para Ben, fazendo-o recuar. E será que fora uma coincidência ele passar pelo corredor naquele momento, ou ele a estava seguindo? Ela pensou na mensagem de A. *Apesar de a maioria de nós ter mudado completamente...* Bem, no caso de Toby, com certeza.

Toby se abaixou.

– Deixe-me ajudar você.

Emily levantou a bicicleta sozinha, moveu as pernas cuidadosamente e levantou a calça para verificar o longo e fundo arranhão em sua canela.

– Eu estou bem.

– Você deixou isto cair lá atrás. – Toby entregou a Emily sua bolsinha de moedas da sorte. Ela era feita de couro cor-de-

-rosa e tinha o monograma *E* na frente. Ali a dera de presente a Emily um mês antes de desaparecer.

— Hum, obrigada. — Emily tomou a bolsinha das mãos dele, sentindo-se desconfortável.

Toby franziu a testa ao ver o arranhão.

— Isso parece ruim. Você quer vir comigo até o carro? Eu acho que tenho alguns Band-Aids...

O coração de Emily acelerou. Primeiro, tinha recebido aquela mensagem de A, depois Toby a resgatara no corredor, e agora isso. Aliás, por que ele estava na Tate? Ele não devia estar no Maine? E ela sempre havia se perguntado se Toby sabia sobre A Coisa com Jenna e por que ele havia assumido a culpa.

— É sério. Eu estou bem. — Ela levantou a voz.

— Eu posso pelo menos te dar uma carona pra algum lugar?

— Não! — gritou Emily. Então, percebeu a quantidade de sangue que estava escorrendo de sua perna. Ela odiava ver sangue. Os braços dela começaram a ficar moles.

— Emily? — perguntou Toby. — Você está...

A vista de Emily ficou turva. Ela não podia desmaiar ali. Tinha que se afastar de Toby. *Apesar de a maioria de nós ter mudado completamente...* E, então, tudo ficou escuro.

Quando ela acordou, estava deitada no banco de trás de um carro pequeno. Uma série de pequenos Band-Aids escondiam o arranhão em sua perna. Ela olhou em volta, ainda tonta, tentando se situar, quando percebeu quem estava dirigindo.

Toby se virou.

— Bu!

Emily gritou.

– Ei! – Toby parou em um semáforo e levantou as mãos para o alto, em um gesto que dizia: *Não atire!* – Desculpe. Eu só estava brincando.

Emily se sentou. O banco de trás estava entulhado de coisas: garrafas vazias de Gatorade, cadernos de espiral, livros didáticos, tênis surrados e um par de calças de moletom cinza. O estofamento do banco de Toby havia se desgastado em alguns lugares, revelando um enchimento de espuma azul. Um aromatizante de carro, no formato de um ursinho dançante, balançava no espelho retrovisor. O carro não cheirava bem, entretanto. Tinha um odor forte e azedo.

– O que você está fazendo? – perguntou Emily. – Aonde nós estamos indo?

– Você desmaiou – explicou Toby calmamente. – Por causa do sangue, talvez. Eu não sabia o que fazer, então, peguei você no colo e te coloquei no meu carro. Sua bicicleta está no porta-malas.

Emily olhou para os pés; lá estava sua mochila. Toby a havia carregado? Tipo, nos braços? Ela se sentiu tão assustada que parecia que ia desmaiar de novo. Olhando em volta, não reconheceu a estrada cheia de árvores por onde estavam passando. Eles podiam estar *em qualquer lugar.*

– Me deixe sair – gritou Emily. – Eu posso pedalar daqui.

– Mas não tem acostamento...

– É sério. Encoste.

Toby encostou o carro em uma área gramada e olhou para ela. Os cantos de sua boca caíram e seus olhos se arregalaram de preocupação.

– Eu não tive a intenção... – Ele passou a mão no queixo. – O que eu deveria ter feito? Deixado você lá?

— É – respondeu Emily.

— Bem, hum, eu sinto muito, então. – Toby saiu do carro, andou até o lado dela e abriu a porta. Um cacho de cabelos escuros caiu sobre a testa dele. – Na escola, eu fui voluntário na unidade de resgate de emergência. Eu meio que quero resgatar tudo, agora. Até mesmo animais mortos na estrada.

Emily olhou para a estrada e notou a gigantesca roda d'água da fazenda Applegate Horse. Eles não estavam no meio do nada. Estavam a menos de dois quilômetros da casa dela.

— Venha – disse Toby. – Eu te ajudo.

Talvez ela estivesse exagerando. As pessoas mudam – era só ver qualquer um dos amigos de Emily, por exemplo. Não significava que Toby fosse, definitivamente, A. Ela relaxou as mãos, que apertavam o assento do carro.

— Hum, você pode me levar. Se quiser.

Toby olhou para ela por um instante. Um dos cantos de sua boca se curvou, em um quase sorriso. A expressão em seu rosto dizia: *Hum, tudo bem, garota maluca*, mas ele não disse nada.

Ele voltou para o banco do motorista, e Emily o examinou em silêncio. Toby realmente *havia* mudado. Os olhos dele, que antigamente tinham uma expressão assustadora, agora pareciam apenas profundos e pensativos. E ele estava falando. Coerentemente. No verão, após o sexto ano, Emily e Toby foram para o mesmo acampamento de natação, e Toby simplesmente olhava fixamente para ela, sem o menor constrangimento e, então, puxava a aba do boné sobre os olhos e cantarolava. Mesmo assim, Emily desejava poder perguntar a ele a questão de um milhão de dólares: por que ele havia assumido a culpa por cegar sua irmã postiça, quando não o havia feito?

Na noite em que acontecera o acidente, Ali entrara em casa e dissera a elas que tudo estava bem, que ninguém a havia visto.

Todas estavam muito assustadas para dormir no começo, mas Ali acariciara as costas de todas, acalmando-as. No dia seguinte, quando Toby confessara, Aria perguntara a Ali se, durante aquele tempo todo, ela sabia o que ele iria fazer – como poderia ter sido tão fria?

– Eu simplesmente tive uma sensação de que tudo ficaria bem – explicara Ali.

Com o tempo, a confissão de Toby havia se tornado um daqueles mistérios da vida, que ninguém jamais entenderia – qual era o motivo real por trás do divórcio de Brad e Jen; o que havia no chão do banheiro das meninas de Rosewood Day quando a zeladora gritara; por que Imogen Smith perdera tantas aulas no sexto ano (porque, definitivamente, não era mononucleose), ou como... quem matara Ali. Talvez Toby se sentisse culpado sobre outra coisa, ou quisesse sair de Rosewood? Ou, talvez, ele tivesse mesmo fogos de artifício na casa da árvore e os tivesse disparado acidentalmente.

Toby manobrou o carro e entrou na rua de Emily. Tocava blues nas caixas de som, e ele acompanhava o ritmo batendo no volante com as palmas das mãos. Ela pensou em como ele a havia salvado de Ben no dia anterior. Ela queria lhe agradecer, mas e se ele perguntasse mais sobre o assunto? O que Emily iria dizer? *Oh, ele estava furioso porque me viu beijando uma garota na boca.*

Emily finalmente pensou em uma pergunta segura.

– Então, você está na Tate, agora?

– É – respondeu ele. – Meus pais me disseram que, se eu fosse aceito, poderia ir. E eu fui. É bom estar perto de casa. Eu posso ver a minha irmã. Ela está na escola na Filadélfia.

Jenna. O corpo inteiro de Emily, até os dedos dos pés, ficou tenso. Ela tentou não demonstrar nenhuma reação, e Toby olhou diretamente para a frente, parecendo não notar que ela estava nervosa.

– E, hum, onde você estava antes? No Maine? – perguntou Emily, fazendo parecer que ela não sabia que ele estava na Academia Manning para Rapazes, que, de acordo com a pesquisa que ela fizera no Google, ficava na Estrada Fryeburg, em Portland.

– É. – Toby diminuiu a velocidade para deixar que dois garotos de patins atravessassem a rua. – O Maine era legal. A melhor coisa era o resgate de emergência.

– Você... você viu alguém morrer?

Toby olhou nos olhos dela pelo espelho retrovisor novamente. Emily nunca havia percebido que os olhos dele eram azul-escuros.

– Não. Mas uma senhora me deixou o cachorro dela em testamento.

– O *cachorro*? – Emily não conseguiu controlar uma risada.

– É. Eu estava com ela na ambulância e a visitei no CTI. Nós conversamos sobre o cachorro dela, e eu disse que adorava cachorros. Quando ela morreu, o advogado dela me encontrou.

– E... você ficou com ele?

– Está na minha casa agora. Ele é um animal dócil, mas tão velho quanto a ex-dona.

Emily riu e algo dentro dela começou a derreter. Toby parecia... normal. E *legal*. Antes que ela pudesse dizer alguma coisa, eles haviam chegado à casa dela.

Toby estacionou o carro e tirou a bicicleta de Emily do porta-malas. Quando ela pegou o guidom, os dedos deles se tocaram. Uma pequena faísca se acendeu dentro dela. Toby olhou para Emily por um momento, e ela olhou para a calçada. Séculos atrás, ela havia colocado a mão no concreto fresco. Agora, a marca da mão parecia pequena demais para ter pertencido a ela.

Toby sentou-se no banco do motorista.

– Então, vejo você amanhã?

Emily levantou a cabeça de uma vez.

– P-por quê?

Toby ligou o carro.

– É a reunião Rosewood-Tate. Lembra?

– Oh – respondeu Emily. – É claro.

Enquanto Toby se afastava, ela sentiu o coração desacelerar. Por alguma razão maluca, ela pensara que Toby iria convidá-la para sair. *Ora, vamos*, disse ela a si mesma ao subir os degraus da entrada de casa. Aquele era Toby. Os dois juntos era algo tão provável como... bem, como Ali ainda estar viva. E, pela primeira vez desde que ela desaparecera, Emily tinha finalmente desistido de esperar por isso.

12

DA PRÓXIMA VEZ, CARREGUE MAQUIAGEM NA BOLSA

"*¿Cuándo es?*", dizia uma voz no ouvido dela. "*Que horas são? Hora de Spencer morrer!*"

Spencer acordou assustada. A figura escura e familiar que estivera pairando sobre sua cabeça havia desaparecido. Na verdade, ela estava em um quarto claro, branco. Havia desenhos de Rembrandt e um pôster da musculatura humana na parede. Na TV, Elmo estava ensinando às crianças como dizer as horas em espanhol. O relógio marcava seis e quatro, e ela presumiu que fosse de manhã; pela janela, viu que o sol acabara de nascer e ela podia sentir o cheiro dos *bagels* frescos e ovos mexidos vindo da rua.

Ela olhou em volta, e tudo fez sentido. Wren estava deitado de costas, dormindo com um braço jogado por cima do rosto, o peito descoberto. O pai dele era coreano e a mãe inglesa, por isso sua pele tinha um tom perfeito de dourado. Havia uma cicatriz acima de sua boca; ele tinha sardas no nariz, cabelo preto-azulado e descuidado, e cheirava a desodorante Adidas e Tide. O anel grosso de prata, que usava no dedo indicador da mão direita, brilhava ao sol da manhã. Ele afastou o braço do rosto e abriu os lindos olhos amendoados.

– Oi. – Ele puxou Spencer pela cintura devagar, para perto dele.

– Oi – sussurrou ela, resistindo. Ainda podia ouvir a voz no sonho: *Hora de Spencer morrer!* Era a voz de Toby.

Wren franziu a testa.

– O que foi?

– Nada – disse ela, baixinho, pressionando os dedos na base do pescoço e sentindo o próprio pulso acelerado. – Só... um sonho ruim.

– Quer me contar?

Spencer hesitou. Ela gostaria de poder. Então, sacudiu a cabeça.

– Bem, então, venha cá.

Eles passaram alguns minutos se beijando, e Spencer sentiu uma energia de alívio e gratidão. Tudo ia ficar bem. Ela estava segura.

Era a primeira vez que Spencer havia dormido – *e* passado a noite – na cama de um cara. Na noite anterior, ela havia dirigido como uma louca até a Filadélfia e estacionado na rua, sem sequer se preocupar com o Clube; seus pais estavam provavelmente pensando em tomar o carro dela de volta, de qualquer forma. Ela e Wren haviam caído na cama imediatamente e não tinham se levantado dela, a não ser para atender a porta para o rapaz do restaurante chinês que viera entregar comida. Mais tarde, ela telefonou e deixou uma mensagem na secretária eletrônica dos pais, avisando que passaria a noite na casa de uma colega do hóquei, Kirsten. Ela se sentia idiota, tentando ser toda responsável quando, na verdade, estava sendo tão *irresponsável*, mas e daí?

Pela primeira vez desde a primeira mensagem de A, ela havia dormido como um bebê. De certa forma, era porque estava na Filadélfia, e não em Rosewood, *na casa vizinha* à de Toby, mas também era por causa de Wren. Antes de irem dormir, eles haviam conversado sobre Ali durante uma hora – sobre a amizade delas, sobre como havia sido quando Ali desaparecera, saber que alguém a havia matado. Ele também havia deixado que ela escolhesse o som de "cigarras cantando" no estéreo, ainda que fosse o segundo barulho de que ele menos gostava, depois de "árvores farfalhando".

Spencer começou a beijá-lo com mais intensidade e tirou a camiseta da Universidade da Pensilvânia, grande demais para ela, que usava como camisola. Wren deslizou a mão pelo pescoço dela e se ergueu sobre as mãos e os joelhos.

– Você quer...? – perguntou ele.

– Eu acho que sim – sussurrou ela.

– Tem *certeza*?

– Hum-hum. – Ela tirou a calcinha. Wren tirou a camiseta pela cabeça. O coração de Spencer estava martelando. Ela era virgem e tão exigente a respeito de sexo quanto o era com tudo o mais em sua vida, tinha que ser com a pessoa perfeita.

Mas Wren *era* a pessoa perfeita. Ela sabia que estava ultrapassando o Ponto Sem Volta – se os pais dela descobrissem, eles nunca lhe dariam dinheiro novamente, para nada. Nem prestariam atenção nela. Nem a mandariam para a faculdade. Nem lhe dariam comida, provavelmente. E daí? Wren a fazia sentir-se segura.

Um *Vila Sésamo*, um *Contos do Dragão* e meio *Arthur* mais tarde, Spencer virou-se de costas, olhando para o teto com uma expressão contente. E ela, que tinha pensado em ir devagar. Então, ela se apoiou nos cotovelos e olhou para o relógio.

– Droga – sussurrou. Já eram sete e vinte. Ela entrava às oito na escola e ia perder a primeira aula, na melhor das hipóteses. – Eu tenho que ir. – Ela pulou da cama e examinou a saia xadrez, o blazer, a roupa de baixo, a blusa e as botas numa pilha bagunçada no chão. – *E* vou ter que ir para casa.

Wren sentou-se na cama, observando-a.

– Por quê?

– Eu não posso usar a mesma roupa por dois dias seguidos.

Wren obviamente estava tentando não rir dela.

– Mas é um uniforme, não é?

– É, mas eu usei esta *blusa* ontem. E estas botas.

Wren riu.

–Você é um amor e uma fresquinha.

Spencer abaixou a cabeça ao ouvir a palavra *amor*.

Ela tomou uma ducha rápida, lavando o cabelo e ensaboando o corpo. Seu coração ainda estava martelando. Ela se sentia tomada pelo nervosismo, ansiosa porque estava atrasada para a aula, perturbada pelo pesadelo com Toby, mas totalmente feliz com Wren. Quando ela saiu do banho, Wren estava sentado na cama. O apartamento cheirava a café e amêndoas. Spencer pegou a mão de Wren e, devagar, removeu o anel de prata que ele usava no dedo, colocando-o no próprio polegar.

– Fica bem em mim. – Quando ela olhou para ele, Wren estava sorrindo de modo impossível de decifrar. – O que foi? – perguntou Spencer.

–Você é... – Wren sacudiu a cabeça e encolheu os ombros. – É difícil para mim, lembrar que você ainda está no ensino médio. Você é tão... madura.

Spencer corou.

– Não de verdade.

– Não, você é mesmo. É como se... na verdade, você parece mais madura do que...

Wren parou de falar, mas Spencer sabia o que ele iria dizer: *Mais madura do que Melissa*. Ela se sentiu cheia de satisfação. Melissa podia ter vencido a luta pelos pais, mas Spencer havia vencido a batalha por Wren. E essa era a guerra que importava.

Spencer subiu pela longa e pavimentada entrada de sua casa. Já eram nove e dez, e a segunda aula em Rosewood Day já tinha começado. O pai dela já teria saído para trabalhar há muito tempo, e, com alguma sorte, a mãe estaria no estábulo.

Ela abriu a porta da frente. O único som era o ruído da geladeira. Ela caminhou pé ante pé até o quarto, lembrando a si mesma de que teria de falsificar um bilhete da mãe justificando o atraso – e percebendo que jamais precisara falsificar um bilhete antes. Todos os anos, Spencer ganhava os prêmios de perfeita assiduidade e pontualidade na escola.

– Oi.

Spencer deu um grito e se virou, a mochila da escola escorregou de suas mãos.

– Jesus. – Melissa estava parada na porta. – Relaxe.

– P-por que você não está na aula? – perguntou Spencer, com os nervos à flor da pele.

Melissa usava calças de moletom rosa-escuras, e uma camiseta desbotada da Universidade da Pensilvânia, mas seu cabelo loiro, cortado curto na altura do queixo, estava preso por uma faixa azul-marinho. Mesmo quando Melissa estava relaxada, ela conseguia parecer impecável.

— Por que *você* não está na aula?

Spencer passou a mão pela nuca molhada de suor.

— Eu... esqueci uma coisa. Tive que voltar.

— Ah. — Melissa deu um sorrisinho misterioso. Um arrepio desceu pela espinha de Spencer. Ela sentia como se estivesse na beira de um precipício, prestes a cair. — Bom, na verdade eu estou feliz por você estar aqui. Eu tenho pensado muito sobre o que você disse na segunda-feira. Eu sinto muito, também, sobre tudo.

— Oh. — Foi tudo o que Spencer conseguiu dizer.

Melissa abaixou o tom de voz.

— Eu quero dizer, nós realmente poderíamos agir melhor uma com a outra. Nós duas. Quem sabe o que pode acontecer neste mundo maluco? Olhe só o que aconteceu com Alison DiLaurentis. Faz com que as nossas brigas pareçam uma coisa boba.

— É — murmurou Spencer. Era uma comparação estranha.

— De qualquer modo, eu falei com mamãe e papai sobre o assunto, também. Acho que eles estão caindo em si.

— Oh. — Spencer passou a língua pelos dentes. — Uau. Obrigada. Significa muito pra mim.

Melissa sorriu para ela em resposta. Houve uma longa pausa e, então Melissa deu outro passo para dentro do quarto de Spencer, apoiando-se contra a penteadeira de cerejeira.

— Entãããão... o que é que está havendo com você? Você vai à Foxy? Ian me convidou, mas eu não sei se vou. Provavelmente, estou velha demais pra isso.

Spencer foi pega de surpresa. Será que Melissa estava aprontando alguma? Aqueles não eram os assuntos sobre os quais elas costumavam conversar.

— Eu... hum... eu não sei.

— Caramba. — Melissa deu um sorrisinho malicioso. — Eu espero que você vá com o cara que fez *isso* com você. — Ela apontou para o pescoço de Spencer.

Spencer correu para frente do espelho e viu uma marca enorme e vermelha perto da clavícula. As mãos dela voaram freneticamente para o próprio pescoço. Então, percebeu que ainda estava usando o anel grosso de prata de Wren.

Melissa havia *morado* com Wren — será que ela tinha reconhecido o anel? Spencer tirou o anel do dedo e o atirou na gaveta de lingerie. Sua pulsação latejava nas têmporas.

O telefone tocou, e Melissa foi atender no corredor. Dentro de segundos, a cabeça dela apareceu na porta do quarto de Spencer.

— É para você — cochichou ela. — É um garoto!

— Um... *garoto*? — Será que Wren seria estúpido o suficiente para ligar para ela? Quem mais poderia ser, às nove e quinze da manhã de uma quinta-feira? A mente de Spencer estava vagando em vinte direções diferentes. Ela pegou o telefone.

— Alô?

— Spencer? É o Andrew. Campbell. — Ele deixou escapar uma risadinha nervosa. — Da escola.

Spencer olhou para Melissa.

— Hum, oi — grunhiu ela. Por um segundo, sem sequer conseguir lembrar quem *era* Andrew Campbell. — O que é que está rolando?

— Eu só queria saber se você pegou essa gripe que está por aí. Eu não vi você na reunião do conselho estudantil hoje de manhã. Você nunca falta ao conselho estudantil.

— Oh. – Spencer engoliu em seco. Ela olhou para Melissa, que estava parada na porta, na expectativa. – Oh, bem, mas eu... eu estou melhor agora.

— Eu só queria dizer que me ofereci para pegar suas lições de casa para as aulas – disse Andrew. – Já que nós estamos na mesma turma. – A voz dele estava fazendo eco; parecia que estava vindo de dentro de um vestiário. Andrew era exatamente o tipo que tentaria matar a aula de ginástica. – Em cálculo, nós temos uma lista de problemas de fim de capítulo.

— Oh. Bem, obrigada.

— E talvez você esteja a fim de comparar as anotações para as dissertações...? McAdam disse que elas vão contar muito para a nossa nota final.

— Hum, é claro – respondeu Spencer.

Melissa olhou nos olhos dela, de um jeito esperançoso e entusiasmado.

— *Chupão?* – sussurrou ela, apontando para o pescoço de Spencer e depois para o telefone.

O cérebro de Spencer parecia prestes a virar iogurte. Então, de repente, ela teve uma ideia. Ela limpou a garganta.

— Na verdade, Andrew... você já tem companhia para a Foxy?

— Foxy? – repetiu Andrew. – Hum, não sei, eu acho que não tinha nenhum pla...

— Quer ir comigo? – interrompeu Spencer.

Andrew deu uma risada que pareceu mais um soluço.

— Sério?

— Hum, sim – disse Spencer, de olho na irmã.

— Bem, é claro! – concordou Andrew. – Seria ótimo! Que horas? O que eu devo vestir? Você vai sair com suas amigas antes? Tem algum plano para depois?

Spencer revirou os olhos. Era típico de Andrew fazer todas aquelas perguntas, como se ele fosse responder a um teste oral.

— A gente decide depois. — Spencer olhou para a janela.

Então, desligou o telefone, sentindo-se exausta, como se tivesse corrido quilômetros e quilômetros jogando hóquei. Quando ela se virou novamente para a porta, Melissa havia desaparecido.

13

UM CERTO PROFESSOR DE INGLÊS É UM NARRADOR TÃO POUCO CONFIÁVEL

Na quinta-feira, Aria hesitou à porta da sala de aula de inglês, quando Spencer passou.

– Oi. – Aria agarrou-lhe o braço. – Você recebeu alguma...

Os olhos de Spencer moveram-se de um lado para outro, como aqueles grandes lagartos que Aria havia visto em exposição no Zoológico de Paris.

– Bem, não – respondeu ela. – Mas estou realmente atrasada, então... – Ela saiu correndo pelo corredor. Aria mordeu o lábio com força. Ok.

Alguém pôs a mão em seu ombro. Ela deu um gritinho e derrubou a garrafa de água, que bateu no chão e saiu rolando.

– Opa. Só estava tentando passar.

Ezra estava de pé, atrás dela. Ele estivera ausente da escola na terça e na quarta-feira, e Aria estava imaginando se ele havia se demitido.

– Desculpe – murmurou ela, as bochechas coradas de um vermelho vivo.

Ezra vestia as mesmas calças de veludo amassadas que havia usado na semana anterior, um paletó de *tweed* com um pequeno buraco no cotovelo e sapatos de cadarço Merrell. De perto, ele cheirava levemente a "vela masculina" de açafrão e *ylang ylang* da Seda France, de que Aria se lembrava da sala de estar dele. Ela havia visitado o apartamento dele apenas seis dias antes, mas parecia que duas vidas haviam se passado desde então.

Aria entrou pé ante pé na sala de aula, atrás dele.

– Então, você estava doente? – perguntou ela.

– Estava – respondeu Ezra. – Estava gripado.

– Sinto muito. – Aria se perguntou se iria ficar gripada também.

Ezra olhou para a sala de aula vazia e chegou mais perto dela.

– Então. Escute. Que tal começar de novo? – A expressão no rosto dele era profissional.

– Bem, está certo – grunhiu Aria.

– Nós temos um ano à nossa frente – completou Ezra. – Então, vamos esquecer o que aconteceu?

Aria engoliu em seco. Ela sabia que o relacionamento deles era errado, mas ainda tinha sentimentos por Ezra. Ela expusera sua alma para ele e não podia fazer aquilo com qualquer um. E ele era tão diferente.

– É claro – respondeu ela, embora não acreditasse totalmente no que dizia. Eles tinham tido uma... verdadeira conexão.

Ezra assentiu levemente com a cabeça. Então, bem devagar, ele estendeu a mão e tocou a nuca de Aria. Um arrepio subiu pela espinha dela. Ela prendeu a respiração, até que ele tirou a mão de seu pescoço e se afastou.

Aria sentou-se na carteira, a mente trabalhando sem parar. Aquilo seria algum tipo de sinal? Ele havia *dito* para esquecer, mas não se *sentia* daquela forma.

Antes que ela pudesse decidir se deveria dizer alguma coisa para Ezra, Noel Kahn deslizou para a cadeira ao lado da de Aria, e a cutucou com sua caneta Montblanc.

– Então, fiquei sabendo que você anda me traindo, Finlândia.

– O quê? – Aria se sentou direito, em alerta. Sua mão voou para o próprio pescoço.

– Sean Ackard estava perguntando por você. Você sabe que ele está com a Hanna, não sabe?

Aria tocou as costas dos dentes com a língua.

– Sean... Ackard?

– Ele não está mais com a Hanna – interrompeu James Freed, sentando-se na cadeira à frente da de Noel. – Mona me contou. Hanna deu um fora nele.

– Então, você gosta do Sean? – Noel tirou o cabelo ondulado dos olhos.

– Não – respondeu Aria, automaticamente. Embora ela continuasse pensando na conversa que tivera com Sean no carro dele, na terça-feira. Foi legal falar com alguém sobre as coisas que estavam acontecendo em sua vida.

– Bom. – Noel passou a mão pela testa. – Eu estava preocupado.

Aria revirou os olhos.

Hanna entrou rebolando na sala enquanto o sinal tocava, colocando a enorme bolsa Prada em cima da mesa e caindo dramaticamente na cadeira. Ela lançou a Aria um sorrisinho.

— Oi. — Aria se sentiu um pouco tímida. Na escola, Hanna parecia terrivelmente fechada.

— Ei, Hanna, você não está mais saindo com o Sean Ackard? — perguntou Noel em voz alta.

Hanna olhou fixamente para ele. Suas pálpebras tremiam.

— Não estava dando certo entre a gente. Por quê?

— Por nada — interrompeu Aria, rapidamente, embora estivesse se perguntando por que Hanna havia terminado com Sean. Eles eram como duas ervilhas em uma típica vagem de Rosewood.

Ezra bateu palmas.

— Muito bem — disse. — Além dos livros que estamos lendo para aula, eu quero fazer um pequeno projeto paralelo sobre narradores pouco confiáveis.

Devon Arliss levantou a mão.

— O que é que *isso* significa?

Ezra começou a caminhar pela sala.

— Bem, o narrador nos conta a história em um livro, não é? Mas... e se o narrador não estiver nos dizendo a verdade? Talvez ele esteja nos contando sua própria versão distorcida da história, para fazer com que você vá para o lado dele. Ou para assustar você. Ou, talvez, ele seja louco!

Aria estremeceu. Aquilo a fazia pensar em A.

— Vou dar um livro a cada um de vocês — disse Ezra. — Em um trabalho de dez páginas, vocês vão argumentar contra ou a favor da confiabilidade do narrador.

A turma inteira grunhiu. Aria descansou a cabeça na palma de uma das mãos. Talvez A não fosse inteiramente confiável. Talvez A não soubesse realmente de nada, mas estivesse *tentando* convencê-los do contrário. Quem era A, afinal? Ela olhou ao redor, pela sala de aula, para Amber Billings, enfiando o dedo em um buraquinho na meia; Mason Byers, secretamente checando o placar do jogo dos Phillies no telefone celular; e Hanna, anotando o que Ezra estava dizendo, com a caneta-tinteiro púrpura. Alguma daquelas pessoas poderia ser A? Quem poderia saber sobre Ezra, seus pais... *e* A Coisa com Jenna?

Um jardineiro passou rapidamente em um cortador de grama John Deere do lado de fora da janela e Aria deu um pulo. Ezra ainda estava falando sobre narradores mentirosos, fazendo pausas para dar golinhos na xícara de café. Ele lançou um sorrisinho de leve para Aria, fazendo o coração dela acelerar.

James Freed se inclinou, cutucou Hanna e apontou para Ezra.

— Então, eu ouvi falar que o Fitz é o maior garanhão — disse ele num sussurro, mas alto o suficiente para que Aria, e o restante da fileira dela, ouvisse.

Hanna olhou para Ezra e franziu o nariz.

— Ele? Eca.

— Aparentemente, ele tem uma namorada em Nova York, mas a cada semana está com uma garota diferente em Hollis — continuou James.

Aria se endireitou na cadeira. *Namorada?*

— Onde foi que você ouviu isso? — perguntou Noel a James.

James sorriu.

— Você conhece a srta. Polanski? A monitora de biologia? Ela me contou. Ela fica conversando com a gente no fumódromo, às vezes.

Noel bateu na palma da mão de James.

— Cara, a srta. Polanski é *gata*.

— Falando sério. Você acha que eu poderia levá-la à Foxy? — quis saber James.

Aria sentiu como se alguém a tivesse atirado em uma fogueira. Uma *namorada*? Na sexta à noite, ele tinha dito que não saía com ninguém havia muito tempo. Aria se lembrava de ter percebido os jantares congelados em porção única, típicos de solteiro, no refrigerador dele; seus oito mil livros, mas uma taça de vinho somente; e suas plantas murchas e tristes. Ele não *parecia* ter uma namorada.

James poderia ter se enganado com os fatos, mas ela duvidava disso. Aria estava fervendo de raiva. Anos antes, ela poderia ter pensado que apenas os garotos típicos de Rosewood gostariam de fazer joguinhos, mas havia aprendido muito sobre garotos na Islândia. Às vezes, os garotos aparentemente mais inocentes eram os mais astutos. Nenhuma garota poderia olhar para Ezra — o sensível, desmantelado, doce, afetuoso Ezra — e desconfiar dele. Ele fazia Aria se lembrar de alguém. Seu pai.

Ela se sentiu repentinamente enjoada e então se levantou, pegou o crachá de acesso ao corredor e saiu correndo pela porta.

— Aria? — chamou Ezra, soando preocupado.

Ela não parou. No banheiro das meninas, correu para a pia, passou sabão cor-de-rosa nas mãos e esfregou o ponto do pescoço em que Ezra havia tocado. Estava voltando para a sala de aula, quando o telefone celular tocou. Ela o tirou da bolsa e apertou *ler*.

Aria safadinha! Você deveria saber melhor do que ninguém que não se deve correr atrás de um professor. São garotas como você que destroem famílias perfeitamente felizes. —A

Aria gelou. Estava no meio do corredor principal da escola, que estava vazio. Ouviu um barulho e se virou. Ela estava de frente para o armário de troféus, de vidro, que tinha sido transformado em um verdadeiro santuário a Alison DiLaurentis. Lá dentro, havia várias fotos de aulas em Rosewood Day – os professores sempre tiravam toneladas de fotografias durante o ano, e a escola normalmente as dava de presente aos pais quando seus filhos se formavam. Lá estava Ali, com um sorriso banguela no jardim de infância, e vestida como peregrina na peça de teatro do quarto ano. Havia até mesmo alguns dos seus trabalhos escolares, como uma maquete representando o fundo do mar, do terceiro ano e uma ilustração do sistema circulatório, do quinto.

Um quadradinho rosa-shocking chamou a atenção de Aria. Alguém havia colado um *Post-it* no vidro do armário. Os olhos dela se arregalaram.

P.S.: Você está se perguntando quem eu sou, não está? Eu estou mais perto do que você imagina. —A

14

EMILY NÃO TEM PROBLEMA ALGUM EM FICAR COM AS SOBRAS DE ALI

– Diga *xis*! – gritou Scott Chin, o fotógrafo do livro do ano de Rosewood Day. Era quinta-feira à tarde e a equipe de natação estava no parque aquático, para as fotos em grupo antes de a reunião com os alunos da Tate ter início. Emily havia participado de equipes de natação por tanto tempo que nem se importara em tirar uma foto de maiô.

Ela posou com as mãos no bloco de partida e tentou sorrir.

– Linda! – gritou Scott, fazendo biquinho com os lábios cor-de-rosa. Vários garotos da escola especulavam sobre a possibilidade de Scott ser gay. Ele nunca admitira nada abertamente, mas também não fazia nada para desmentir os boatos.

Enquanto Emily caminhava pela pérgula para apanhar sua mochila, ela notou a equipe da Tate indo para as arquibancadas. Toby estava no meio do grupo, vestindo um conjunto de moletom azul Champion e rolando os ombros para a frente e para trás para se aquecer.

Emily prendeu a respiração. Ela andava pensando em Toby desde que ele a resgatara, no dia anterior. Ela não podia imaginar Ben pegando-a no colo daquele jeito — ele provavelmente se preocuparia com o fato de que erguê-la poderia distender os músculos de seus ombros, e comprometer a competição do dia. E pensar em Toby havia provocado outra coisa: uma lembrança de Ali, que Emily quase havia apagado.

Foi uma das últimas vezes em que Emily estivera sozinha com Ali. Ela nunca se esqueceria daquele dia — o céu estava azul-claro, todas as flores em botão, havia abelhas por toda parte. A casa da árvore de Ali cheirava a Ki-Suco, seiva e fumaça de cigarro — Ali havia roubado um maço de Parliament do irmão mais velho. Ela agarrou as mãos de Emily.

— Você *não pode* contar isso para os outros — disse ela. — Eu comecei a sair com esse cara mais velho, e é ma-ra-vi-lho-so.

O sorriso de Emily desapareceu. Toda vez que Ali contava sobre um cara de que gostava, um pedacinho do coração dela se partia.

— Ele é *tão* gato — continuou Ali. — Eu quase tenho vontade de passar dos limites com ele.

— O que é que você quer dizer com isso? — Emily nunca havia ouvido algo tão horripilante na vida. — Quem é ele?

— Não posso contar. — Ali deu um sorrisinho malicioso. — Vocês iriam *surtar*.

E, então, Emily não conseguiu mais suportar aquilo. Inclinou-se para a frente e beijou Ali. Houve um momento singular, maravilhoso; então, Ali se afastou e riu. Emily tentou fazer tudo parecer uma brincadeira... e, logo em seguida, cada uma foi para sua casa jantar.

Ela havia pensado sobre aquele beijo tantas vezes que mal se lembrava do que tinha acontecido antes dele. Mas, agora que Toby estava de volta, e ele era tão bonito... aquilo fazia Emily pensar na possibilidade de o cara de quem Ali falara ser Toby. Quem mais faria com que os outros surtassem?

Ali gostar de Toby fazia todo o sentido. No final do sétimo ano, ela tinha passado por uma fase de garotos rebeldes, sempre falando sobre o quanto gostaria de sair com alguém que fosse "tipo, *mau*". Ser mandado para o reformatório contava, e talvez Ali tivesse visto algo em Toby que ninguém mais via. Emily achava que era possível que Ali pudesse enxergar a mesma coisa naquele momento. E, tão bizarro quanto pudesse parecer, a possibilidade de que Ali tivesse gostado de Toby o fazia parecer muito mais atraente para Emily. O que era bom o suficiente para Ali sem dúvida era bom suficientemente para ela.

Logo que a reunião da natação foi interrompida para a competição de mergulho, Emily tirou os chinelos da bolsa, preparando-se para caminhar até Toby. Os dedos dela tamborilavam no telefone celular, enrolado na toalha. Ele estava piscando; o visor mostrava que havia sete chamadas de Maya não atendidas.

A garganta de Emily se apertou. Maya havia ligado, mandado mensagens pela internet, pelo celular e por e-mail a semana inteira, e ela não havia respondido. Com cada nova chamada não atendida, ela se sentia mais confusa. Parte dela queria encontrar Maya na escola e passar a mão por seus cabelos macios e ondulados. Subir na garupa de sua bicicleta e matar aula. Beijar Maya tinha sido perigosamente bom. Mas outra parte dela desejava que Maya simplesmente... desaparecesse.

Emily olhou fixamente para o visor do celular com um nó na garganta. Então, devagar, fechou o aparelho. De certo modo, parecia aquela vez, quando ela tinha oito anos e decidiu jogar Bee-Bee, seu cobertor de estimação, fora. *Garotas crescidas não precisam de cobertores*, dissera a si mesma, mas tinha sido horrível fechar a tampa da lata de lixo com Bee-Bee lá dentro.

Ela respirou fundo e começou a caminhar em direção às arquibancadas onde estava o pessoal da Tate. No caminho, olhou por cima do ombro, procurando por Ben. Ele estava do lado da Rosewood Day, batendo nos ombros de Seth com uma toalha. Desde o incidente de terça-feira, Ben havia ficado longe de Emily, agindo como se ela não existisse. Era certamente melhor do que atacá-la, mas ela tinha uma certa paranoia de que ele estivesse falando dela pelas costas. Ela meio que queria que Ben a visse naquele momento, enquanto se aproximava de Toby. *Olhe! Eu estou falando com um garoto!*

Toby havia jogado a toalha na beira da piscina. Estava com fones de ouvido ligados ao iPod no seu colo. O cabelo estava afastado do rosto e o moletom azul-marinho que ele usava sobre o calção de banho – para o qual Emily não tivera coragem de olhar da primeira vez – fazia com que seus olhos parecessem ainda mais azuis.

Quando viu Emily, sua expressão se iluminou.

– Oi. Eu te disse que ia te ver por aqui, não disse?

– É. – Emily sorriu, timidamente. – Então, bem, eu só queria agradecer. Por me ajudar ontem. *E* no dia anterior.

– Ah. Bem, não foi nada.

Naquele momento, Scott apareceu com a câmera para o livro do ano.

– Peguei vocês! – gritou ele, tirando uma foto. – Já posso ver a legenda: Emily Fields, flertando com o inimigo! – Então, ele sussurrou para Emily: – Embora eu ache que ele não é bem o seu tipo.

Emily olhou para Scott inquisitivamente. O que ele queria dizer com *aquilo*? Mas ele se afastou. Quando ela se virou novamente para Toby, ele estava brincando com o iPod, e ela se virou para voltar para o lado de sua equipe. Havia dado uns três passos quando Toby a chamou:

– Ei, você quer dar uma volta?

Emily parou. Rapidamente, ela olhou para Ben. Ele ainda não estava prestando atenção.

– Ah, tudo bem – decidiu.

Eles passaram pelas portas duplas do parque aquático de Rosewood Day e por um bando de garotos esperando pelos ônibus e se sentaram na beira da fonte do Dia do Fundador. Água espirrava do topo da fonte, em um arco longo e reluzente. Mas estava nublado lá fora, e a água estava parada e turva, em vez de brilhante. Emily ficou olhando para um monte de moedinhas no fundo raso e prateado da fonte.

– No último dia de aula, os veteranos empurram o professor favorito nesta fonte – contou ela.

– Eu sei – disse Toby. – Eu estudava aqui, lembra?

– Oh. – Emily se sentiu uma completa idiota. Claro que sim. E eles o mandaram embora.

Toby tirou um pacote de biscoitos de chocolate da mochila e ofereceu um a Emily.

– Quer? Um lanchinho antes da prova?

Emily deu de ombros.

– Talvez metade.

– Bom pra você. – Toby lhe estendeu um. Ele desviou o olhar. – É engraçado como as coisas são totalmente diferentes entre garotos e garotas. Os garotos sempre querem comer mais que os outros. Mesmo os caras mais velhos que eu conheço. Como o meu psiquiatra, no Maine. Uma vez, na casa dele, nós fizemos uma competição para ver quem comia mais camarão. Ele me venceu por seis camarões. E o cara tem no mínimo uns trinta e cinco anos.

– Camarão. – Emily estremeceu. Para não perguntar o óbvio: *Você teve um psiquiatra?*, ela indagou: – O que aconteceu depois que o seu, hum, psiquiatra comeu tudo isso?

– Ele vomitou. – Toby passou as pontas dos dedos sobre a superfície da água. A água da fonte tinha um cheiro de cloro ainda mais forte que o da piscina.

Emily passou as mãos pelos joelhos. Ela se perguntou se ele tivera um psiquiatra pela mesma razão que o fizera assumir a culpa pela Coisa com Jenna.

Um ônibus executivo entrou no estacionamento de Rosewood Day. Devagar, os membros da banda da escola desceram do veículo, ainda de uniforme – jaquetas vermelhas com detalhes nas bordas, calças largas, o regente usando um chapéu felpudo e engraçado, que parecia bastante quente e desconfortável.

– Você, hum, fala muito sobre o Maine – disse Emily. – Você está feliz de estar de volta a Rosewood?

Toby ergueu uma das sobrancelhas.

– *Você* está feliz de estar de volta a Rosewood?

Emily franziu a testa. Ela observou um esquilo correr em círculos ao redor de um dos carvalhos.

– Eu não sei – respondeu ela em voz baixa. – Às vezes, sinto que não me encaixo aqui. Eu costumava ser normal, mas agora... não sei. Eu me sinto como se devesse ser de um jeito que eu não sou.

Toby a encarou.

— Sei como é. — Ele suspirou. — Existem todas essas pessoas perfeitas aqui. E... parece que, quando não se é como elas, você realmente tem problemas. Mas eu acho que, no fundo, as pessoas que parecem tão perfeitas são tão problemáticas quanto nós.

Ele voltou o olhar para Emily, e as entranhas dela viraram do avesso. Ela se sentia como se seus pensamentos e segredos fossem manchetes de jornal em fonte setenta e dois, e Toby pudesse ler todos. Mas ele também era a primeira pessoa que havia expressado algo parecido com o que ela sentia a respeito das coisas.

— Eu me sinto bem problemática na maior parte do tempo — confessou ela, baixinho.

Toby pareceu não acreditar nela.

— Como você pode ser problemática?

O som de um trovão ecoou a distância. Emily colocou as mãos dentro das mangas da jaqueta. *Sou problemática porque não sei quem sou nem o que quero*, ela quis dizer. Mas, em vez disso, olhou diretamente para ele e balbuciou:

— Adoro tempestades.

— Eu também.

E, então, lentamente, Toby se inclinou e a beijou. Foi muito leve e hesitante, apenas um pequeno sussurro contra sua boca. Quando ele se afastou, Emily tocou os próprios lábios com os dedos, como se o beijo ainda estivesse ali.

— O que foi isso? — murmurou ela.

— Eu não sei — respondeu Toby. — Eu não devia ter...?

— Não — sussurrou Emily. — Foi bom. — O primeiro pensamento dela foi: *Eu acabei de beijar um garoto que Ali pode ter beijado*. O segundo foi que talvez ela fosse problemática só de pensar aquilo.

— Toby? — Uma voz os interrompeu. Um homem de jaqueta de couro estava parado sob a marquise do parque aquático, com as mãos na cintura. Era o sr. Cavanaugh. Emily o reconheceu da equipe de natação de verão, anos antes... e da noite em que Jenna se machucara. Os músculos dos ombros dela ficaram tensos. Se o sr. Cavanaugh estava ali, Jenna também estaria? E, então, ela se lembrou de que Jenna estava na escola, na Filadélfia. Pelo menos, ela esperava que sim.

— O que você está fazendo aqui fora? — O sr. Cavanaugh estendeu a mão para fora da marquise, sentindo a chuva, que havia começado a cair. — O seu revezamento já vai começar.

— Oh. — Toby pulou de cima do muro e sorriu para Emily. — Você vai voltar também?

— Em um segundo — disse Emily, com franqueza. Se tentasse usar as pernas naquele instante, elas poderiam não funcionar. — Boa sorte na prova.

— Tudo bem. — Os olhos de Toby se demoraram sobre ela durante mais um momento. Ele pareceu pronto para dizer algo, mas desistiu, seguindo o pai.

Emily ficou sentada no muro de pedra por alguns minutos, a chuva ensopando sua jaqueta. Ela se sentia estranhamente nervosa, como se estivesse borbulhando. O que tinha acabado de acontecer? Quando seu Nokia anunciou que ela tinha uma mensagem de texto, ela franziu o cenho e o fisgou do bolso da jaqueta. O coração falhou por um segundo. Era justamente quem ela imaginara.

Emily, que tal esta foto sua para o livro do ano, em vez da outra?

Ela clicou no anexo. Era uma foto de Emily e Maya, na cabine fotográfica de Noel. Elas estavam olhando nos olhos uma da outra com desejo, a centímetros de um beijo. O queixo de Emily caiu. Ela se lembrava de apertar o botão na cabine para tirar as fotos – mas Maya não as havia levado com ela ao saírem?

Você não vai querer que isto se espalhe, não é?, dizia a linha de texto sob a foto.

E – é claro – estava assinado –*A*.

15

ELA ROUBA POR VOCÊ E
É ASSIM QUE VOCÊ RETRIBUI

Mona saiu do trocador da Saks em um vestido verde-água, da Calvin Klein, com um decote quadrado. A saia rodada se movia com graça enquanto ela se virava.

– O que você acha? – perguntou ela a Hanna, que estava examinando as roupas expostas do lado de fora.

– Lindo – murmurou Hanna. Sob as luzes fluorescentes do trocador, ela podia ver que Mona estava sem sutiã.

Mona posou diante do espelho de três lados. Ela era tão magra que, às vezes, tinha que apelar para um invejável manequim trinta e quatro.

– Eu acho que este, talvez, combine melhor com o seu tom de pele. – Ela puxou uma das alças. – Quer experimentar?

– Não sei – respondeu Hanna. – É meio transparente.

Mona franziu a testa.

– Desde quando você se importa?

Hanna deu de ombros e examinou uma seção de blazers Marc Jacobs. Era uma quinta-feira à tarde e elas estavam no departamento de roupas de grife da Saks, no shopping King James, procurando freneticamente por vestidos para usar na Foxy. Várias garotas da escola preparatória e outras, que não estavam na faculdade, mas ainda moravam com os pais, iriam comparecer, e era importante encontrar um vestido que já não estivesse sendo usado por cinco outras meninas.

– Eu quero um visual clássico – respondeu Hanna. – Como a Scarlett Johansson.

– Por quê? – perguntou Mona. – Ela tem uma bunda enorme.

Hanna fez biquinho. Quando ela falou em *clássico*, queria dizer *sutil*. Como aquelas garotas em propagandas de diamantes, que parecem doces, mas têm as palavras *me foda* trançadas no cabelo. Se Sean ficasse tão encantado com a virtude de Hanna talvez rejeitasse seus votos do Clube da Virgindade e arrancasse sua lingerie.

Hanna apanhou um par de sapatos *peep-toe* caramelo, da Miu Miu, na prateleira do lado do trocador.

– Adoro estes. – Ela mostrou um deles para Mona.

– Que tal se você... – Mona apontou o queixo para a bolsa de Hanna.

Hanna os colocou de volta na prateleira.

– De jeito nenhum.

– Por que não? – sussurrou Mona. – Sapatos são a coisa mais fácil. Você sabe disso. – Quando Hanna hesitou, Mona estalou a língua. – Você ainda está traumatizada com a Tiffany?

Em vez de responder, Hanna fingiu estar interessada em um par de sandálias metálicas Marc Jacobs.

Mona tirou mais algumas coisas dos mostradores e voltou para o trocador. Segundos depois, ela saiu de mãos vazias.

— Este lugar é uma droga. Vamos tentar a Prada.

Elas andaram pelo shopping enquanto Mona digitava em seu Sidekick.

— Estou perguntando ao Eric qual a cor das flores que ele vai levar para mim — explicou ela. — Talvez eu combine a cor do meu vestido com elas.

Mona havia decidido ir à Foxy com o irmão de Noel Kahn, Eric, com quem já havia saído algumas vezes naquela semana. Os garotos Kahn eram sempre parceiros seguros para a Foxy — eram bonitos e ricos, e os fotógrafos das colunas sociais os adoravam. Mona tentara convencer Hanna a convidar Noel, mas ela demorou demais. Noel tinha convidado Celeste Richards, que frequentava o colégio interno Quaker — uma surpresa, já que todos achavam que Noel tinha uma queda por Aria Montgomery. Hanna não se importava, entretanto. Se ela não podia ir com Sean, não iria com mais ninguém.

Mona levantou os olhos de suas mensagens de texto.

— Qual clínica de bronzeamento artificial você acha melhor, a Sun Land ou a Dalia's? Celeste e eu estamos pensando em ir à Sun Land amanhã, mas eu acho que eles fazem com que a gente pareça alaranjada.

Hanna deu de ombros, sentindo uma pontada de ciúmes. Mona deveria estar indo se bronzear com ela, não com Celeste. Ela estava prestes a dizer isso quando seu celular tocou. Seu coração se acelerou um pouco. Sempre que o telefone tocava, ela pensava em A.

— Hanna? — Era a mãe dela. — Onde você está?

— Estou fazendo compras — Hanna respondeu. Desde quando sua mãe se importava?

— Bem, você precisa vir para casa. Seu pai vai passar por aqui.

— O quê? Por quê? — Hanna olhou para Mona, que estava examinando óculos de sol baratos em um quiosque. Ela não tinha contado a Mona que seu pai a visitara na segunda-feira. Era algo estranho demais para se contar.

— Ele só... precisa apanhar algo — respondeu sua mãe.

— Tipo o quê?

A sra. Marin deu uma risada irônica.

— Ele está passando aqui para pegar alguns documentos que nós precisamos discutir antes de ele se casar. Essa explicação basta para você?

Um suor frio escorreu pela nuca de Hanna. Um, porque sua mãe havia mencionado o que ela detestava pensar — que seu pai estava se *casando* com Isabel, e seria o *pai* de Kate. E dois, porque ela havia pensado que seu pai poderia estar passando em casa só para vê-la, especificamente. Por que ela deveria ir para casa se ele estava indo lá por outro motivo? Ia ficar parecendo que ela não tinha vida própria. Ela checou o próprio reflexo na vitrine da Banana Republic.

— Quando ele chega? — perguntou.

— Ele vai estar aqui em uma hora. — A mãe desligou abruptamente. Hanna fechou o telefone com força e o apertou entre as mãos, sentindo o calor do aparelho contra sua pele.

— Quem *era*? — cantarolou Mona, dando o braço a Hanna.

— Minha mãe — respondeu Hanna, distraída. Ela imaginava se teria tempo suficiente para tomar um banho quando chegasse em casa; ela estava cheirando a vários perfumes diferentes que experimentara na Neiman Marcus. — Ela quer que eu vá pra casa.

— Por quê?

— Porque... sim.

Mona parou e olhou cuidadosamente para Hanna.

– Han, sua mãe não liga para você sem motivo nenhum, apenas para mandá-la voltar para casa.

Hanna parou. Elas estavam na frente da entrada do Ano do Coelho, o bistrô chinês sofisticado do shopping, e o aroma intoxicante de molho agridoce lhe subiu às narinas.

– Bom, é porque... meu pai vai passar lá em casa.

Mona franziu a testa.

– Seu pai? Eu pensei que ele estava...

– Não está – interrompeu Hanna, depressa. Quando Mona e Hanna se tornaram amigas, Hanna disse a Mona que o pai estava morto. Ela havia prometido a si mesma jamais falar com ele novamente, portanto, não era exatamente uma mentira.

– Nós não tivemos nenhum contato por muito tempo – explicou. – Mas eu o vi outro dia, e ele tem negócios na Filadélfia, ou coisa do tipo. Ele não está indo lá hoje por minha causa. Não sei por que minha mãe me quer lá.

Mona pôs a mão na cintura.

– Por que você não me contou isso antes?

Hanna deu de ombros.

– Então, quando isso aconteceu?

– Não sei. Segunda-feira?

– Segunda-feira? – Mona parecia magoada.

– Meninas! – Uma voz as interrompeu. Hanna e Mona olharam para o lado. Era Naomi Zeigler. Ela e Riley Wolfe estavam saindo da Prada com sacolas pretas de compras penduradas em seus ombros perfeitamente bronzeados.

– Vocês estão fazendo compras para a Foxy? – perguntou Naomi. Seus cabelos loiros estavam reluzentes como sempre, e sua pele brilhava de forma irritante, mas Hanna não pôde evitar notar que seu vestido BCBG era da coleção passada. Antes que ela pudesse responder, Naomi completou: — Não percam seu tempo na Prada, nós compramos as únicas coisas boas de lá.

— Talvez nós *já tenhamos* nossos vestidos — rebateu Mona duramente.

— Hanna, você também vai? — Riley arregalou os olhos castanhos e jogou para trás o cabelo ruivo brilhante. — Eu achei que, talvez, já que você não está com o Sean...

— Eu não perderia a Foxy por nada — afirmou Hanna, de forma arrogante.

Riley pôs a mão na cintura. Ela estava vestindo *leggings* pretas, uma camisa jeans desfiada e um suéter listrado de branco e preto. Recentemente, havia sido publicada em um revista uma foto da Mischa Barton usando exatamente o mesmo modelo.

— O Sean é tão lindo — suspirou Riley. — Eu acho que ele ficou ainda mais bonito neste verão.

— Ele é totalmente gay — disse Mona, rapidamente.

Riley não pareceu preocupada.

— Eu aposto que posso fazê-lo mudar de ideia.

Hanna cerrou os punhos.

A expressão de Naomi se iluminou.

— Ah, Hanna, então, a Associação Cristã de Moços é fantástica, não é? Você tem que fazer aulas de pilates comigo! O instrutor, Oren? *Lindo*.

— Hanna não frequenta a Associação — interrompeu Mona. — Nós vamos ao Body Tonic. Isso aí é um buraco.

Hanna virou-se de Mona para Naomi. Seu estômago revirava.

— Você não vai à Associação? — Naomi fez a cara mais inocente de que era capaz. — Estou confusa. Não vi você lá ontem? Do lado de fora da sala de ginástica?

Hanna agarrou o braço de Mona.

– Nós estamos atrasadas. – Ela a arrastou para longe da Prada, voltando na direção da Saks.

– O que foi aquilo? – perguntou Mona, desviando-se com graça de uma senhora obesa, carregada de sacolas.

– Nada. Eu simplesmente não consigo suportá-la.

– Por que você estava na Associação ontem? Você me disse que ia ao dermatologista.

Hanna parou. Ela sabia que encontrar Naomi antes do Clube da Virgindade resultaria em problemas.

– Eu... tinha uma coisa pra fazer lá.

– O quê?

– Não posso te contar.

Mona franziu o cenho e se virou. Ela deu passos secos e determinados em direção à Burberry. Hanna a alcançou.

– Olhe, eu simplesmente não posso. Sinto muito.

– Tenho certeza de que sente. – Mona começou a vasculhar dentro da bolsa e tirou dela os sapatos caramelo Miu Miu, da Saks. Eles não estavam na caixa e o lacre de segurança tinha sido arrancado. Ela os balançou na frente do rosto de Hanna. – Eu *ia* dá-los de presente para você. Mas esqueça.

O queixo de Hanna caiu.

– Mas...

– Aquele negócio com o seu pai aconteceu há três dias e você nem me contou – disse Mona. – E, agora, você fica mentindo pra mim sobre o que vai fazer depois da escola.

– Não é bem assim... – gaguejou Hanna.

– É o que parece para mim. – Mona franziu a testa. – Sobre o que mais você está mentindo?

– Sinto muito – balbuciou Hanna. – Eu só... – Ela olhou para os próprios sapatos e respirou fundo. – Você quer saber por que eu estava na Associação? Tudo bem. Eu fui ao Clube da Virgindade.

Os olhos de Mona se arregalaram. Seu celular tocou dentro da bolsa, mas ela não fez nenhum movimento para apanhá-lo.

– Agora eu *espero* que você esteja mentindo.

Hanna sacudiu a cabeça. Ela se sentia um pouco nauseada; a Burberry tinha o mesmo cheiro forte de seu novo perfume.

– Mas... por quê?

– Eu quero o Sean de volta.

Mona caiu na gargalhada.

– Você me disse que tinha terminado tudo com o Sean na festa do Noel.

Hanna olhou para a vitrine da Burberry e quase teve um ataque cardíaco. A bunda dela estava mesmo daquele tamanho? De repente, ela estava na mesma proporção da Hanna gorda e babaca do passado. Ela engasgou, desviou o olhar e olhou de novo. A Hanna normal olhou de volta.

– Não – respondeu. – Ele terminou comigo.

Mona não riu, mas também não tentou confortar Hanna.

– Foi por isso que você foi à clínica do pai dele, também?

– Não – disse Hanna rapidamente, esquecendo de que havia visto Mona lá. Então, percebendo que teria que contar a Mona o motivo *real*, ela voltou atrás. – Bom, foi. Mais ou menos.

Mona deu de ombros.

– Bem, eu meio que já tinha ouvido falar que o Sean tinha terminado com você, de qualquer jeito.

– O *quê?* – sibilou Hanna. – Quem disse isso?

– Acho que foi na aula de ginástica. Não me lembro. – Mona deu de ombros. – Talvez o Sean tenha começado a espalhar isso.

Os olhos de Hanna se enevoaram. Ela duvidava de que Sean tivesse falado... mas talvez A tivesse.

Mona olhou para ela.

– Eu achei que você queria perder a virgindade, não prolongá-la.

– Eu só queria ver como era – disse Hanna, docemente.

– E aí? – Mona fez um biquinho malicioso. – Me dê os detalhes sórdidos. Aposto que foi hilário. Vocês cantaram? Entoaram mantras? O quê?

Hanna franziu a testa e se virou. Normalmente, ela teria contado tudo a Mona. Mas estava magoada com o fato de Mona rir dela, e não queria lhe dar satisfação. Candace havia dito de forma tão decidida: *Esse é um lugar seguro.* Agora, Hanna não sentia que tinha o direito de contar os segredos dos outros, nem mesmo quando parecia que A estava contando os dela. E por que, se Mona havia ouvido um boato sobre ela, não tinha lhe dito nada? Elas não deveriam ser melhores amigas?

– Nada disso, na verdade – murmurou ela. – Foi bem chato.

O rosto de Mona, que antes tinha uma expressão de expectativa, passou a demonstrar desapontamento. Ela e Hanna olharam uma para a outra. Então, o celular de Mona tocou, e ela desviou o olhar.

– Celeste? – disse Mona ao atender. – Oi!

Hanna mordeu os lábios, nervosa, e olhou para o relógio Gucci que usava.

– Tenho que ir – sussurrou para Mona, fazendo um gesto na direção da saída leste do shopping. – Meu pai...

– Espere – disse Mona ao telefone. Ela cobriu o bocal com as mãos, revirou os olhos e empurrou os sapatos Miu Miu para as mãos de Hanna. – Fique com eles. Na verdade, eu os detestei.

Hanna se afastou, segurando os sapatos roubados pelas tiras. De repente, ela também os detestava.

16

UM NOITE FAMILIAR NORMAL E LEGAL DOS MONTGOMERY

Naquela noite, Aria sentou-se em sua cama, tricotando uma coruja de lã de *mohair*. O bichinho era marrom e tinha cara de macho; ela tinha começado na semana anterior, pensando em dá-la a Ezra. Agora que isso realmente não ia acontecer, ela estava pensando... talvez pudesse dá-la ao Sean? Isso não seria esquisito?

Antes de Ali desaparecer, ela tinha tentado arranjar uns meninos de Rosewood para Aria, dizendo:

– É só ir lá e *falar* com ele. Não é difícil.

Mas, para Aria, *era* difícil. Quando ela chegava perto de um menino de Rosewood, congelava e falava a primeira coisa idiota que viesse à sua mente – que, por alguma razão, era frequentemente algo sobre matemática. E ela *odiava* matemática. Até acabar o sétimo ano, apenas um cara tinha falado com ela fora da sala de aula: Toby Cavanaugh.

E havia sido assustador. Acontecera apenas algumas semanas antes de Ali desaparecer; Aria tinha se inscrito num acampamento de artes, no final de semana, e quem apareceu logo no primeiro *workshop* foi ninguém mais, ninguém menos que *Toby*. Aria ficou abismada – ele não deveria estar num colégio interno... para sempre? Mas, aparentemente, a escola dele começara as férias de verão antes de Rosewood Day e lá estava ele. Ele sentou-se num canto, com o cabelo no rosto, mexendo num elástico em seu pulso.

A professora de teatro, uma mulher magricela, de cabelo arrepiado, que usava um monte de roupas hippies manchadas, pediu para todos fazerem um exercício: eles deveriam formar pares e gritar uma frase para o outro continuamente, até entrar num ritmo. A frase deveria ser dita naturalmente. Eles deveriam andar pela sala, se encontrando uns com os outros, e Aria rapidamente se viu em frente a Toby. A frase desse dia era: *Nunca neva no verão.*

– Nunca neva no verão – disse Toby.

– Nunca neva no verão – rebateu Aria.

– Nunca neva no verão – repetiu Toby.

Os olhos dele estavam fundos e as unhas, roídas até o toco. Aria sentiu arrepios por estar tão perto dele. Ela não conseguia parar de pensar no rosto macabro na janela da Ali, pouco antes de elas ferirem Jenna. E em como os paramédicos puxaram Jenna da casa da árvore escada abaixo, quase a derrubando. E como, poucos dias depois, quando elas estavam na apresentação beneficente de fogos de artifício, ela escutou a sua professora de programas de saúde, sra. Iverson, dizer:

– Se eu fosse o pai daquele garoto, não o mandaria apenas para o colégio interno. Eu o mandaria para a *cadeia*.

E aí, a frase mudou. Tornou-se: *Eu sei o que você fez no verão passado*. Toby deveria falar primeiro, mas Aria gritou a frase algumas vezes antes de se dar conta do que ela realmente significava.

— Ah, como o filme! — gritou a professora, batendo palmas.

— Sim — concordou Toby, e sorriu para Aria.

Um sorriso de verdade, também, não um sorriso sinistro, o que a fez sentir-se pior. Quando ela contou a Ali o que havia acontecido, Ali suspirou.

— Aria, o Toby é, tipo, doente da cabeça, eu fiquei sabendo que ele quase se afogou no Maine, nadando num riacho gelado, enquanto tentava fotografar um alce.

Mas Aria nunca mais voltou para as aulas de teatro.

Ela pensou novamente sobre o recadinho de A. *Você está imaginando quem eu sou, não está? Eu estou mais perto do que você pensa.*

Poderia A ser Toby? Ele teria se infiltrado em Rosewood Day e colocado o recado no memorial de Ali? Alguma de suas amigas o teria visto? Ou talvez A frequentasse alguma aula junto com ela. A turma de inglês faria mais sentido — os horários em que havia recebido os recados batiam com o do pessoal que assistia a essa matéria. Mas quem? Noel? James Freed? Hanna?

Aria se concentrou em Hanna. Havia pensado sobre ela anteriormente — Ali poderia ter contado a Hanna sobre seus pais. E Hanna fazia parte de A Coisa com Jenna.

Mas por quê?

Ela folheou o livro de fotos da Rosewood Day — a lista de todos os nomes de seus colegas de classe e seus telefones havia saído naquele dia - e achou a foto do Sean. O cabelo dele tinha um corte esportivo, curto, e ele estava bronzeado como se tivesse passado o verão no iate do pai. Os meninos com quem Aria havia saído na Islândia eram branquinhos e de cabelo lambido, e, se tivessem barcos, seriam os caiaques que usavam para ir à geleira Snaefellsjökull.

Ela discou o número de Sean, mas caiu na caixa postal.

– Oi, Sean – disse ela, na esperança de que sua voz não estivesse muito cantada. – É Aria Montgomery. Eu, hum, eu só liguei para dizer oi, e, hum, eu tenho uma recomendação de uma filósofa para você. É a Ayn Rand. Ela é, tipo, supercomplexa, mas legível. Dá uma conferida.

Ela deixou seu número do celular e seu nick no Messenger, desligou e logo pensou em apagar a mensagem. Sean provavelmente tinha toneladas de meninas não esquisitas de Rosewood ligando para ele.

– Aria! – chamou Ella lá de baixo, da beirada da escada. – Venha jantar!

Ela jogou o celular na cama e desceu a escadaria lentamente. Seus ouvidos captaram um estranho bipe vindo da cozinha. Seria o... alarme do forno? Mas isso seria impossível. A cozinha deles era em estilo anos cinquenta retrô, e o fogão era um Magic Chef autêntico, de 1956. Ella raramente o usava, pois era tão velho que poderia atear fogo na casa.

Mas para surpresa de Aria, Ella tinha alguma coisa no forno, e o irmão e o pai estavam à mesa. Era a primeira vez, depois do final de semana, que a família toda estava reunida. Mike tinha passado as últimas três noites na casa de vários meninos do lacrosse, e o pai, bem, ele estivera muito ocupado "dando aula".

Um frango assado, uma tigela de purê de batatas e um prato de vagem ocupavam o meio da mesa. Todos os pratos e talheres combinavam e havia até *jogos americanos*. Aria ficou nervosa. Parecia muito normal... ainda mais quando se pensava que quem estava ali era a sua família. Alguma coisa tinha de estar errada. Alguém tinha morrido? A tinha contado tudo?

Mas seus pais pareciam tranquilos. A mãe tirou uma assadeira de pães de dentro do forno – que, por um milagre, não estava em chamas – e o pai estava quieto, sentado, folheando o *New York Times*. Ele estava sempre lendo: à mesa, nos eventos esportivos de Mike, até mesmo enquanto dirigia.

Aria virou-se para o pai, que ela pouco tinha visto desde a segunda-feira, no bar Victory.

– Oi, Byron – cumprimentou-o ela.

O pai deu a Aria um sorriso sincero.

– Olá, Macaquinha.

Ele às vezes chamava Aria de Macaquinha. Costumava chamá-la de Macaquinha Peluda, também, até que ela pediu para ele parar. Sempre parecia que ele acabara de sair da cama: usava camiseta furada de uma loja barata, calção dos Philadelphia 76 ou uma calça lisa de pijama, e um velho chinelo, forrado de pele de carneiro. Seu denso cabelo castanho-escuro também estava sempre bagunçado feito o de um louco. Aria achava que ele se parecia com um coala.

– E oi, Mike! – cumprimentou Aria alegremente o irmão, bagunçando o cabelo dele.

Mike se encolheu.

– Não encosta em mim!

– Mike. – Ella apontou para ele com um dos palitinhos que usava para fazer o coque em seu cabelo castanho.

– Eu só estava brincando. – Aria se segurou para não dar uma resposta daquelas a Mike. Em vez disso, sentou-se, desdobrou o guardanapo florido bordado em seu colo e pegou um garfo com cabo de baquelita.

– O frango está com um cheiro *ótimo*, Ella.

Ella colocou batatas no prato de todos.

– É só uma dessas comidas prontas de rotisseria.

– Desde quando você acha que frango cheira bem? – rosnou Mike. – Você não come frango.

Era verdade. Aria tinha se tornado vegetariana em sua segunda semana da viagem à Islândia, quando Hallbjorn, seu primeiro namorado, comprou um lanche de um vendedor ambulante que ela pensou ser cachorro-quente. Era uma delícia, mas, depois de comê-lo, ele contou a ela que era carne de papagaio-do-mar. Desde então, toda vez que tinha carne na frente dela, ela imaginava a carinha de um bebê papagaio-do-mar.

— Bem, ainda assim. Eu *como* batatas. — Aria enfiou uma garfada fumegante na boca. — E *estas* estão maravilhosas.

Ella franziu o cenho.

— São pré-cozidas. Você sabe que eu não sei cozinhar.

Aria sabia que estava se esforçando demais. Mas se fosse uma filha modelo em vez de uma sarcástica e reclamona, Byron ia se dar conta do que estava perdendo.

Ela se virou para Byron novamente. Aria não queria odiar o pai. Havia toneladas de coisas boas nele — sempre ouvia seus problemas, era inteligente, fazia *brownies* fique-boa-logo com calda quando ela ficava gripada. Aria havia tentado achar uma razão lógica, não romântica para o motivo pelo qual o lance da Meredith havia acontecido. Ela não queria achar que o pai amava outra pessoa, ou que ele estava tentando separar a família. Entretanto, era difícil não levar para o lado pessoal.

Ao comer uma garfada cheia de vagem, o telefone de Ella, que estava apoiado na bancada da cozinha, começou a tocar. Ella olhou para Byron.

— Devo atender?

Byron franziu a testa.

— Alguém ligando para você na hora do jantar?

— Talvez seja o Oliver, da galeria.

De repente, Aria sentiu um nó na garganta. *E se fosse A?*

O telefone tocou de novo. Aria se levantou.

– Eu atendo.

Ella limpou a boca e empurrou a própria cadeira.

– Não, eu atendo.

– Não! – Aria correu para a bancada. O telefone tocou a terceira vez.

– Eu... hum... é...

Ela balançou os braços loucamente, tentando pensar. Sem ideias, pegou o telefone e o arremessou para a sala de estar. Ele derrapou pelo chão, freou no sofá e parou de tocar. O gato dos Montgomery, Polo, veio sorrateiro e deu uns tapinhas no celular com uma das patas listradas.

Quando Aria virou-se de volta, sua família estava olhando para ela.

– O que deu em você? – perguntou Ella.

– Eu só... – Aria estava encharcada em suor, e todo o seu corpo vibrava com as batidas do seu coração. Mike cruzou as mãos atrás da cabeça.

– Doi-DINHA – falou ele.

Ella passou por ela para ir até a sala e agachou-se para ver a tela do celular. Sua saia plissada roçou no chão, pegando poeira.

– *Era* o Oliver.

Ao mesmo tempo, Byron se levantou.

– Eu tenho que ir.

– Ir? – A voz de Ella estava engasgada. – Mas nós começamos a comer agora.

Byron levou seu prato vazio para a pia. Ele sempre tinha sido o mais rápido do planeta a comer, mais rápido ainda que Mike.

– Eu tenho coisas pra fazer no escritório.

– Mas... – Ella pôs as mãos em sua pequena cintura.

Todos olharam, sem poder fazer nada, enquanto Byron desaparecia escada acima e voltava meio minuto depois vestindo calças cinza de pregas e uma camisa azul. Seu cabelo ainda estava completamente despenteado. Ele pegou sua maleta e as chaves.

– Vejo vocês daqui a pouco.

– Você pode trazer suco de laranja? – gritou Ella, mas Byron fechou a porta da frente sem responder.

Um segundo depois, Mike saiu correndo da cozinha, sem colocar o prato na pia. Ele pegou sua jaqueta e o taco de lacrosse, e calçou os tênis sem desamarrá-los.

– Agora, aonde você vai? – perguntou Ella.

– Treinar – respondeu Mike rapidamente. Ele estava com a cabeça baixa e mordendo o lábio, como se estivesse tentando segurar o choro. Aria queria correr até o irmão, abraçá-lo e tentar pensar no que fazer naquela situação, mas congelou, como se estivesse grudada aos azulejos xadrez do chão da cozinha.

Mike bateu a porta, fazendo a casa toda tremer. Alguns segundos depois, Ella ergueu seu olhos cinza até Aria.

– Todos estão nos deixando.

– Não, não estão – corrigiu Aria, depressa.

A mãe voltou à mesa e encarou o resto de frango em seu prato. Depois de alguns segundos ponderando, colocou um guardanapo sobre ele e voltou-se para Aria.

– Você achou seu pai estranho?

Aria sentiu a boca secar.

– Estranho como?

— Eu não sei. — Ella passou o dedo na beirada do prato de porcelana. — Parece que alguma coisa o está incomodando. Talvez seja algo relacionado às aulas? Ele parece estar tão atarefado...

Aria sabia que ela ia dizer algo, mas as palavras pareciam presas em sua boca, como se ela precisasse de um desentupidor ou de um aspirador para sugá-las.

— Ele não me disse nada sobre isso. — Não era exatamente uma mentira.

Ella encarou-a.

—Você me falaria se ele tivesse dito, certo?

Aria inclinou a cabeça para baixo, fingindo que tinha alguma coisa nos olhos.

— Claro.

Ella se levantou e tirou o resto das coisas da mesa. Aria ficou ali, sentindo-se inútil. Aquela era a sua chance... e ela estava ali, parada. Como um saco de batatas.

Ela andou de volta ao seu quarto e sentou-se em frente ao computador, sem ter certeza do que fazer consigo mesma. Lá embaixo, podia ouvir a musiquinha do começo de *Jeopardy!*. Talvez ela devesse voltar pra lá e ficar com Ella. Mas o que realmente queria fazer era chorar.

O Messenger fez aquele som que lembrava o barulho de uma bexiga sendo estourada, o que indicava que havia uma mensagem instantânea nova. Aria foi verificar, pensando se seria, talvez, Sean. Mas... não era.

AAAAAA: Duas alternativas: fazer com que tudo isso desapareça ou contar à sua mãe. Eu te dou até a última badalada da meia-noite de sábado, Cinderela. Senão, você já sabe. —A

Um rangido a fez pular. Aria se virou e viu que o gato havia aberto a porta do quarto com o focinho. Ela o acariciou sem pensar em nada, lendo a mensagem de novo. E de novo. E de novo.

Senão, você já sabe? E fazer com que tudo isso desapareça? Como ela poderia fazer isso?

O computador fez outro bipe. A janela de mensagem instantânea piscou.

A A A A A: Não sabe como? Aqui vai uma dica: academia de Ioga Montanha dos Morangos. 7:30. Amanhã. Esteja lá.

17

A GAROTINHA DO PAPAI TEM UM SEGREDO

Hanna parou a quinze centímetros do espelho do seu quarto, se autoinspecionando de perto. Devia ter sido um reflexo esquisito no shopping – ali, ela parecia normal e magra. Embora... Os seus poros pareciam um pouco dilatados? Ela estava meio vesga?

Nervosa, abriu a gaveta da cômoda e pegou um pacote gigante de batatas fritas sabor sal e pimenta-do-reino. Ela colocou um punhado de batatas na boca, mastigou, e depois parou. Na semana anterior, as mensagens misteriosas a haviam levado a esse ciclo horroroso de comer muito/se livrar de tudo – mesmo ela tendo parado com esse hábito há muitos anos. *Não* ia começar com aquilo de novo. Ainda mais na frente do seu pai.

Ela fechou o pacote e olhou pela janela. Onde ele *estaria*? Haviam se passado quase duas horas desde que sua mãe a tinha chamado no shopping. Então, ela viu um Range Rover virar na entrada da sua casa – um caminho sinuoso de quatrocentos metros, cheio de árvores. O carro manobrou facilmente pelas curvas da entrada, de uma forma que só alguém que já tivesse morado lá conseguiria. Quando Hanna era mais nova, ela e o pai costumavam descer até o portão de carrinho de rolimã. Ele a ensinara a se inclinar nas curvas para não cair.

Quando a campainha soou, ela pulou. Seu pinscher miniatura, Dot, começou a latir, então, a campainha tocou de novo. O latido de Dot ficou ainda mais agudo e enlouquecido, e a campainha tocou pela terceira vez.

– Já vou! – grunhiu Hanna.

– Ei – falou o pai, quando ela escancarou a porta. Dot começou a dar pulinhos em volta das pernas dele. – Olá, menino. – Ele se abaixou para pegar o cãozinho.

– Dot, não! – falou Hanna.

– Não, deixa ele. – O sr. Marin acariciou o nariz do pinscher miniatura. Hanna o havia comprado logo depois que o pai fora embora.

– Então. – O pai esperou na varanda, parecendo desconfortável.

Ele vestia um terno de trabalho cinza-escuro e uma gravata cinza e vermelha. Ele parecia um executivo que tinha acabado se sair de uma reunião. Hanna imaginou se ele queria entrar. Ela achou estranho convidá-lo para entrar em sua própria casa.

– Posso... – começou ele.

– Você gostaria de...? – disse Hanna, ao mesmo tempo.

O pai riu de nervosismo. Hanna não tinha certeza se queria abraçá-lo. O pai deu um passo em direção a ela, e Hanna deu um passo para trás, batendo de encontro à porta. Ela tentou disfarçar, como se tivesse feito de propósito.

– Vamos, entra logo. – A voz de Hanna soou perturbada.

Eles pararam no vestíbulo. Hanna sentiu o olhar do pai sobre ela.

— É muito bom ver você — disse ele.

Hanna deu de ombros. Ela queira ter um cigarro nas mãos, ou alguma coisa para fazer com elas.

— É, bem. Então, você quer o negócio das finanças? Está bem aqui.

Ele olhou de lado, ignorando-a.

— Eu queria ter perguntado a você no outro dia. Seu cabelo. Você mudou alguma coisa nele. Está... Está mais curto?

Ela abriu um sorriso falso.

— Está mais *escuro*.

Ele apontou.

— Bingo. E você não está usando óculos!

— Eu fiz cirurgia a laser. — Ela desviou o olhar. — Há dois anos.

— Ah. — O pai pôs as mãos nos bolsos.

— Do jeito que você fala parece uma coisa ruim.

— Não — respondeu o pai, depressa. — Você está... diferente.

Hanna cruzou os braços. Quando seus pais decidiram se divorciar, Hanna achou que era porque ela tinha engordado e ficado desengonçada. E feia. Encontrar Kate havia feito tudo isso parecer ainda mais verdadeiro. Ele tinha encontrado uma filha substituta e feito a troca.

Depois do desastre da Annapolis, o pai tentara manter contato. No começo, Hanna deixou. Teve umas duas conversas monossilábicas e mal-humoradas ao telefone. O sr. Marin tentou provocá-la para saber se havia algo de errado, mas Hanna estava muito envergonhada para tocar no assunto. Com o tempo, o intervalo entre as conversas ficou cada vez maior... E então elas pararam completamente.

O sr. Marin caminhou pelo vestíbulo, os pés estalando contra o piso de madeira. Hanna imaginou se ele estaria verificando o que mudara e o que permanecera como antes. Teria ele notado que a foto em preto e branco dela e dele, que ficava pendurada em cima da mesinha de madeira, havia sido retirada? E que a litogravura de uma mulher fazendo o exercício de ioga saudação ao sol – um quadro que o pai de Hanna *odiava*, mas que a mãe dela amava – estava pendurado no lugar da foto?

O pai despencou no sofá da sala de estar, apesar de ninguém jamais usar aquele cômodo. *Ele* mesmo não costumava usá-lo. Era escuro, muito abafado, tinha um monte tapetes orientais feios e cheirava a spray para limpar estofados. Hanna não sabia mais o que fazer, então ela o seguiu e sentou-se na banqueta no canto da sala.

– Então. Como estão as coisas, Hanna?

Ela encolheu as pernas.

– Eu estou bem.

– Que bom.

Outro oceano de silêncio. Ela ouviu as unhazinhas de Dot rasparem o assoalho da cozinha, e o som de sua pequena língua lambendo a água do bebedouro. Desejou uma interrupção – um telefonema, o alarme de incêndio apitando, até uma nova mensagem de A – qualquer coisa que pudesse tirá-la daquela situação desconfortável.

– E você, como está? – perguntou ela afinal.

– Nada mal. – Ele pegou uma almofada de franjas do sofá e segurou-a diante do corpo. – Estas coisas sempre foram tão feias.

Hanna concordava, mas, e daí? Por acaso as almofadas da casa da Isabel eram *perfeitas*?

O pai olhou para cima.

– Você se lembra daquela brincadeira que você costumava fazer? Você punha as almofadas no chão e pulava de uma para outra fingindo que o chão era lava?

— Pai. — Hanna franziu o nariz e abraçou os joelhos com mais força ainda.

Ele apertou a almofada.

—Você podia ficar nessa brincadeira por horas a fio.

— Eu tinha seis anos.

—Você se lembra do Cornelius Maximilian?

Ela olhou pra cima. Os olhos dele brilhavam.

— Pai...

Ele jogou a almofada para cima e pegou de volta.

— Eu não devo falar nele? Faz muito tempo?

Ela levantou o queixo, secamente.

— Provavelmente.

Por dentro, entretanto, ela deu um sorrisinho. Cornelius Maximilian era a piada familiar que eles haviam inventado depois de assistir a *Gladiador*. Tinha sido um grande presente para Hanna ir assistir a um filme sangrento, cuja censura era dezessete anos, mesmo tendo só onze, e todo aquele sangue a deixar traumatizada. Ela tinha certeza de que não conseguiria dormir naquela noite, então, seu pai inventou o Cornelius para ela se sentir melhor. Ele era apenas um cachorro — um poodle, eles inventaram, entretanto, algumas vezes, mudavam para um Boston terrier - forte o bastante para lutar numa arena. Ele bateu nos tigres, bateu nos gladiadores que tanto assustavam Hanna. Ele podia fazer qualquer coisa, inclusive ressuscitar os gladiadores mortos.

Eles inventaram um personagem completo para Cornelius, definindo o que ele fazia nos dias de folga, que tipo de coleiras de espetos gostava de usar, e sobre como ele precisava de uma namorada. Às vezes, Hanna e o pai falavam do Cornelius perto da mãe, e ela perguntava:

— O quê? Quem?

Mesmo eles tendo explicado a brincadeira a ela um milhão de vezes. Quando Hanna pegou o cachorro, pensou em chamá-lo de Cornelius, mas isso teria sido muito triste.

O pai sentou no sofá mais uma vez.

— Eu sinto muito que as coisas sejam assim.

Hanna fingiu estar interessada em sua unha francesinha.

— Assim como?

— Assim... com a gente. — Ele limpou a garganta. — Desculpe, eu não estive muito presente.

Hanna revirou os olhos. Aquilo era melodrama demais para ela.

— Não tem importância.

O sr. Marin tamborilou os dedos na mesinha de centro. Era óbvio que ele estava angustiado. Ótimo.

— Então, por que você roubaria o carro do pai do seu namorado, mesmo? Eu perguntei a sua mãe se ela sabia, mas ela disse não fazia a menor ideia.

— É complicado — disse Hanna, depressa.

Falando em ironia: assim que seus pais se divorciaram, Hanna tentou imaginar maneiras de fazê-los conversar de novo, assim, eles se apaixonariam novamente — exatamente como as gêmeas interpretadas por Lindsay Lohan em *Operação Cupido* haviam feito. Para que isso acontecesse, ela acabou tendo de ser presa algumas vezes.

— Ah, vai — insistiu o sr. Marin. —Vocês tinham terminado? Você estava chateada?

— Acho que sim.

— Foi ele quem terminou?

Hanna engoliu em seco, sentindo-se um lixo.

— Como você sabe?

— Se ele largou você, talvez não esteja à sua altura.

Hanna não acreditava no que o pai acabara de falar. Realmente não acreditava. Talvez tivesse ouvido errado. Talvez andasse ouvindo músicas em seu iPod alto demais.

— Você tem pensado na Alison? — perguntou o pai.

Hanna olhou para as próprias mãos.

— Eu acho que sim. Sim.

— É inacreditável.

Hanna engoliu de novo. De repente, sentiu que ia chorar.

— Eu sei.

O sr. Marin se recostou. O sofá fez um barulho estranho, como se ele tivesse soltado um pum. É uma coisa da qual o pai falaria a respeito anos atrás, mas, naquele momento, deixou pra lá.

— Você sabe qual é a minha lembrança preferida da Alison?

— Qual? — perguntou Hanna, baixinho.

Ela rezou para ele não dizer: "Aquela vez que vocês duas foram para Annapolis e ela se deu tão bem com a Kate."

— Era verão. Eu acho que vocês estavam indo para o sétimo ano, ou algo assim. Eu levei você e Alison para Avalon, para passar o dia. Você se lembra?

— Vagamente — respondeu Hanna. Ela se lembrava de ter comido um monte de bombons, de se sentir gorda de biquíni, enquanto Ali parecia perfeitamente magra no seu e que um surfista a convidara para um luau, mas ela o mandou passear na última hora.

— Nós estávamos sentados na praia; havia um menino e uma menina perto da gente. Vocês duas conheciam a menina da escola, mas não era alguém com quem vocês normalmente saíam.

Ela tinha uma espécie de cantil amarrado nas costas, onde tomava água por um canudo. Ali conversou com o irmão dela e a ignorou.

De repente, Hanna lembrou perfeitamente. Era normal encontrar pessoas de Rosewood na praia Jersey – e aquela menina era Mona. O menino era o primo dela. Ali o achou bonitinho, então foi lá falar com ele. Mona ficou extasiada por Ali estar perto dela, mas tudo que Ali fez foi olhar para Mona e dizer:

– Ei, meus porquinhos da Índia bebem água de uma garrafa igual a essa.

– *Essa* é a sua lembrança favorita? – quis saber Hanna.

Ela tinha bloqueado aquilo; e tinha certeza de que Mona fizera o mesmo.

– Eu ainda não terminei – disse ele. – Alison caminhou para a beirada da praia com o menino, mas você ficou para trás e conversou com a garota, que parecia arrasada porque a Alison tinha saído. Eu não sei o que você disse, mas você foi legal com ela. Eu fiquei muito orgulhoso de você.

Hanna franziu o nariz. Ela duvidava de que tivesse sido legal – provavelmente só não tinha sido muito má. Depois da Coisa com Jenna, Hanna já não curtia mais azucrinar os outros.

– Você sempre foi legal com todo mundo – falou o pai.

– Não, eu não era – discordou ela, baixinho.

Ela se lembrou do que costumava falar sobre a Jenna: *Você não acredita nessa menina, pai,* dizia ela. *Ela tentou pegar o mesmo papel que a Ali queria no musical, e você devia tê-la ouvido cantar. Parecia uma vaca.* Ou, *Jenna Cavanaugh pode ter acertado todas as questões da prova de programas de saúde e ter feito doze levantamentos de braço na academia para a prova do Presidential Fitness, mas, ainda assim, é uma perdedora.*

O pai sempre fora um bom ouvinte, desde que soubesse que ela não diria coisas maldosas na cara das pessoas. O que fizera com ele, uns dias depois do acidente de Jenna, quando estavam indo de carro para a loja, era muito mais devastador. Ele tinha se virado para ela e dito, assim, do nada: "Espera aí. Aquela menina que ficou cega... ela é aquela que canta feito uma vaca, certo?" Ele olhou como se tivesse feito a ligação. Hanna, com muito medo de responder, fingiu um acesso de tosse e mudou de assunto.

O pai levantou e dirigiu-se ao pequeno piano de cauda da sala. Ele levantou a tampa, e a poeira voou. Quando apertou uma tecla, saiu um sonzinho.

– Eu imagino que sua mãe tenha contado que Isabel e eu vamos nos casar.

O coração de Hanna bateu forte.

– Sim, ela disse algo a respeito.

– Nós estamos pensando em realizar a cerimônia no próximo verão, mas Kate não pode ir. Ela vai fazer um curso de verão na Espanha.

Hanna se eriçou ao ouvir o nome de Kate. *Pobrezinha da nenezinha, tem que ir pra Espanha.*

– Nós gostaríamos que você fosse ao casamento também – acrescentou o pai. Como ela não respondeu, ele continuou falando. – Se você puder. Eu sei que é um pouco esquisito. Se for, acho que deveríamos conversar a respeito. Eu prefiro que você fale comigo em vez de roubar carros.

Hanna fungou. Como o pai se atreve a pensar que o fato de ela ter roubado um carro possa ter alguma coisa a ver com ele e seu estúpido casamento! Mas, aí, ela parou. *Tinha* a ver?

– Vou pensar no assunto – disse ela.

Seu pai passou as mãos na beirada do piano.

– Vou ficar na Filadélfia o fim de semana todo, e fiz reserva para jantarmos no Le Bec-Fin no próximo sábado.

– Mesmo? – gritou Hanna, sem perceber. Le Bec-Fin era um famoso restaurante francês, no centro da cidade, ao qual ela queria ir havia muito tempo. As famílias de Spencer e Ali costumavam arrastá-los para lá, e eles reclamavam. Era esnobe, o cardápio não era nem em inglês e era cheio de velhinhas com casacos de pele horrorosos que, às vezes, ostentavam também a cabeça do animal. Mas, para Hanna, Le Bec-Fin soava totalmente charmoso.

– E reservei uma suíte para você no Four Seasons – continuou o pai. – Sei que você deveria estar de castigo, mas sua mãe disse que tudo bem.

– Mesmo? – Hanna bateu palmas. Ela adorava ficar em hotéis chiques.

– Tem piscina. – Ele sorriu, envergonhado. Hanna costumava ficar muito animada quando eles se hospedavam em hotéis com piscina. – Você poderia vir cedo no sábado, para dar uma nadada.

De repente, Hanna ficou de queixo caído. Sábado era a... Foxy.

– Pode ser no domingo?

– Bem, não. Tem que ser sábado.

Hanna mordeu o lábio.

– Então eu não posso.

— Por quê?

— É só que... tem esse lance do baile. É tipo... importante.

O pai cruzou os dedos das mãos.

— Sua mãe deixará você ir a um baile depois... depois do que você fez? Eu achei que você estivesse de castigo.

Hanna estremeceu.

— Eu comprei os ingressos há muito tempo. Foram caros.

— Significaria muito pra mim se você fosse — sussurrou ele. — Eu adoraria passar o final de semana com você.

Ele parecia realmente *chateado*. Parecia que ia chorar. Ela também queria passar o fim de semana com ele. Ele tinha se lembrado do seu chão de lava derretida, de como ela costumava falar do Le Bec-Fin e do quanto adorava hotéis luxuosos com piscina. Ela imaginou se ele também tinha esse tipo de brincadeira com Kate. Não queria que ele tivesse. Queria ser especial.

— Eu acho que posso deixar a festa para lá — respondeu ela afinal.

— Ótimo. — O pai voltou a sorrir.

— Pelo bem de Cornelius Maximilian — adicionou ela, lançando-lhe uma olhadela tímida.

— Melhor ainda.

Hanna observou o pai entrar no carro e seguir lentamente pela saída da garagem. Um sentimento cálido e eletrizante tomou conta dela. Estava tão feliz que nem pensou em pegar o saco de batatas fritas que havia jogado na despensa. Em vez disso, teve vontade de dançar pela casa.

Quando ouviu o BlackBerry tocando no andar de cima, voltou à realidade. Ela tinha de fazer tanta coisa. Tinha de dizer ao Sean que não iria à Foxy. Tinha de ligar pra Mona, também.

Precisava arranjar um vestido fabuloso pra usar no Le Bec-Fin – talvez aquele curtinho, com cinto, que ainda não tinha tido oportunidade de usar?

Ela correu escada acima, abriu o BlackBerry e franziu as sobrancelhas. Era uma mensagem.

Quatro palavras simples:
Hanna. Marin. Cegou. Jenna.
O que o papai pensaria disso se soubesse?
Eu estou de olho em você, Hanna, e é melhor você fazer o que eu digo. —A

18

CERQUE-SE DE GENTE NORMAL E TALVEZ VOCÊ SE TORNE NORMAL

—Você tem sorte de poder ir à Foxy de graça — disse a irmã mais velha de Emily, Carolyn. —Você realmente deveria aproveitar.

Era sexta-feira de manhã, e Emily e Carolyn estavam na entrada da garagem, esperando a mãe para levá-las para o treino de natação. Emily virou-se para a irmã, passando a mão no cabelo. Como capitã, ela ganhou ingressos grátis para a Foxy, mas era esquisito ir a uma festa logo depois do enterro da Ali.

— Nem sei se eu vou. Eu nem tenho companhia. Ben e eu não estamos mais juntos, então...

—Vá com uma amiga. — Carolyn passou protetor labial em sua boca naturalmente rosada. — Topher e eu adoraríamos ir, mas eu teria que gastar todo o meu salário de babá em apenas um ingresso. Então, em vez de ir ao baile, nós vamos assistir a um filme na casa dele.

Emily deu uma olhada na irmã. Carolyn estava no último ano e parecia com Emily. Tinha cabelo loiro-avermelhado, ressecados por causa do cloro, sardas nas bochechas, cílios clarinhos, e um corpo forte e compacto de nadadora. Quando Emily foi nomeada capitã, ficou preocupada que Carolyn ficasse com ciúme – afinal, ela *era* mais velha. Mas Carolyn pareceu muito bem com tudo aquilo. Secretamente, Emily adoraria vê-la enlouquecida por alguma coisa. Pelo menos uma vez.

– Ah! – Carolyn se ouriçou. – Eu vi uma foto sua muito engraçada outro dia!

O campo de visão de Emily se estreitou.

– Foto? – repetiu ela grosseiramente. Pensou na foto três por quatro que A havia anexado à mensagem da noite anterior. A tinha espalhado a foto. Estava começando.

– É. Foi tirada na reunião da Tate ontem – relembrou-a Carolyn. – Você parece... eu não sei... numa emboscada. Você estava com uma expressão engraçada no rosto.

Emily piscou. A foto que o Scott tirou... com o Toby. Seus músculos relaxaram.

– Ah – disse ela.

– Emily?

Emily olhou para cima e sentiu sua respiração parar por um segundo. Maya parou a alguns centímetros dela na rua, montada na sua *mountain bike* azul. Seu cabelo castanho-escuro estava preso para trás, e ela tinha dobrado as mangas da jaqueta jeans branca. Ela estava com olheiras. Era tão estranho vê-la numa hora daquelas, tão cedo.

– Ei – grasnou Emily. – E aí, tudo bem?

– Este foi o único lugar em que realmente achei que poderia encontrar você. – Maya apontou para a casa. – Você não fala comigo, tipo, desde segunda-feira.

Emily olhou para trás, por sobre o ombro, para Carolyn, que, naquele momento, estava revirando o bolso da frente de sua mochila roxa North Face. Ela pensou na mensagem de A novamente. *Como* A teria conseguido aquelas fotos? Será que Maya estava com elas... ou seria outra pessoa?

— Desculpe — disse Emily. Ela não sabia o que fazer com as mãos, então as colocou em cima da caixa do correio, que era uma miniatura da sua casa. — Eu estava meio ocupada.

— É, parece que foi isso.

A amargura na voz da Maya fez os pelos da nuca de Emily se arrepiarem.

— O-O que você quer dizer com isso? — perguntou Emily.

Mas Maya apenas parecia impassível e triste.

— Eu... eu quero dizer que você não me ligou de volta.

Emily puxou os cordões de seu gorro vermelho.

—Vamos até ali — murmurou ela, andando até os limites do terreno de sua casa, debaixo de um salgueiro chorão. Tudo que ela queria era apenas privacidade. Assim, Carolyn não escutaria, mas, infelizmente, era meio sexy ficar embaixo dos galhos escondidos da árvore. A luz era verde-clara, e a pele de Maya parecia tão... cheia de orvalho. Ela parecia uma fada da floresta. — Na verdade, eu quero te fazer uma pergunta — sussurrou Emily, tentando bloquear todos os pensamentos sobre fadas sexy. — Sabe aquelas fotos que tiramos na máquina automática?

— Ahã. — Maya estava debruçada tão perto que Emily quase podia sentir as pontas do cabelo dela roçando em sua bochecha. Parecia, de repente, que tinham aparecido bilhões de receptores nervosos e todos estavam aguçados.

— Alguém as viu? — sussurrou Emily.

Maya demorou um minuto para responder.

— Não...

—Você tem certeza?

Maya ergueu a cabeça, como um passarinho, e sorriu.

– Mas eu mostro pra todo mundo, se você quiser... – Quando ela viu Emily se encolher, o jeito provocativo nos seus olhos esmoreceu. – Espere aí. É por isso que você está me evitando? Você achou que eu realmente *tinha* mostrado aquelas fotos por aí?

– Não sei – murmurou Emily, passando o pé por uma das raízes expostas do chorão. Seu coração batendo tão forte que ela tinha certeza de que estava quebrando algum recorde mundial.

Maya estendeu a mão e tocou o queixo da Emily, levantando-o para que olhasse para ela.

– Eu não faria isso. Eu queria ficar com elas para mim.

Emily puxou o queixo. Aquilo *não* podia acontecer bem no jardim da sua casa.

– Tem mais uma coisa que você deveria saber... Eu conheci uma pessoa.

Maya levantou a cabeça.

– Quem?

– O nome dele é Toby. Ele é muito legal. E... e eu acho que estou gostando dele.

Maya piscou, sem acreditar, como se Emily tivesse contado a ela que estava apaixonada por uma cabra.

– E acho que vou convidá-lo para a Foxy – continuou Emily.

A ideia tinha acabado de ocorrer a Emily, mas pareceu boa. Ela gostava do fato de Toby não ser perfeito e nem tentar ser. E, se ela fizesse um esforço, podia quase esquecer do fato de ele ser meio-irmão da Jenna. E se levasse um garoto à Foxy, isso negaria as fotos da festa de Noel e provaria para todo mundo que ela não era homossexual.

Não é?

Maya mordeu o lábio.

— Mas a Foxy não é amanhã? E se ele tiver outros planos?

Emily deu de ombros. Ela tinha certeza de que ele não teria.

— E, de qualquer forma — continuou Maya —, eu achei que você tivesse dito que a Foxy era muito cara.

— Eu fui, hum, nomeada capitã do time de natação. Então, posso ir de graça.

— Uau — disse Maya, depois de um tempo. Parecia que Emily era capaz de *sentir o cheiro* da decepção de Maya, como se fosse um feromônio. Maya era a pessoa que vinha tentando fazê-la largar a natação. — Bem, parabéns, eu acho.

Emily olhou para seus Vans cor de vinho.

— Obrigada — agradeceu ela, apesar de Maya não ter sido sincera. Sentia que Maya estava esperando que ela olhasse para cima e dissesse: *Boba. Estou só brincando.* Emily sentiu uma pontada de irritação. Por que Maya tinha de dificultar as coisas? Por que elas não podiam ser apenas amigas?

Maya fungou alto e, então, seguiu de volta ao jardim da casa, empurrando os galhos da árvore. Emily a seguiu apenas pra se dar conta de que sua mãe estava na porta da frente. O cabelo supercurto da sra. Fields estava duro e arrepiado, e ela estava com aquela cara de *não mexa comigo, estou com muita pressa*.

Quando ela notou a presença de Maya, empalideceu.

— Emily, temos que ir — grunhiu.

— Claro que temos — retrucou Emily. Não queria que a mãe tivesse visto aquilo. Ela se virou para Maya, que agora estava parada perto de sua bicicleta na calçada.

Maya a estava encarando.

—Você não pode mudar quem você é, Emily — disse Maya, em voz alta. — Espero que você saiba disso.

Emily sentiu a mãe e Carolyn olhando para ela.

— Eu não sei do que você está falando — gritou de volta, tão alto quanto.

— Emily, você vai se atrasar — avisou a sra. Fields.

Maya deu um olhar de despedida, depois, pedalou loucamente rua abaixo. Emily engoliu em seco. Ela tinha sentimentos ambíguos. Por um lado, estava brava com Maya, por tê-la confrontado — ali, no jardim de sua casa, na frente de Carolyn e de sua mãe. Por outro, sentia a mesma coisa de quando tinha onze anos e soltou o balão do Mickey Mouse que tinha implorado para seus pais comprarem na Disneylândia. Ela ficou olhado o balão flutuar no céu até que não estivesse mais visível. Havia pensado nisso pelo resto da viagem até que sua mãe disse: *É apenas um balão, querida! E a culpa é sua, que o soltou!*

Ela caminhou penosamente de volta ao Volvo e deixou Carolyn sentar na frente, sem brigar. Ao saírem da garagem, Emily olhou para Maya, que já se transformara num pontinho pequenino, lá longe, e depois respirou fundo e colocou as mãos atrás do assento da mãe.

— Sabe o que é, mãe? Vou convidar um menino para o negócio de caridade amanhã.

— Que negócio de caridade? — murmurou a sra. Fields, numa voz que dizia *eu não estou satisfeita com você agora*.

— A Foxy — anunciou Carolyn, mexendo no rádio. — O evento anual de que os jornais estão falando. É tão famosa que umas meninas fizeram até cirurgia plástica para ir.

A sra. Fields cerrou os lábios.

— Não sei ao certo se quero que você vá.

— Mas eu vou de graça. Porque eu sou a capitã.

— Você *tem* que deixá-la ir, mãe — suplicou Carolyn. — É *tãããããão* glamouroso.

A sra. Fields deu uma olhada para Emily pelo espelho retrovisor.

— Quem é o menino?

— Bem, o nome dele é Toby. Ele estudava na nossa escola, mas agora está na Tate — explicou Emily, deixando de fora o que Toby tinha feito nos últimos três anos e *por quê*. Com sorte, a mãe não guardava todos os detalhes sobre os adolescentes de Rosewood da idade dela, como algumas faziam. Carolyn não parecia se lembrar do nome, tampouco. Carolyn nunca se lembrava de escândalos, nem mesmo dos deliciosos de Hollywood.

— Ele é mesmo um doce, e também um ótimo nadador. Muito mais rápido que o Ben.

— Aquele Ben era legal — murmurou a sra. Fields.

Emily rangeu os dentes.

— Sim, mas o Toby é muito, muito mais legal.

Ela também queria acrescentar *Não se preocupe, ele é branco*, mas não teve coragem.

Carolyn virou-se no assento.

— É o menino que vi na sua foto?

— Sim — respondeu Emily, baixinho.

Carolyn virou-se para a mãe.

— Ele é bom. Ele bateu o Topher nos duzentos livres.

A sra. Fields deu um sorrisinho para Emily.

— Você deveria estar de castigo, mas, depois de tudo que aconteceu esta semana, acho que pode ir. Mas sem cirurgia plástica.

Emily franziu o cenho. Era o tipo de coisa ridícula, muito além da conta, com o que sua mãe se preocuparia. No ano anterior, a sra. Fields tinha visto um programa de TV sobre cristais de anfetamina e como eles estavam em todos os lugares, até mesmo em escolas particulares, e baniu diversos remédios inofensivos da casas deles, como se Emily e Carolyn fossem abrir um minilaboratório de metanfetamina em seus quartos. Emily soltou uma meia risada.

– Não vou fazer.

Mas a sra. Fields começou a rir sozinha e olhou para Emily pelo espelho.

– Eu estou brincando. – Ela acenou com a cabeça para a imagem da Maya desaparecendo, já no lado oposto da rua delas, e acrescentou: – É bom ver você fazendo novos amigos.

19

CUIDADO COM AS GAROTAS COM FERROS DE MARCAR

O Estúdio de ioga Montanhas de Morango ficava num celeiro adaptado, do outro lado de Rosewood. Na sua ida até lá, de bicicleta, Aria passou por uma ponte coberta, cor de tabaco, e pela fileira de casas do departamento de artes de Holli. Eram casinhas decrépitas, em estilo colonial, estavam salpicadas com tinta de vários tons de roxo, rosa e azul. Ela colocou a bicicleta no suporte, que já estava quase lotado, em frente ao estúdio de ioga; todas as bicicletas ostentavam adesivos nos quais se lia CARNE É ASSASSINATO e PETA colados em seus quadros.

Ela parou no saguão de entrada do estúdio de ioga e olhou para as meninas desarrumadas, sem maquiagem, e para os meninos peludos e flexíveis. Ela seria louca de seguir as instruções de A – *Estúdio de ioga Montanhas dos Morangos. Esteja lá* – literalmente? E estaria pronta pra ver Meredith? Talvez A a estivesse fazendo de isca. Talvez A estivesse *ali*.

Aria tinha visto Meredith apenas três vezes: primeiro, quando Meredith foi ao coquetel de professores e alunos de seu pai;

depois, quando pegou Meredith e o pai juntos no carro; e, finalmente, no outro dia, na Victory. Mas ela a reconheceria em qualquer lugar. Naquele exato momento, Meredith estava parada em frente ao armário do estúdio, arrastando colchões, cobertores, blocos e fitas. Seu cabelo castanho estava preso num rabo de cavalo bagunçado, e havia aquela teia de aranha tatuada do lado de dentro do pulso.

Meredith notou a presença de Aria e sorriu.

— Você é nova, certo? — Ela olhou nos olhos de Aria e, por um terrível momento, Aria teve certeza de que Meredith sabia quem ela era. Mas aí ela desviou o olhar, debruçando-se para pegar um CD dentro de um aparelho de som portátil. O som de uma cítara indiana tomou conta do lugar. — Você já fez Ashtanga antes?

— Hum, sim — respondeu Aria. Ela notou uma grande placa na mesa, que dizia: AULA INDIVIDUAL US$15, e pegou uma nota de dez e uma de cinco, e as colocou em cima da mesa, pensando em como A poderia saber que Meredith estaria lá, e se A realmente estaria lá.

— E eu acho que você já conhece o segredo, hein? — Meredith sorriu.

— Co... como é? — sussurrou Aria, seu coração disparado. — *Segredo?*

— Você trouxe seu próprio colchão. — Meredith apontou para o colchão vermelho debaixo do braço de Aria. — Muitas pessoas usam os colchões do estúdio. Eu não digo nada, mas você pode raspar os fungos de pé dos nossos colchões e fazer queijo.

Aria tentou sorrir. Ela tinha trazido seu próprio colchão para as aulas de ioga desde que tinha ido pela primeira vez a uma com a Ali, no sétimo ano. Ali dizia que você corria o risco de pegar uma DST nos colchões das comunidades de ioga.

Meredith olhou para ela com mais atenção.

—Você é da minha turma de desenho?

Aria fez que não, percebendo, repentinamente, que o lugar cheirava a uma mistura de chulé e incenso. Este era o tipo de estúdio a que Ella iria. De fato, talvez Ella já *tivesse ido*.

— Qual é o seu nome?

— E... Alison — disse Aria depressa. Ela não tinha o nome mais comum do mundo e ficou com medo de Byron já tê-lo mencionado para Meredith. Esse pensamento a fez parar. *Será que Byron falava dela para Meredith?*

—Você se parece com uma menina da minha turma de desenho — disse Meredith. — Mas as aulas mal começaram e eu confundo todo mundo.

Aria pegou um panfleto do seminário "Conheça seus chacras".

— Então, você faz faculdade?

Meredith confirmou.

— Estou fazendo MBA.

— Qual é a sua, hum, área?

— Bem, eu faço todo tipo de coisa. Pintura, desenho. — Meredith olhou para alguém entrando atrás da Aria e acenou. — Mas, recentemente, comecei a trabalhar com marcação.

— O quê?

— Marcação. Eu soldo dois ferros de marcação, feitos sob encomenda para formar palavras, aí eu os aqueço e queimo as palavras em grandes blocos de madeira.

— Como se fossem marcas de gado?

Meredith abaixou a cabeça.

— Eu tento explicar isso, mas a maioria das pessoas acha que sou louca.

— Não — disse Aria, rapidamente. — É muito legal.

Meredith deu uma olhada no relógio da parede.

— Nós temos alguns minutos. Eu posso te mostrar umas fotos. — Ela pegou uma bolsa de pano listrada, que estava perto dela, e tirou seu telefone celular de dentro. — Vai olhando estas aqui...

As fotos eram de blocos de madeira clara. Alguns com apenas algumas letras e outros com coisas curtas escritas, tais como *vem me pegar* e *manipulador*. As letras tinham um formato um pouco estranho, mas ficavam muito legais queimadas na madeira. Aria mudou para a foto seguinte. Era um bloco mais longo que dizia: *Errar é humano, mas parece divino.*

Aria olhou para cima e disse:

— Mae West.

Meredith pareceu animar-se:

— Uma das minhas frases favoritas.

— Uma das minhas também. — Aria devolveu o celular dela. — São muito legais.

Meredith sorriu.

— Fico feliz que tenha gostado. Eu devo fazer uma exposição em alguns meses.

— Eu est... — Aria fechou a boca. Ela ia dizer: *estou admirada*. Ela não esperava que Meredith fosse assim. Quando Aria imaginava Meredith, apenas atributos ruins vinham a sua cabeça. A Meredith imaginária número um estudava história da arte e trabalhava em uma galeria abarrotada e sem graça, em algum lugar da Main Line, vendendo paisagens da Escola Hudson River para senhoras ricas. A Meredith imaginária número dois ouvia Kelly Clarkson, amava Laguna Beach e, se a incentivassem, levantaria a camiseta para ficar como uma das Garotas Selvagens. Aria nunca pensaria que ela fosse do campo das artes. Por que Byron precisaria de uma artista? Ele tinha Ella.

Quando Meredith cumprimentou outro aluno de ioga, Aria foi para a sala principal do estúdio, que tinha teto alto, deixando expostas as vigas de madeira do celeiro, tinha piso de madeira caramelo brilhante e grandes tecidos com estampas indianas pendurados por todo lado. A maioria das pessoas já tinha sentado em seus colchões e estava se deitando de costas. Estava estranhamente silencioso.

Aria olhou em volta. Uma garota de rabo de cavalo e coxas grandes estava se dobrando para trás. Um cara esguio mudou da pose do cachorro para a pose da criança, respirando com dificuldade pelo nariz. No canto, uma menina loira fazia uma torção sentada. Quando ela olhou para a frente, seu queixo caiu.

– *Spencer?* – perguntou.

Spencer empalideceu e ajoelhou-se.

– Ah – disse ela. – Aria. Oi.

Aria engoliu em seco.

– O que você está fazendo aqui? – Spencer olhou para ela confusa.

– Ioga?

– Não, eu sei disso, mas... – Aria balançou a cabeça. – Quer dizer, alguém falou pra você vir aqui, ou...?

– Não... – Spencer estreitou os olhos, como quem suspeitava de algo. – Espera aí. O que você quer dizer?

Aria piscou. *Imaginando quem sou eu? Estou mais perto do que imagina.*

Ela olhou de Spencer para Meredith, que estava conversando com alguém no saguão, depois de volta para Spencer. Sua cabeça começou a funcionar, rodando. Alguma coisa naquela história estava muito, muito errada.

Seu coração disparava enquanto ela saía da sala principal. Ela correu para a porta, trombando com um cara alto, barbudo, que usava um macacão. Do lado de fora, o mundo não estava nem aí para o seu pânico – os passarinhos cantavam, os pinheiros balançavam, uma mulher caminhava com um carrinho de bebê, falando ao celular.

Quando Aria correu em direção ao suporte onde estava sua bicicleta e a destravou, sentiu a mão de alguém apertar seu braço com força. Meredith estava parada perto dela, lançando-lhe um olhar penetrante. Aria ficou boquiaberta. Ela engoliu em seco.

– Você não vai ficar? – perguntou Meredith.

Aria fez que não com a cabeça.

– Eu... hum... emergência familiar. – Ela chacoalhou a bicicleta para soltá-la e pedalou em direção a sua casa.

– Espere! – gritou Meredith. – Deixe-me devolver o seu dinheiro!

Mas Aria já estava na metade do quarteirão.

20

ALIÁS, LAISSEZ-FAIRE SIGNIFICA "TIRE AS MÃOS DE MIM"

Sexta-feira, na aula de economia, Andrew Campbell se inclinou do outro lado do corredor e deu um tapinha no caderno de Spencer.

– Então, não consigo me lembrar. Limusine ou carro, para ir à Foxy?

Spencer rolou a caneta entre os dedos.

– Hum, carro, eu acho.

Era uma pergunta difícil. Normalmente, como a maníaca por festas que era, Spencer sempre insistia em ir de limusine. E ela queria que sua família pensasse que estava levando o encontro do dia seguinte com Andrew a sério. Só que ela estava tão cansada. Ter um namorado novo era maravilhoso, mas era difícil tentar vê-lo *e* continuar sendo a aluna mais ambiciosa de Rosewood Day. Na noite anterior, ela ficara acordada até as duas e meia da manhã, fazendo as lições de casa. Havia adormecido naquela manhã, durante a aula de ioga – depois de Aria sair correndo daquele jeito bizarro. Talvez Spencer devesse ter mencionado a mensagem de A, mas Aria correu antes que ela tivesse a chance. E havia adormecido de novo na sala de estudos. Será que deveria ir até a enfermaria e dormir um pouco na maca?

Andrew não teve tempo de fazer nenhuma outra pergunta. O sr. McAdam havia desistido da batalha contra o retroprojetor – aquilo acontecia toda aula – e estava em pé diante do quadro.

– Estou ansioso para ler os trabalhos de todos na segunda-feira – gritou ele. – E tenho uma surpresa. Se vocês enviarem os trabalhos para mim por e-mail até amanhã, vão ganhar cinco pontos como recompensa por terem começado cedo.

Spencer piscou, confusa. Ela apanhou seu Sidekick e checou a data. Desde quando já era sexta-feira? Ela olhou a agenda de segunda. Lá estava. Entrega do trabalho de economia.

Ela não tinha começado o trabalho. Ela sequer *pensara* no trabalho. Depois do fiasco com o cartão de crédito na terça--feira, Spencer tinha pensado em pegar emprestados os livros suplementares de McAdam na biblioteca. Mas então rolou aquele lance com Wren, e a nota B- já não importava tanto. Nada importava.

Ela havia passado a noite de quarta-feira na casa de Wren. No dia anterior, depois de ir à escola, após a terceira aula, ela matou o treino de hóquei e foi para a Filadélfia de novo, dessa vez de transporte público, em vez de dirigindo, porque achou que seria mais rápido. Só que... o trem ficou parado. Quando ela chegou à estação da rua Treze, só tinha 45 minutos antes de ter que voltar para casa para o jantar. Então, Wren foi até lá para encontrá-la, e os dois ficaram em um banco escondido, atrás do balcão de flores da plataforma, emergindo corados pelos beijos e cheirando a lilases.

Ela percebeu que a tradução dos dez primeiros cantos do *Inferno*, para a aula de Italiano VI, também era para segunda-feira. E ainda havia um trabalho de três páginas sobre Platão, para a aula de literatura. Uma prova de cálculo. As audições para conseguir papéis em *A Tempestade*, a primeira peça do ano em Rosewood Day, eram na segunda-feira. Ela deitou a cabeça sobre a mesa.

– Srta. Hastings?

Assustada, Spencer olhou para cima. O sinal tinha tocado, todos já haviam saído, e ela estava sozinha. Lula Molusco estava em pé, ao seu lado.

– Desculpe acordá-la – disse ele, num tom glacial.

– Não... eu não estava... – gaguejou Spencer, juntando suas coisas. Mas era tarde demais. Lula Molusco já estava apagando as anotações no quadro. Ela percebeu que ele sacudia a cabeça lentamente, como se dissesse que ela não tinha jeito.

– Tudo bem – sussurrou Spencer. Ela estava sentada na frente do computador, com livros e papéis espalhados ao seu redor. Lentamente, repetiu a primeira questão novamente.

Explique o conceito de Adam Smith sobre a "mão invisível" na economia laissez-faire*, e dê um exemplo atual.*

Tuuuudo beeeem.

Normalmente, Spencer já teria lido o trabalho de economia *e* o livro de Adam Smith, marcado as páginas mais importantes e feito um rascunho da resposta. Mas ela ainda não tinha feito nada disso. Ela não fazia a menor ideia do que *laissez-faire* significava. Tinha algo a ver com oferta e procura? O que havia de invisível naquilo? Ela digitou algumas palavras na Wikipédia, mas as teorias eram complexas e nada familiares, assim como as anotações das aulas; não se lembrava de tê-las escrito.

Ela tinha estudado como uma louca por onze longos e difíceis anos – doze, se contasse a creche montessoriana antes do jardim de infância. Será que, só daquela vez, ela não podia fazer um trabalho estúpido, tirar um B-, e compensar a nota baixa mais tarde no semestre?

Mas as notas eram mais importantes do que nunca. No dia anterior, quando ela e Wren se separaram na estação de trem, ele sugeriu que ela se formasse no final do ano e tentasse uma vaga na Universidade da Pensilvânia. Spencer imediatamente gostara da ideia e, nos poucos minutos antes de seu trem chegar, eles haviam fantasiado sobre o apartamento que dividiriam, sobre os cantos separados da sala para estudar e sobre o gato que comprariam – Wren nunca tivera um quando era mais novo porque o irmão era alérgico.

A ideia havia florescido na mente de Spencer durante a viagem de volta para casa, e, logo que chegou em seu quarto, checou se tinha créditos suficientes para se formar em Rosewood, e fez o *download* de um formulário de matrícula para a Universidade da Pensilvânia. Seria meio complicado, já que Melissa também estudava lá, mas era uma universidade grande e Spencer imaginou que elas nunca se encontrariam.

Ela suspirou e olhou para o Sidekick. Wren havia dito a ela que ligaria mais tarde, entre cinco e seis horas, e já eram seis e meia. Spencer ficava aborrecida quando as pessoas não faziam o que prometiam. Ela examinou o registro de chamadas perdidas, para ver se o número dele estava lá. Então acessou a caixa de mensagens de voz para ver se o celular estava com problemas de recepção. Nenhuma mensagem nova.

Finalmente, tentou ligar para o número de Wren. Caixa postal, de novo. Spencer atirou o telefone na cama e examinou o questionário novamente. Adam Smith. *Laissez-faire*. Mãos invisíveis. Mãos grandes, fortes, de médico, britânicas. Por todo o corpo dela.

Ela lutou contra a tentação de ligar para Wren de novo. Parecia coisa de menininha – desde que Wren comentara sobre Spencer parecer tão madura, ela começara a questionar cada uma de suas ações. O toque de seu celular era "My Humps", do Black Eyed Peas; será que Wren considerava aquilo irônico, como ela, ou simplesmente adolescente? E quanto ao chaveiro da sorte, um macaquinho de pelúcia que ela usava pendurado à bolsa da escola? E será que uma garota mais velha teria hesitado quando Wren apanhara uma única tulipa do quiosque de flores, sem pagar, quando o florista não estava olhando, e a oferecera a Spencer, com medo de que eles fossem se meter em encrenca?

O sol começou a desaparecer por detrás das árvores. Quando o pai enfiou a cabeça pela porta do quarto, Spencer deu um pulo.

– Nós já vamos jantar – informou ele. – Melissa não vem comer conosco hoje.

– Tudo bem – respondeu Spencer. Aquelas eram as primeiras palavras não hostis que ele lhe dirigia em dias.

A luz se refletia no Rolex de platina de seu pai. O rosto dele parecia quase... arrependido.

– Eu comprei alguns daqueles rolinhos de canela de que você gosta. Vou esquentá-los.

Spencer piscou. Logo que ele disse aquilo, ela sentiu o cheiro que vinha do forno. O pai sabia que os rolinhos de canela da Padaria Struble eram a comida que Spencer mais amava no mundo. A padaria ficava perto de seu escritório de advocacia, e ele raramente tinha tempo de ir até lá. Aquilo era claramente uma oferta de paz.

— Melissa nos disse que você vai com alguém à Foxy — disse o pai. — É alguém que conhecemos?

— Andrew Campbell — respondeu Spencer.

O sr. Hastings levantou uma das sobrancelhas.

— Andrew Campbell, o representante da classe?

— É. — Aquele era um assunto delicado. Andrew a havia derrotado na disputa pelo cargo; os pais dela tinham ficado arrasados com o fato de ela ter perdido. Afinal, Melissa fora representante de classe.

O sr. Hastings pareceu satisfeito. Então, abaixou os olhos.

— Bem, é bom que você esteja... quero dizer, estou feliz por esse problema ter se resolvido.

Spencer esperava que suas bochechas não estivessem vermelhas.

— Hum... o que mamãe acha?

O pai deu um sorrisinho.

— Ela vai se acostumar com a ideia. — Ele deu umas pancadinhas na porta, e saiu andando pelo corredor. Spencer se sentiu culpada e esquisita. Os rolinhos de canela assando lá embaixo cheiravam como se estivessem quase queimando.

Seu telefone celular tocou, assustando-a. Ela pulou para apanhá-lo.

— Oi, você. — Wren parecia feliz e entusiasmado quando ela atendeu, o que a irritou imediatamente. — Tudo bem?

— Por onde você esteve? — perguntou Spencer.

Wren fez uma pausa.

— Eu e alguns amigos da faculdade estamos matando tempo antes do trabalho hoje.

— Por que você não ligou antes?

Wren fez outra pausa.

— Tinha muito barulho no bar. — A voz dele parecia distante, irritada.

Spencer cerrou os punhos.

— Desculpe — disse ela. — Acho que estou um pouco estressada.

— Spencer Hastings, estressada? — Ela podia apostar que Wren estava sorrindo. — Por quê?

— Trabalho de economia — suspirou ela. — É um negócio impossível.

— Eca — fez Wren. — Esqueça isso. Venha me encontrar.

Spencer fez uma pausa. As anotações dela estavam espalhadas pela mesa. No chão, estava o teste da semana. O B- parecia um sinal de luz fluorescente.

— Não posso.

— Tudo bem — grunhiu Wren. — Amanhã, então? Posso ter você só pra mim o dia inteiro?

Spencer mordeu o interior da bochecha.

— Também não posso amanhã. Eu... eu tenho de ir a uma festa beneficente. Com um garoto da escola.

— Um *encontro*?

— Na verdade, não.

— Por que você não me convidou?

Spencer franziu a testa.

— Não é como se eu *gostasse* dele. Ele é só um garoto da escola. Mas... eu quero dizer... eu não vou se você não quiser que eu vá.

Wren riu.

– Eu só estou te provocando. Vá para a sua festa de caridade. Divirta-se. Nós podemos ficar juntos no domingo.

Então, ele disse que tinha de ir, pois precisava começar o plantão no hospital.

– Boa sorte com seu trabalho – completou ele. – Tenho certeza de que você vai se dar bem.

Spencer olhou melancolicamente para a mensagem CHAMADA ENCERRADA, no display do celular. A conversa tinha durado um minuto e quarenta e seis segundos.

– É claro que eu me daria bem – sussurrou ela para o telefone. Talvez com uma semana de extensão de prazo.

Ao passar pelo computador, ela percebeu que havia um novo e-mail na caixa de entrada. Havia chegado uns cinco minutos antes, enquanto ela estava conversando com o pai.

Quer tirar um A fácil? Acho que você sabe onde achar. —A

O estômago de Spencer deu um nó. Ela olhou pela janela, mas não havia ninguém no jardim. Então, pôs a cabeça para fora, para verificar se não haviam instalado uma câmera de vigilância ou um minimicrofone. Mas tudo o que viu foi o exterior de pedra marrom-esverdeada de sua casa.

Melissa arquivava os documentos da escola no computador da família. Ela era tão perfeccionista quanto Spencer e salvava tudo. Spencer nem sequer teria de pedir permissão a Melissa para acessar os documentos – eles estavam na pasta compartilhada.

Mas como A poderia saber disso?

Era tentador. Só que... não. De qualquer forma, Spencer duvidava que A quisesse ajudá-la. Será que aquilo era uma armadilha elaborada? Será que A *era* Melissa?

— Spencer? — chamou a mãe do andar de baixo. — Venha jantar!

Spencer minimizou o e-mail e caminhou distraidamente para a porta. O negócio era que, se usasse o trabalho de Melissa, ela teria tempo para terminar o resto das lições *e* ver Wren. Ela podia mudar algumas palavras... usar o dicionário... Jamais faria aquilo novamente.

O computador fez outro bipe e ela se virou.

PS: Você me magoou, e eu vou magoar você. Ou, talvez, eu deva magoar certo novo namorado, em vez disso? É melhor tomarem cuidado — vou aparecer quando vocês menos esperarem. —A

21

UM ADMIRADOR SECRETO E TANTO...

Na sexta-feira à tarde, Hanna estava sentada na arquibancada da quadra de futebol, assistindo à equipe masculina da Rosewood Day dar uma surra na Lansing Prep. Só que ela não estava conseguindo se concentrar de verdade. Suas unhas, normalmente bem-feitas, estavam roídas, a pele dos polegares estava sangrando de tanto que ela a mordia, e seus olhos estavam tão vermelhos devido à falta de horas de sono que ela parecia estar com conjuntivite.

Estou de olho em você, A havia dito. *É melhor você fazer o que eu digo.*

Mas talvez as coisas fossem mesmo como os políticos dizem a respeito de ataques terroristas: se você se esconder em casa, com medo deles, é sinal de que os terroristas venceram. Ela ficaria ali assistindo ao futebol, como havia feito durante todo o ano, e no ano anterior.

Mas então Hanna olhou em volta. A ideia de que alguém realmente soubesse sobre A Coisa com Jenna – e de que estivesse disposto a colocar a culpa *nela* –, a aterrorizava. E se A realmente contasse a seu pai? Não agora. Justo quando as coisas pareciam estar melhorando.

Ela esticou o pescoço em direção ao pátio pela milionésima vez, procurando por Mona. Assistir aos jogos dos meninos era uma pequena tradição Hanna-Mona; elas misturavam uísque com o refrigerante da cantina e gritavam insultos para o time adversário. Mas Mona havia sumido. Desde a estranha briga que tiveram no shopping no dia anterior, Hanna e Mona não haviam se falado.

Hanna viu pelo canto do olho um rabo de cavalo loiro e uma trança ruiva, e se encolheu. Riley e Naomi haviam chegado e subido a arquibancada até um local não muito distante de Hanna. Naquele dia, ambas as meninas carregavam bolsas Chanel combinando e vestiam casacos de tweed que eram obviamente novos em folha, como se fosse um dia frio de inverno, apesar de estar fazendo 23 graus. Quando elas olharam na direção de Hanna, ela rapidamente fingiu estar fascinada pelo jogo, ainda que não tivesse a menor ideia do placar.

– Hanna fica gorda com aquela roupa. – Ela ouviu Riley sussurrar.

Hanna sentiu as bochechas esquentando. Ela olhou para o modo como seu *top* de algodão se esticava levemente sobre seu estômago. Ela, provavelmente, estava engordando por causa do exagero na comida durante aquela semana, por puro nervosismo. O problema é que estava realmente tentando resistir à tentação de vomitar – embora fosse exatamente o que queria fazer naquele momento.

As equipes se dispersaram para o intervalo, e os garotos da Rosewood Day foram para o banco. Sean se jogou na grama e começou a massagear a panturrilha. Hanna viu naquilo uma chance e desceu os degraus metálicos da arquibancada. No dia anterior, depois que A lhe mandara a mensagem, ela não havia ligado para Sean para dizer a ele que não iria à Foxy. Ela tinha ficado muito chocada.

– Hanna – disse Sean ao vê-la de pé perto dele. – Oi. – Ele estava lindo naquele dia, como sempre, apesar da camiseta manchada de suor e do rosto mal barbeado. – Como você está?

Hanna sentou-se perto dele, dobrando as pernas sob o corpo e arrumando a saia do uniforme, para evitar que todos os jogadores vissem sua calcinha.

– Eu estou... – Ela engoliu em seco, tentando não cair no choro. *Perdendo a cabeça. Sendo torturada por A.* – Então... é... olha só. – Ela apertou as mãos. – Eu não vou à Foxy.

– Sério? – Sean inclinou a cabeça. – Por que não? Você está bem?

Hanna passou as mãos no gramado recém-aparado que tinha um cheiro doce. Ela havia contado a Sean a mesma história que contara a Mona – que seu pai tinha morrido.

– É... complicado. Mas achei que deveria te contar.

Sean abriu o fecho de velcro em sua caneleira e em seguida apertou-o novamente. Por um breve segundo, Hanna teve uma visão de suas panturrilhas perfeitas e musculosas. Por algum motivo, ela achou que eram a parte mais sensual do corpo dele.

– Então talvez eu também não vá – disse ele.

– Sério? – perguntou ela, espantada.

Sean deu de ombros.

– Todos os meus amigos vão acompanhados. Eu vou ser o peixe fora d'água.

– Oh. – Hanna moveu as pernas para que o técnico de futebol, que estava olhando fixamente para sua prancheta, pudesse passar. Ela tentou não estapear a si mesma. Será que Sean havia pensado nela como par para a festa?

Sean protegeu os olhos do sol usando uma das mãos e olhou para ela.

— Você está bem? Você parece... triste.

Hanna colocou as mãos sobre os joelhos à mostra. Ela precisava conversar com alguém sobre A. Só que não havia como fazer isso.

— Só estou cansada. — Ela suspirou.

Sean tocou o pulso de Hanna, de leve.

— Ouça. Talvez nós possamos sair pra jantar na semana que vem. Eu não sei... Nós, provavelmente, precisamos conversar.

O coração de Hanna deu um pequeno pulo.

— Claro. Parece legal.

— Ótimo. — Sean sorriu e se levantou. — Te vejo em breve, então.

A banda começou a tocar o hino de Rosewood Day, anunciando que o intervalo havia terminado. Hanna subiu novamente até o topo da arquibancada, sentindo-se um pouco melhor. Quando voltou ao seu assento, Riley e Naomi estavam olhando para ela, com curiosidade.

— Hanna! — gritou Naomi, quando Hanna olhou para ela. — Ei!

— Oi. — Hanna se esforçou ao máximo para abrir um sorriso.

— Você estava conversando com o Sean? — Naomi passou a mão pelo rabo de cavalo loiro. — Eu pensei que vocês dois tinham terminado mal.

— Não terminamos mal — corrigiu Hanna. — Ainda somos amigos... ou sei lá o quê.

Riley deu uma risadinha.

– E foi *você* quem terminou com ele, certo?

O estômago de Hanna se contraiu. Será que alguém tinha dito alguma coisa?

– Foi.

Naomi e Riley trocaram um olhar.

– Então – perguntou Naomi –, você vai à Foxy?

– Na verdade, não – disse Hanna, ríspida. – Vou me encontrar com o meu pai no Le Bec-Fin.

– Ooh. – Naomi franziu a testa. – Eu ouvi falar que o Le Bec-Fin é o lugar onde as pessoas vão quando não querem ser vistas.

– Não, não é. – O calor subiu às faces de Hanna. – É o melhor restaurante da Filadélfia. – Ela começou a entrar em pânico. Será que o Le Bec-Fin havia mudado?

Naomi deu de ombros com o rosto impassivo.

– Foi só o que eu ouvi.

– É. – Riley arregalou os olhos castanhos. – Todo mundo sabe disso.

De repente, Hanna notou um pedaço de papel perto dela, na arquibancada. Estava dobrado na forma de um avião, e preso com uma pedra para que não fosse levado pelo vento.

– O que é isso? – perguntou Naomi. – Origami?

Hanna desdobrou o aviãozinho e o virou.

Oi de novo, Hanna! Quero que você leia para Naomi e Riley as frases abaixo, exatamente como estão escritas. Sem trapaças! E se você não fizer isso, todos vão saber a verdade sobre você-sabe-o-quê. E isso inclui papai. —A

Hanna olhou estupefata para o parágrafo logo abaixo, escrito em uma caligrafia arredondada e desconhecida.

— Não — sussurrou ela, o coração começando a martelar. O que A havia escrito iria arruinar sua reputação perfeita para sempre:

Eu tentei seduzir Sean na festa do Noel, mas ele terminou comigo. E, a propósito, eu provoco o vômito pelo menos três vezes por dia.

— Hanna, você recebeu uma carta de *amooooor?* — cantarolou Naomi. — É de um admirador secreto?

Hanna olhou para Naomi e Riley em suas saias plissadas e saltos plataforma. As duas a olhavam como lobos, como se pudessem sentir o cheiro da fraqueza dela.

—Vocês viram quem colocou isto aqui? — perguntou Hanna, mas elas olharam para ela de maneira inexpressiva, e deram de ombros.

Então, ela olhou ao redor da arquibancada de futebol, para cada grupo de garotos, para cada pai ou mãe, até mesmo para o motorista do ônibus da Lansing no estacionamento, que estava apoiado contra o veículo, fumando um cigarro. Quem quer que estivesse fazendo aquilo, tinha de estar *ali*, certo? A pessoa tinha de saber que Riley e Naomi estavam sentadas perto dela.

Ela olhou para a mensagem novamente. Não podia repetir aquilo para elas. De jeito nenhum.

Mas então ela pensou na última vez em que seu pai perguntara sobre o acidente de Jenna. Ele havia se sentado na cama dela e passou um longo tempo olhando para o polvo de tricô que Aria lhe dera de presente.

— Hanna — disse ele, finalmente. — Eu estou preocupado com você. Jure para mim que vocês não estavam brincando com fogos de artifício na noite em que aquela menina ficou cega.

— Eu... eu não toquei nos fogos — sussurrou Hanna. Não era mentira.

Lá embaixo, no campo de futebol, dois garotos da Lansing estavam se cumprimentando. Em algum lugar, debaixo da arquibancada, alguém acendeu um baseado; o cheiro doce, de mato, subiu até as narinas de Hanna. Ela amassou o pedaço de papel, levantou-se, e, com o estômago contraído, andou até Naomi e Riley. As duas olharam para ela, parecendo se divertir. A boca de Riley estava aberta. Seu hálito, Hanna percebeu, cheirava mal, como o de alguém que fazia a dieta do dr. Atkins.

— EutenteiseduziroSeannafestadoNoelmaseleterminoucomigo — balbuciou Hanna. Ela respirou fundo. Aquilo nem mesmo era *verdade*, mas que se dane. — Eeuprovocoovômitotrêsvezespordia.

As palavras saíram de forma misturada e incompreensível, e Hanna se virou bruscamente.

— O *que* ela disse? — Ela ouviu Riley murmurar, mas, certamente, não iria se virar de novo e esclarecer as coisas.

Ela desceu a arquibancada depressa, desviando da mãe de alguém, que estava carregando uma bandeja frágil com copos de Coca-Cola e pipocas. Ela procurou por alguém — *qualquer* pessoa — que pudesse estar olhando de volta. Mas nada. Ninguém estava rindo ou cochichando. Todos estavam apenas assistindo aos garotos da equipe de futebol da Rosewood Day avançando em direção ao gol da Lansing.

Mas A tinha de estar ali. A tinha de estar observando.

22

VOCÊ NÃO É CAPAZ DE SUPORTAR A VERDADE

Na sexta-feira à noite, Aria desligou o rádio de seu quarto. Durante a última hora, o DJ local havia falado sem parar sobre a Foxy. Ele fazia a Foxy parecer um lançamento de nave espacial ou uma posse presidencial, em vez de apenas uma festa beneficente idiota.

Ela ouviu o som dos passos dos pais caminhando pela cozinha. Não havia a cacofonia normal – NPR no rádio, CNN ou PBS na TV da cozinha, nem um CD de música clássica ou jazz experimental no som. Tudo o que Aria podia ouvir eram panelas e potes batendo. Então, um barulho de algo caindo.

– Desculpe – disse Ella, seca.

– Tudo bem – retrucou Byron.

Aria voltou-se para o laptop, sentindo-se mais confusa a cada segundo. Desde que a sua perseguição a Meredith havia sido interrompida, ela estava fazendo pesquisas on-line. Quando uma pessoa começava a perseguir outra via internet, era difícil parar. Aria descobrira o sobrenome de Meredith – Stevens – em um cronograma das aulas da Strawberry Ridge Ioga que ela encontrara on-line, e procurara seu número de telefone no Google. Ela pensou que talvez pudesse ligar e dizer a ela, de forma amável, para ficar longe de Byron. Mas, então, encontrara o endereço de Meredith e quis saber o quão longe ela morava, e traçara o caminho até lá no MapQuest. Daí pra frente, as coisas ficaram loucas. Ela vasculhara um trabalho, em hipertexto, que Meredith escrevera no primeiro ano da faculdade, sobre William Carlos Williams. Ela invadiu o portal de alunos da Hollis, para ver as notas de Meredith. Descobriu que Meredith tinha perfis no Friendster, no Facebook e no MySpace. Seus filmes preferidos eram *Donnie Darko*; *Paris, Texas*; e *A Princesa Prometida*, e se interessava por coisas estranhas, como globos de neve, *tai chi* e ímãs.

Em um universo paralelo, Aria e Meredith poderiam ter sido *amigas*. Isso tornava ainda mais difícil fazer o que A mandou, na última mensagem de texto que lhe enviara – *faça desaparecer*.

Parecia que a ameaça de A estava fazendo um buraco em seu smartphone, e sempre que ela pensava que vira não apenas Meredith, mas também *Spencer*, no estúdio de ioga naquela manhã, ela se sentia mal. O que Spencer estava fazendo lá? Será que ela sabia de alguma coisa?

No sétimo ano, Aria havia contado a Ali sobre ter visto Toby na oficina de teatro dela, enquanto estava relaxando na piscina da casa de Spencer com ela e Ali.

– Ele não sabe de nada, Aria – respondera Ali, calmamente, aplicando mais protetor solar. – Relaxe.

– Mas como você pode ter certeza? – Aria havia protestado. – E quanto àquela pessoa que eu vi do lado de fora da casa da árvore naquela noite? Talvez ela tenha contado a Toby! Talvez ela *fosse* Toby!

Spencer franziu a testa e olhou para Alison.

– Ali, talvez você devesse...

Ali limpou a garganta, alto.

– Spence – disse ela, em tom de alerta.

Aria olhava de uma para a outra, confusa. Então, ela deixara escapar a pergunta que queria fazer havia muito tempo:

– Sobre o que vocês estavam cochichando na noite do acidente? Quando eu acordei e vocês estavam no banheiro?

Ali inclinou a cabeça.

– Nós não estávamos cochichando.

– Ali, nós *estávamos* cochichando – sibilou Spencer.

Ali dirigiu outro olhar ríspido para Spencer e se virou novamente para Aria.

– Olhe, nós não estávamos falando sobre Toby. Além disso – ela deu um sorrisinho para Aria –, você não tem coisas mais importantes para se preocupar neste momento?

Aria se irritou. Alguns dias antes, Aria e Ali tinham flagrado o pai dela com Meredith.

Spencer puxou o braço de Ali.

– Ali, eu realmente acho que você deveria contar...

Ali levantou a mão.

– Spence, eu juro por Deus.

– Você jura que *o quê* por Deus? – gritou Spencer. – Você acha que isso é fácil?

Depois que Aria vira Spencer no estúdio de ioga naquela manhã, ela pensara em segui-la na escola e falar com ela. Spencer e Ali haviam escondido alguma coisa, e talvez isso estivesse relacionado com A. Mas... ela tinha medo. Ela pensava que conhecia suas velhas amigas como a palma de sua mão. Mas, naquele momento, ela soube que todas tinham segredos que não queriam compartilhar...

O celular de Aria tocou, arrancando-a das lembranças. Assustada, ela o derrubou em cima de uma pilha de camisetas sujas que havia separado para lavar. Então o apanhou.

– Oi – disse uma voz masculina, do outro lado da linha. – É o Sean.

– Ah! – exclamou Aria. – O que é que está rolando?

– Nada de mais. Acabei de voltar de um jogo de futebol. O que você vai fazer hoje à noite?

Aria se encheu de alegria.

– Hum... nada, pra falar a verdade.

– Quer sair?

Ela ouviu outro barulho no andar de baixo. Então, a voz do pai.

– Estou saindo. – A porta da frente bateu com força. Ele nem sequer ia jantar com a família. *De novo.*

Ela voltou ao telefone.

– Que tal agora?

Sean estacionou seu Audi em um local deserto e levou Aria para um aterro. À esquerda deles, havia uma cerca de arame farpado e, à direita, uma ladeira. Acima, estavam os trilhos elevados do trem e, abaixo, podiam ver Rosewood inteira.

– Meu irmão e eu descobrimos este lugar há alguns anos – explicou Sean.

Ele estendeu o suéter de *cashmere* na grama e fez um gesto para que Aria se sentasse. Então, tirou uma garrafa térmica da mochila e ofereceu a ela.

– Quer um pouco?

Aria podia sentir o cheiro do rum através do pequeno buraco na tampa.

Ela deu um gole grande, e, então, olhou de lado para ele. O rosto de Sean era extremamente bem esculpido e suas roupas lhe caíam muito bem, mas ele não tinha aquela atitude que parecia alardear *sou lindo e sei disso* que os outros alunos típicos de Rosewood tinham.

–Você vem muito aqui? – perguntou ela.

Sean deu de ombros e sentou-se ao lado dela.

– Não muito. Às vezes.

Aria supunha que Sean e sua turma, típica de Rosewood, dirigiam por aí festejando a noite inteira, ou roubavam cerveja dos pais, na casa vazia de algum deles enquanto jogavam Grand Theft Auto no PlayStation. E para terminar a noite davam um mergulho na banheira de hidromassagem, é claro. Quase todo mundo em Rosewood tinha uma banheira de hidromassagem no quintal.

As luzes da cidade brilhavam lá embaixo. Aria podia ver a torre da Hollis, que resplandecia num tom de marfim durante a noite.

– Isto aqui é incrível. – Ela suspirou. – Não posso acreditar que nunca vim neste lugar.

– Bem, minha antiga casa não era muito longe daqui. – Sean sorriu. – Meu irmão e eu pedalávamos por toda esta mata em nossas bicicletas imundas. Nós também costumávamos vir aqui para brincar de Bruxa de Blair.

– Bruxa de Blair? – repetiu Aria.

Ele assentiu.

– Depois que o filme foi lançado, nós ficamos obcecados em fazer nossos próprios filmes de terror.

— Eu fiz isso também! — gritou Aria, tão entusiasmada que pôs a mão no braço de Sean. Ela a puxou de volta, depressa. — Só que eu fiz os meus no quintal.

—Você ainda tem os vídeos? — perguntou Sean.

— Tenho. E você?

— Hum-hum. — Sean fez uma pausa. — Talvez você pudesse vir assistir, uma hora dessas.

— Eu gostaria muito. — Ela sorriu. Sean estava começando a lembrá-la do *croque-monsieur* que ela pedira uma vez, em Nice. À primeira vista, o prato parecera um simples queijo quente, nada de especial. Mas quando ela dera a primeira mordida, o queijo era Brie e havia cogumelos Portobello picados dentro dele. Havia muito mais lá no fundo do que ela havia imaginado.

Sean se apoiou nos cotovelos.

— Uma vez, eu e o meu irmão viemos aqui e flagramos um casal fazendo sexo.

— Sério? — Aria riu.

Sean pegou a garrafa das mãos dela.

— Foi. E eles estavam tão concentrados que não nos viram, no começo. Eu comecei a me afastar bem devagar, mas tropecei em umas pedras. Eles ficaram assustadíssimos.

— Tenho certeza de que ficaram. — Ela estremeceu. — Meu Deus, isso deve ser horrível.

Sean a cutucou no braço.

— O quê? Você nunca fez em um lugar público?

Aria desviou o olhar.

— Não.

Eles ficaram em silêncio por alguns momentos. Aria não tinha certeza de como se sentia. Meio que desconfortável. Mas também... um pouco excitada. Parecia que algo estava prestes a acontecer.

– Então, hum, você se lembra daquele segredo que você me contou, no seu carro? – perguntou ela. – Sobre não querer ser virgem?

– Lembro.

– Por que você... por que você acha que se sente assim?

Sean apoiou-se novamente nos cotovelos.

– Eu comecei a ir ao Clube da Virgindade porque todo mundo parecia louco pra fazer sexo, e eu queria saber por que as pessoas reunidas ali tinham decidido o contrário.

– E?

– Bom, eu acho que eles estão é com medo. Mas eu também acho que querem encontrar a pessoa certa. Tipo, alguém com quem possam ser completamente honestos, com quem possam ser eles mesmos.

Ele fez uma pausa. Aria apertou os joelhos contra o peito. Ela queria – só um pouquinho – que Sean dissesse: *E Aria, eu acho que você é a pessoa certa.*

Ela suspirou.

– Eu fiz sexo, uma vez.

Sean pôs a garrafa na grama e olhou para ela.

– Na Islândia, um ano depois que eu me mudei para lá – admitiu ela. Parecia estranho dizer aquilo em voz alta. – Foi com um garoto de quem eu gostava. Oskar. Ele queria, e eu também, mas... não sei. – Aria afastou o cabelo do rosto. – Eu não o amava nem nada. – Ela fez uma pausa. – Você é a primeira pessoa para quem eu conto isso.

Eles ficaram quietos por algum tempo. Aria sentia o coração martelando no peito. Alguém, lá embaixo, estava fazendo churrasco; dava para sentir o cheiro do carvão e da carne. Ela ouviu Sean engolir em seco e mover-se, chegando um pouco mais perto. Ela também se aproximou, sentindo-se nervosa.

— Você quer ir à Foxy comigo — deixou escapar Sean.

Aria inclinou a cabeça.

— F-Foxy?

— A festa beneficente... em que as pessoas usam roupas bonitas? E dançam?

Ela piscou.

— Eu sei o que é a Foxy.

— A não ser que você queria ir com outra pessoa. E nós podemos ir só como amigos, é claro.

Aria sentiu uma pequena pontada de desapontamento quando ele usou a palavra *amigos*. Um segundo antes, achara que eles iam se beijar.

— Você ainda não convidou ninguém?

— Não. É por isso que estou convidando você.

Aria olhou de lado para Sean. Os olhos dela não paravam de gravitar para a pequena covinha no queixo dele. Ali costumava chamar aquilo de "queixo de bunda", mas era realmente bonitinho.

— Hum, bem, beleza então.

— Legal. — Sean sorriu. Aria sorriu de volta. Só que... alguma coisa a fazia hesitar. *Você tem até a meia-noite de sábado, Cinderela. Senão...* Sábado era o dia seguinte.

Sean percebeu a expressão dela.

— O que foi?

Aria engoliu em seco. Sua boca toda tinha gosto de rum.

— Ontem eu encontrei a mulher com quem o meu pai está tendo um caso. Foi por acaso. — Ela respirou fundo. — Ou não. Eu queria perguntar a ela o que estava acontecendo, mas não consegui. Eu só tenho medo de que a minha mãe... os pegue juntos. Não quero que minha família acabe.

Sean a abraçou por um instante.

— Você não pode tentar falar com ela de novo?

— Não sei. — Ela olhou para as próprias mãos. Estavam tremendo. — Quero dizer, eu tenho um discurso pronto para ela na minha cabeça. Eu só quero que ela conheça o meu lado da história. — Aria arqueou as costas e olhou para o céu, como se o universo pudesse dar uma resposta. — Mas talvez seja uma ideia estúpida.

— Não é. Eu vou com você. Para dar apoio moral.

Aria olhou para ele.

— Você... você *faria isso*?

Sean olhou para as árvores.

— Agora mesmo, se você quiser.

Aria sacudiu a cabeça com força.

— Agora eu não posso. Eu deixei, hum, o meu script em casa.

Sean deu de ombros.

— Você se lembra do que quer dizer?

— Acho que sim. — Aria quase sussurrou. Ela olhou para as árvores. — Na verdade, não é longe... Ela mora bem ali, depois daquela colina. Em Old Hollis. — Ela sabia disso por causa das pesquisas sobre Meredith no Google Earth.

— Vamos lá. — Sean estendeu uma das mãos. Antes que ela conseguisse pensar muito sobre o assunto, eles estavam descendo a colina gramada, passando pelo carro de Sean.

Eles atravessaram a rua até Old Hollis, o bairro estudantil cheio de casas vitorianas caindo aos pedaços e meio assustadoras. Velhos Volkswagens, Volvos e Saabs estavam estacionados nas ruas. Para uma noite de sexta-feira, o bairro estava absolutamente vazio. Talvez houvesse algum grande evento em algum lugar de Hollis. Aria imaginou se Meredith estaria em casa; ela meio que esperava que não.

Na metade do segundo quarteirão, Aria parou na frente de uma casa cor-de-rosa, que tinha quatro pares de tênis de corrida arejando na varanda, e um desenho a giz na calçada do que parecia ser um pênis. Era bem adequado que Meredith morasse ali.

– Eu acho que é aqui.

– Você quer que eu espere aqui? – murmurou Sean.

Aria se enrolou no suéter. De repente, estava congelando.

– Acho que sim. – Então, ela agarrou o braço de Sean. – Não posso fazer isso.

– É claro que pode. – Sean colocou as mãos nos ombros dela. – Vou estar bem aqui, certo? Nada vai acontecer a você, eu prometo.

Aria sentiu uma onda de gratidão. Ele era tão... doce. Ela se inclinou para a frente e o beijou na boca, gentilmente; quando se afastou, ele parecia espantado.

– Obrigada – disse ela.

Ela subiu devagar os degraus rachados da frente da casa de Meredith, o rum correndo pelas suas veias. Ela havia bebido três quartos da garrafa de Sean, e ele tomara apenas alguns goles, por puro cavalheirismo. Quando tocou a campainha, ela se apoiou contra uma das colunas do pórtico para manter o equilíbrio. Aquela não era uma noite ideal para estar usando as sandálias italianas de salto alto.

Meredith abriu a porta. Ela estava vestindo shorts de flanela e uma camiseta branca com a imagem de uma banana – era a capa de algum disco antigo, mas Aria não conseguia se lembrar de qual. E ela parecia maior naquela noite. Menos esbelta e mais musculosa, como as garotas num programa de luta livre da televisão. Aria se sentiu fraca.

Os olhos de Meredith brilharam ao reconhecê-la.

— Alison, certo?

— Na verdade, é Aria. Aria Montgomery. Eu sou a filha de Byron Montgomery. Eu sei de tudo o que está acontecendo. E quero que isso pare.

Os olhos de Meredith se arregalaram. Ela respirou fundo e exalou lentamente pelo nariz. Aria quase pensou que uma fumaça de dragão estava prestes a sair.

— Você quer, é?

— É, isso mesmo. — Aria estremeceu, percebendo que estava falando enrolado. *Eissmesm*. E seu coração estava batendo tão forte que ela não ficaria surpresa se sua pele estivesse pulsando.

Meredith ergueu uma das sobrancelhas.

— Isso não é da sua conta. — Ela colocou a cabeça para fora da porta e olhou ao redor, desconfiada. — Como você descobriu onde eu moro?

— Olhe, você está destruindo tudo — protestou Aria. — E eu só quero que isso pare. Ok? Quero dizer... isso está machucando todo mundo. Ele é casado... e tem uma família.

Aria encolheu-se ao ouvir o tom patético da própria voz e seu discurso tão perfeitamente ensaiado que escapara de seu controle.

Meredith cruzou os braços sobre o peito.

— Eu sei disso tudo — respondeu ela, começando a fechar a porta. — E sinto muito. Sinto mesmo. Mas estamos apaixonados.

23

PRÓXIMA PARADA: CADEIA DE ROSEWOOD

No final da tarde de sábado, poucas horas antes da Foxy, Spencer estava sentada em frente ao computador. Ela havia acabado de enviar um e-mail para Lula Molusco com seus trabalhos anexados. *Apenas envie*, disse a si mesma. Ela fechou os olhos, clicou no mouse e, quando os abriu, seu trabalho havia sido enviado.

Bem, o trabalho era *mais ou menos* dela.

Ela não havia trapaceado. De verdade. Bem, talvez tivesse. Mas quem poderia culpá-la? Depois que a mensagem de A chegou, na noite anterior, ela passou a madrugada inteira telefonando para Wren, mas só caía na caixa postal. E ela deixara cinco mensagens para ele, cada uma mais frenética que a anterior. Ela havia colocado os sapatos doze vezes, pronta para dirigir até a Filadélfia para ver se ele estava bem, mas, então, se convencia do contrário. Na única vez em que seu Sidekick tocou, ela dera um pulo para alcançá-lo, mas era apenas uma mensagem do Lula Molusco para toda a turma, lembrando a todos sobre o estilo apropriado de respostas para as questões.

Quando sentiu alguém tocar seu ombro, Spencer gritou. Melissa recuou.

– Ei! Desculpe! Sou eu!

Spencer se endireitou, respirando com dificuldade.

– Eu... – Ela examinou sua mesa. *Droga*. Havia um pedaço de papel que dizia *Ginecologista, Terça, 17:00. Anticoncepcional?* E ela tinha os trabalhos antigos de História de Melissa na tela do computador. Ela deu um chute no estabilizador, e o monitor ficou preto.

– Está estressada? – perguntou Melissa. – Muito dever de casa antes da Foxy?

– Mais ou menos. – Spencer juntou rapidamente todos os papéis espalhados pela mesa em pilhas organizadas.

– Quer meu travesseiro de lavanda emprestado? – ofereceu Melissa. – Alivia o estresse.

– Está tudo bem – respondeu Spencer, sem se atrever a olhar para a irmã. *Eu roubei seu trabalho e seu namorado*, pensou. *Você não deveria ser gentil comigo.*

Melissa fez biquinho.

– Bom, não quero fazer você se estressar ainda mais, mas tem um policial lá embaixo. Ele disse que quer te fazer algumas perguntas.

– O *quê?* – gritou Spencer.

– É sobre Alison – explicou Melissa. Ela sacudiu a cabeça, fazendo as pontas dos cabelos balançarem. – Eles não deviam te obrigar a falar sobre isso na *semana do funeral*. É doentio.

Spencer tentou não entrar em pânico. Ela olhou para si mesma no espelho, arrumou o cabelo loiro e aplicou corretivo sob os olhos. Então colocou uma blusa branca de botão e as calças cáqui justas. Parecia confiável e inocente.

Mas seu corpo inteiro tremia.

Sem dúvida, havia um policial de pé na sala de estar, mas ele estava olhando para o *home office* do pai dela, onde ele guardava sua coleção de guitarras antigas. Quando o policial se virou, Spencer percebeu que não era aquele com quem ela havia conversado no funeral. O cara que estava ali era jovem. E parecia familiar, como se ela o conhecesse de algum lugar.

– Você é a Spencer? – perguntou ele.

– Sim – disse ela, baixinho.

Ele estendeu a mão.

– Sou Darren Wilden. Acabo de ser designado para o caso do assassinato de Alison DiLaurentis.

– Assassinato – repetiu Spencer.

– Sim – confirmou o oficial Wilden. – Bem, estamos investigando como assassinato.

– Tudo bem. – Spencer tentou parecer calma e madura. – Uau.

Wilden fez um gesto para que Spencer se sentasse no sofá da sala de estar; então, ele se sentou na frente dela, na *chaise-longue*. Ela percebeu de onde o conhecia: Rosewood Day. Ele havia estudado lá quando ela estava no sexto ano, e tinha adquirido a reputação de mau elemento. Uma das amigas CDFs de Melissa, Liana, tivera uma paixonite por ele, e uma vez fizera Spencer entregar uma mensagem de admiradora secreta para ele, na cafeteria onde ele trabalhava. Spencer se lembrava de ter pensado que Darren tinha bíceps gigantescos.

Agora, ele olhava fixamente para ela. Spencer sentiu o nariz coçar, e o relógio de seu avô deu algumas badaladas altas. Finalmente, ele disse:

– Tem alguma coisa que você queira me contar?

O medo se espalhou pelo corpo dela.

– Contar a você?

Wilden se recostou na cadeira.

– Sobre Alison.

Spencer piscou. Havia algo errado ali.

– Ela era minha melhor amiga – conseguiu dizer Spencer. As palmas de suas mãos estavam suadas. – Eu estava com ela na noite em que desapareceu.

– Certo. – Wilden olhou para um bloco de anotações. – Isso está em nossos arquivos. Você conversou com alguém na delegacia de polícia depois que ela desapareceu, não foi?

– Sim. Duas vezes.

– Certo. – Wilden apertou as mãos. – Você tem certeza de que contou *tudo* a eles? Havia alguém que odiasse Alison? Talvez um policial já tenha feito todas estas perguntas a você antes, mas, como eu sou novo, talvez você pudesse refrescar minha memória.

O cérebro de Spencer parou. Na verdade, muitas garotas odiavam Alison. Até mesmo *Spencer* nutria certo ódio da amiga às vezes, especialmente em relação ao modo com que ela sempre conseguia manipulá-la, e como havia ameaçado denunciar Spencer pela Coisa com Jenna, se ela algum dia contasse o que sabia. E, secretamente, sentiu certo alívio quando Ali desapareceu. Com Ali sumida, e Toby longe da escola, o segredo deles estava escondido para sempre.

Ela engoliu em seco, fazendo barulho. Não tinha certeza do que esse policial sabia. A poderia ter dado algumas dicas para os policiais, de que ela estava escondendo alguma coisa. E era brilhante – se Spencer dissesse a ele: *Sim, eu* conheço *alguém que odiava Ali,* realmente *a odiava, o suficiente para matá-la,* ela teria que confessar seu envolvimento na Coisa com Jenna. Se não dissesse nada e se protegesse, A ainda poderia punir seus amigos... e Wren.

Você me magoou, e eu vou magoar você.

O suor começou a escorrer pela nuca de Spencer. E havia mais: e se Toby tivesse voltado só para magoá-la? E se ele e A estivessem trabalhando juntos? E se ele fosse A? Mas, se ele fosse – e tivesse matado Ali –, ele iria até a polícia para se incriminar?

– Tenho certeza de que já contei tudo a eles – disse ela, finalmente.

Houve uma pausa bastante longa. Wilden olhou fixamente para Spencer, e ela olhou de volta. Aquilo a fazia pensar sobre a noite depois de A Coisa com Jenna. Ela havia caído em um sono agitado e paranoico, suas amigas choravam baixinho ao seu redor. Mas, de repente, ela estava acordada de novo. O mostrador do relógio marcava três e quarenta e três da madrugada e o quarto estava quieto. Ela se sentia atordoada e encontrou Ali dormindo sentada no sofá, com a cabeça de Emily no colo.

– Não posso fazer isso – disse ela, sacudindo-a para que acordasse. – Nós deveríamos nos entregar.

Ali se levantou, levou Spencer para o banheiro no corredor e sentou-se na borda da banheira.

– Controle-se, Spence – disse Ali. – Você não pode abrir a boca se a polícia nos fizer perguntas.

– A *polícia*? – gritou Spencer, o coração acelerando.

– *Shhhhhh* – sussurrou Ali. Ela tamborilava as unhas contra a borda de porcelana da banheira. – Não estou dizendo que a polícia vai falar conosco, mas temos que ter um plano para *o caso* de eles falarem. Tudo o que nós precisamos é de uma história sólida. Um álibi.

— Por que não podemos simplesmente contar a verdade? — perguntou Spencer. — O que exatamente você viu o Toby fazer que te assustou tanto a ponto de você disparar os fogos de artifício por acidente?

Ali sacudiu a cabeça.

— É melhor do meu jeito. Nós guardamos o segredo de Toby e ele guarda o nosso.

Uma batida na porta fez com que elas se levantassem.

— Meninas? — chamou uma voz. Era Aria.

— Tudo bem — disse Wilden, finalmente, arrancando Spencer de suas lembranças. Ele deu a ela um cartão. — Ligue para mim se você se lembrar de alguma coisa, está bem?

— É claro — balbuciou Spencer.

Wilden pôs as mãos na cintura e olhou ao redor da sala. Para a mobília Chippendale, a sofisticada janela de vitral, os quadros emoldurados nas paredes e o relógio George Washington premiado de seu pai, que estava na família desde o século XIX. Então, ele examinou Spencer, dos brincos de diamantes nas orelhas e do delicado relógio Cartier em seu pulso até as luzes loiras em seus cabelos, que custavam trezentos dólares a cada seis semanas. O sorrisinho satisfeito no rosto dele parecia dizer: *Você parece uma garota que tem muito a perder.*

— Você vai àquela festa beneficente hoje? — perguntou ele, sobressaltando-a. — A Foxy?

— Hum, vou — disse Spencer, baixinho.

— Bem. — Wilden fez uma pequena saudação a ela. — Divirta-se. — A voz dele era totalmente normal, mas ela poderia jurar que a expressão em seu rosto dizia: *Ainda não terminei com você.*

24

DUZENTOS E CINQUENTA DÓLARES DÃO DIREITO A COMIDA, DANÇA... E UMA ADVERTÊNCIA

A Foxy era realizada em Kingman Hall, uma velha mansão campestre de estilo inglês, construída por um homem que inventara uma máquina nova de tirar leite, no início do século XX. No quarto ano, quando eles aprenderam sobre a casa na aula de história da Pensilvânia, Emily a apelidara de "Mansão Mu".

Enquanto a recepcionista examinava seus convites, Emily olhou em volta. O lugar tinha um jardim labiríntico na parte da frente. Gárgulas faziam caretas nos arcos da imponente fachada da mansão. Pouco à frente de Emily estava a tenda, toda iluminada e cheia de gente, onde o evento seria realizado.

– Uau. – Toby apareceu atrás dela. Lindas garotas passavam por eles em direção à tenda, usando vestidos elaborados, feitos sob encomenda, e carregando bolsas cravejadas de joias. Emily olhou para o próprio vestido, era um tomara que caia simples, cor-de-rosa, que Carolyn havia usado no baile do ano anterior. Ela arrumara o próprio cabelo, colocara bastante do perfume ultrafeminino de Carolyn, Lovely, que a fazia espirrar, e estava usando brincos pela primeira vez em muito tempo, forçando-os pelos buracos nas orelhas, que já estavam quase fechados. Mesmo com tudo aquilo, ela ainda se sentia sem graça comparada a todas as outras meninas.

No dia anterior, quando Emily telefonou para Toby, a fim de convidá-lo para a Foxy, ele pareceu muito surpreso – mas realmente empolgado. Ela estava entusiasmada, também. Eles iriam à Foxy, se beijariam de novo e... quem sabe? Talvez se transformassem em um casal. Com o tempo, eles iriam visitar Jenna na escola na Filadélfia, e Emily poderia, de alguma forma, compensá-la por tudo. Ela cuidaria do próximo cão-guia de Jenna, leria para ela todos os livros que ainda não haviam sido lançados em braille. Talvez, com o tempo, Emily pudesse confessar seu envolvimento no acidente de Jenna.

Ou talvez não.

Só que agora ela estava na Foxy, e algo parecia... errado. O corpo de Emily alternava entre sensações de calor e frio, e seu estômago estava contraído de dor. As mãos de Toby pareciam muito ásperas, e ela estava tão nervosa que eles mal haviam conversado no caminho para a festa. A própria Foxy não parecia um ambiente muito relaxante; todos estavam exageradamente arrumados. E Emily tinha certeza de que alguém a estava observando. Enquanto examinava a maquiagem de cada garota e o rosto barbeado de cada rapaz, ela se perguntava: *Você é A?*

– Sorria! – Um flash espocou no rosto de Emily, e ela deu um gritinho. Quando as luzes brancas pararam de dançar na frente de seus olhos, uma garota loira, num vestido vinho, com uma credencial de imprensa sobre o peito e uma câmera digital pendurada no ombro, estava rindo para ela. – Eu só estava tirando fotos para o *Philadelphia Inquirer* – explicou. – Quer tentar de novo, sem a cara de pânico, dessa vez? – Emily agarrou o braço de Toby e tentou parecer feliz, mas sua expressão parecia mais uma careta petrificada.

Depois que a moça da imprensa se afastou, Toby se virou para Emily.

– Tem algo errado? Você sempre pareceu tão relaxada na frente das câmeras.

Emily se enrijeceu.

– Quando você me viu na frente de uma câmera?

– Na reunião da Rosewood com a Tate? – lembrou-a Toby.

– O cara maluco do livro do ano?

– Oh, sim. – Emily expirou o ar de seus pulmões.

Os olhos de Toby seguiram um garçom que passava com uma bandeja de drinques.

– Então, este é o seu mundo?

– Deus, não! – retrucou Emily. – Eu nunca estive em um lugar como este na minha vida.

Ele olhou em volta.

– Todo mundo parece tão... feito de plástico. Eu costumava ter vontade de matar a maioria dessas pessoas.

Uma sensação assustadora invadiu Emily. Era o mesmo tipo de sentimento que ela experimentou ao acordar no banco de trás do carro de Toby. Quando ele percebeu a expressão dela, rapidamente deu um sorriso.

– Não *literalmente*. – Ele apertou a mão dela. – Você é muito mais bonita do que todas as outras garotas aqui.

Emily corou. Mas ela estava descobrindo que suas entranhas não viravam do avesso quando ele dizia coisas assim, ou quando tocava nela. E *deveriam*. Toby era sexy. Na verdade, estava lindo com seu terno e seus sapatos pretos, os cabelos penteados para trás, e seu rosto angulado e quadrado. Todas as garotas estavam olhando para ele. Quando ele apareceu na porta de sua casa, até mesmo a discreta Carolyn havia deixado escapar:

– Ele é tão bonitinho!

Mas quando ele segurou a mão de Emily, ainda que ela quisesse muito sentir alguma coisa, não aconteceu nada. Era como dar a mão à sua irmã.

Emily tentou relaxar. Ela e Toby caminharam em direção à tenda, apanharam duas *piñas coladas* e se juntaram a um grupo de garotos na pista de dança. Algumas meninas tentando dançar de um jeito supersexy, com mãos para cima, como se estivessem ensaiando para um evento da MTV. A maioria estava simplesmente pulando e cantando ao som de Madonna. Técnicos de som estavam instalando um aparelho de caraoquê em um dos cantos, e as garotas estavam escrevendo os nomes das músicas que queriam cantar.

Emily afastou-se para ir ao banheiro, deixando a tenda e caminhando por um corredor iluminado por velas e com o chão coberto de pétalas de rosa. Garotas passavam por ela, de braço dado, cochichando e rindo. Emily checou discretamente o peito; ela nunca havia usado um tomara que caia antes, e tinha certeza de que, a qualquer momento, o vestido iria escorregar e expor seus seios ao mundo.

– Quer que eu leia sua sorte?

Emily se virou. Uma mulher de cabelos escuros, usando um vestido de seda estampado, estava sentada a uma pequena mesa debaixo de um enorme retrato de Horace Kingman, o inventor da máquina de tirar leite. Ela usava uma tonelada de pulseiras no braço esquerdo e um grande medalhão em forma de cobra pendia de sua garganta. Um baralho estava à sua frente, junto com uma pequena placa na borda da mesa que dizia: A MÁGICA DO TARÔ.

— Não, tudo bem — disse Emily. A mesa de tarô era tão... pública. Ali, em um espaço aberto, no meio do saguão.

A mulher estendeu uma longa unha na direção de Emily.

—Você precisa saber a sua sorte, mesmo assim. Alguma coisa vai acontecer com você esta noite. Algo que vai mudar sua vida.

Emily enrijeceu.

— *Comigo?*

— É, com você. E esse garoto que você trouxe? Não é ele que você quer. Você deve procurar quem realmente ama.

O queixo de Emily caiu, e sua mente começou a girar.

A cartomante parecia prestes a dizer alguma outra coisa, mas Naomi Zeigler passou por Emily e se sentou à mesa.

— Eu conheci você aqui, no ano passado — tagarelou Naomi, apoiando-se nos cotovelos, excitada. — Você fez a melhor previsão da minha vida.

Emily se afastou. Sua cabeça estava a mil. Algo ia acontecer com ela naquela noite? Algo... *que iria mudar sua vida?* Talvez Ben contasse para todo mundo. Ou Maya contasse para todo mundo. Ou A mostrasse aquelas fotos para todo mundo. Ou A tivesse contado a Toby... sobre Jenna. Poderia ser qualquer coisa.

Emily jogou água fria no rosto e saiu do banheiro. Quando ela se virou para voltar para a tenda, esbarrou nas costas de alguém. Assim que viu quem era, seu corpo ficou tenso.

— Oi — disse Ben, em um falso tom amistoso, esticando as palavras. Ele usava um terno cinza-chumbo e tinha uma pequena gardênia branca na lapela.

— O-oi — gaguejou Emily. — Eu não sabia que você vinha.

— Eu ia dizer a mesma coisa. — Ben se inclinou. — Gosto do seu namorado. — Ele colocou a palavra *namorado* entre aspas no ar. — Eu vi você com ele ontem na reunião com a Tate. Quanto você teve que pagar a ele para vir até aqui com você?

Emily o empurrou e passou por ele. Ela desceu o corredor escuro, considerando que aquela *não* seria a melhor hora para tropeçar nos saltos. Os passos de Ben ecoavam atrás dela.

— Por que você está fugindo? — cantarolou Ben.

— Me deixa em paz. — Ela não se virou.

— Aquele cara é seu guarda-costas? Primeiro, ele te protege na natação e agora aqui. E onde ele está agora? Ou você só o contratou para vir até aqui com você, para que as pessoas não descubram que você é uma grande lésbica? — Ben deu uma risadinha.

— Rá rá. — Emily se virou para encará-lo. — Você é engraçado.

— É? — Ben a empurrou contra a parede. Simples assim. Ele segurou os pulsos de Emily e apertou o corpo contra o dela. — Isto é engraçado?

Ben estava sendo bruto, e o corpo dele era pesado. A apenas alguns passos de distância, alguns garotos passaram por eles, em direção ao banheiro. Será que eles não *viram*?

— Pare — conseguiu dizer Emily.

A mão áspera de Ben procurou a barra do vestido dela. Ele acariciou o joelho de Emily e deslizou a mão por suas pernas.

— Só diga que você gosta disso — disse ele, no ouvido dela. — Ou eu vou contar pra todo mundo que você é lésbica.

Lágrimas encheram os olhos de Emily.

— Ben — sussurrou ela, fechando as pernas. — Eu não sou lésbica.

— Então, diga que você gosta — rosnou Ben. A mão dele apertou a coxa nua dela.

Ben estava chegando cada vez mais perto da calcinha dela. Quando eles estavam namorando, não tinham chegado tão longe. Emily mordeu o lábio com tanta força que teve certeza de ter tirado sangue. Ela estava prestes a ceder e dizer a ele que estava gostando, só para fazê-lo parar, mas a fúria a invadiu. Que Ben pensasse o que quisesse. Que ele contasse para a escola inteira. Ele não podia fazer aquilo com ela, de jeito nenhum.

Ela pressionou o corpo contra a parede, para pegar impulso. Então, levantou o joelho e acertou a virilha de Ben com força.

— Ai! — Ben se afastou, com as mãos na virilha. Um gemido fraco, como de um bebê, escapou de sua boca. — O que você... — engasgou ele.

Emily arrumou o vestido.

— Fique longe de mim. — A raiva corria pelas veias dela como uma droga. — Senão, juro por Deus...

Ben cambaleou para trás, até se encostar na parede. Seus joelhos se dobraram e ele escorregou até sentar-se no chão.

— Péssima, péssima ideia.

— Que se dane. — Emily se virou para ir embora. Ela deu passos longos, rápidos e confiantes. Não o deixaria ver o quanto estava chateada. Que estava prestes a chorar.

— Ei. — Alguém segurou gentilmente o braço de Emily. Quando seus olhos se focaram novamente, ela percebeu que era Maya. — Eu vi aquilo tudo — sussurrou Maya, apontando com o queixo para o local onde Ben ainda estava caído. — Você está bem?

— Estou — respondeu Emily, depressa. Mas sua voz estava embargada. Ela tentou se controlar, mas não conseguiu. Ela se apoiou contra a parede e cobriu o rosto com as mãos. Se contasse até dez, poderia esquecer aquilo. *Um... dois.. três...*

Maya tocou no braço de Emily.

— Eu sinto muito, Em.

— Não sinta — conseguiu dizer Emily, o rosto ainda coberto. *Oito... nove... dez.* Ela afastou as mãos do rosto e se endireitou.

— Eu estou bem.

Ela fez uma pausa, olhando para o vestido branco de Maya, estilo gueixa. Ela parecia tão mais bonita do que todos aqueles clones loiros de coque e Chanel que havia visto na festa. Ela correu as mãos pelos lados do próprio vestido, imaginando se Maya a estaria examinando também.

— Eu... eu provavelmente deveria voltar para o meu parceiro — gaguejou ela.

Maya deu um pequeno passo na direção dela. Só que Emily não conseguia se mover um centímetro.

— Eu tenho um segredo para contar a você, antes de você ir — informou Maya.

Emily chegou mais perto, e Maya se inclinou em direção a sua orelha. Os lábios de Maya não a tocaram, mas estavam bem perto. Arrepios percorreram a espinha de Emily, e ela se ouviu respirando pesado. Não era certo reagir daquele jeito, mas simplesmente... *não conseguia...* evitar.

Você deve procurar quem você realmente ama.

— Eu vou esperar por você — sussurrou Maya com a voz um pouco triste e muito sexy. — Não importa quanto tempo leve.

25

A VIDA SURREAL ESTRELANDO HANNA MARIN

Na noite de sábado, Hanna pegou o elevador para a sua suíte no Four Seasons Filadélfia, sentindo-se leve, solta e energizada. Ela tinha acabado de fazer um tratamento corporal com limão, uma massagem de uma hora e vinte minutos, e um bronzeamento Kissed by the Sun em seguida. Toda aquela paparicação a fez se sentir um pouco menos estressada. Aquilo e o fato de estar longe de Rosewood... e de A.

Ela *esperava* estar longe de A.

Hanna abriu a porta da suíte de dois quartos e entrou. Seu pai estava sentado no sofá da sala.

– Oi – cumprimentou-a ele. – Como foi tudo?

– Maravilhoso. – Hanna dirigiu-lhe um olhar radiante, tomada de felicidade e tristeza ao mesmo tempo. Ela queria dizer o quanto estava grata por estarem juntos novamente, e, ainda assim, sentia que seu futuro com ele estava ameaçado, por A. Ela tinha esperanças de que ter dito aquilo tudo a Naomi e Riley no dia anterior iria mantê-la a salvo, mas e se não fosse assim?

Talvez ela devesse simplesmente contar a verdade sobre Jenna, antes que A chegasse a ele primeiro.

Ela apertou os lábios e olhou para o tapete, tímida.

– Bom, eu preciso tomar um banho bem rápido, se quisermos chegar a tempo no Le Bec-Fin.

– Só um segundo. – O pai se levantou. – Eu tenho outra surpresa pra você.

Por instinto, Hanna olhou para as mãos do pai, esperando que ele estivesse segurando um presente para ela. Talvez fosse algo para compensá-la por todos aqueles cartões de aniversário estúpidos. Mas a única coisa na mão dele era o celular.

Então, houve uma batida na porta do quarto da suíte conjugada.

– Tom? Ela está aqui?

Hanna congelou, sentindo o sangue abandonar sua cabeça. Ela conhecia aquela voz.

– Kate e Isabel estão aqui – sussurrou o pai, excitado. – Elas vão ao Le Bec-Fin conosco, e depois todos nós vamos assistir a *Mamma Mia!*. Você não disse na quinta-feira que queria ver essa peça?

– Espere! – Hanna o interceptou antes que ele chegasse à porta. – *Você* as convidou?

– Sim. – O pai olhou para ela como se estivesse doida. – Quem mais teria sido?

A, Hanna pensou. Parecia bem o estilo de A.

– Mas eu pensei que seríamos só você e eu.

– Eu nunca disse isso.

Hanna franziu a testa. Disse sim. Não disse?

– Tom? – chamou a voz de Kate. Hanna estava aliviada porque Kate o chamava de Tom, e não de papai, mas apertou o pulso do pai com mais força.

O pai hesitou à porta, os olhos se movendo para um lado e para o outro, de forma estranha.

– Mas, quero dizer, Hanna, elas já estão aqui. Eu achei que seria legal.

– Por que... – *Por que você pensaria isso?* Hanna queria perguntar. *Kate faz eu me sentir uma droga, e você me ignora quando ela está aqui. É por isso que eu não falei com você durante todos esses anos!*

Mas havia tanta confusão e desapontamento no rosto do pai. Ele provavelmente estava planejando aquilo havia dias. Hanna ficou olhando para as franjas do tapete oriental. Sua garganta estava presa, como se ela tivesse acabado de engolir algo enorme.

– Eu acho que você deve deixá-las entrar, então – resmungou Hanna.

Quando o pai abriu a porta, Isabel gritou de alegria, como se tivessem estado separados por galáxias inteiras, não apenas estados. Ela ainda estava excessivamente magra e muito bronzeada, e os olhos de Hanna voaram imediatamente para a pedra em sua mão esquerda. Era um anel de diamante Legacy, da Tiffany, de três quilates. Hanna conhecia o catálogo da loja de trás para a frente.

E Kate. Ela estava mais bonita do que nunca. Seu vestido de faixas diagonais sem dúvida era manequim 36, e os cabelos castanhos e lisos estavam mais compridos do que há alguns anos. Ela colocou a bolsa Louis Vuitton graciosamente na pequena mesa de jantar do quarto de hotel. Hanna estava fervendo de raiva. Kate, provavelmente, jamais tropeçava em seus novos sapatos Jimmy Choo, nem escorregava no chão de madeira depois que a faxineira o encerava.

O rosto de Kate tinha uma expressão retesada, como se ela estivesse realmente irritada por estar ali. Quando percebeu a presença de Hanna, contudo, ficou mais relaxada. Ela observou Hanna de cima para baixo – da jaqueta estruturada Chloé até as sandálias de tiras e, então, sorriu.

– Oi, Hanna – disse Kate, obviamente surpresa. – Uau. – Ela pôs a mão no ombro de Hanna, mas por sorte não a abraçou. Se ela tivesse feito isso, teria percebido o quanto Hanna estava tremendo.

– Tudo parece tão bom – murmurou Kate, olhando o cardápio.

– Sem dúvida – ecoou o sr. Marin. Ele chamou o garçom e pediu uma garrafa de *Pinot Grigio*. Então, olhou com carinho para Kate, Isabel e Hanna. – Estou feliz de estarmos todos aqui. Juntos.

– É realmente maravilhoso ver você de novo, Hanna – disse Isabel.

– É – concordou Kate. – Sem dúvida.

Hanna olhou para seus talheres de prata sofisticados. Era surreal vê-las de novo. E não surreal do tipo legal, como um vestido-caleidoscópio Zac Posen, mas surreal do tipo pesadelo, como quando aquele cara do livro que Hanna tivera de ler para a aula de literatura, no ano anterior, acordava e descobria que havia se transformado em uma barata.

– Querida, o que você vai pedir? – perguntou Isabel a ela, com a mão sobre a de seu pai. Ela ainda não podia acreditar que seu pai estivesse apaixonado por Isabel. Ela era tão... comum. E muito bronzeada. O que era uma coisa legal se você fosse modelo, tivesse catorze anos ou morasse no Brasil, e não uma mulher de meia-idade de Maryland.

– Hmmmm – fez o sr. Marin. – O que é *pintade*? É peixe?

Hanna virou as páginas do cardápio. Ela não tinha ideia do que ia comer. Tudo era frito ou feito com molho branco.

– Kate, você pode traduzir? – Isabel se inclinou na direção de Hanna. – Kate é fluente em francês.

É claro que é, pensou Hanna.

– Nós passamos o último verão em Paris – explicou Isabel, olhando para Hanna. Hanna se escondeu atrás da carta de vinhos. Eles tinham ido para Paris? Junto com o pai dela, também?

– Hanna, você estuda línguas? – perguntou Isabel.

– Hum. – Hanna deu de ombros. – Fiz um ano de espanhol.

Isabel fez biquinho.

– Qual é a sua matéria preferida na escola?

– Inglês?

– A minha também! – exclamou Kate.

– Kate ganhou o prêmio máximo em Inglês da escola dela no ano passado – gabou-se Isabel, parecendo muito orgulhosa.

– *Mãe* – reclamou Kate. Ela olhou para Hanna e murmurou: *Desculpe*.

Hanna ainda não conseguia acreditar em como a expressão irritada de Kate havia se dissipado quando ela a tinha visto. Hanna havia *feito* aquela cara antes. Como daquela vez no nono ano quando seu professor de inglês a indicara como voluntária para mostrar a escola para Carlos, o estudante que viera fazer intercâmbio chileno. Hanna saíra da sala do professor ressentida demais para cumprimentar o garoto, certa de que Carlos seria um idiota e causaria um estrago em sua popularidade. Quando ela chegou à recepção e viu um garoto alto, de cabelos ondulados e olhos verdes, que parecia ter jogado voleibol desde o berço, ela se endireitou e checou discretamente o próprio hálito. Kate provavelmente pensava que as duas compartilhavam algum tipo de laço de mulherzinha.

– Você tem alguma atividade extracurricular? – perguntou Isabel. – Pratica esportes?

Hanna deu de ombros.

– Na verdade não. – Ela havia se esquecido de que Isabel era uma *daquelas* mães: ela só falava de Kate, de suas premiações escolares, das aulas de línguas, das atividades extracurriculares, e daí por diante. Era outra coisa com que Hanna não podia competir.

– Não seja tão modesta. – O pai cutucou o ombro de Hanna. – Você tem várias atividades extracurriculares.

Hanna olhou para o pai, espantada. Como o quê? Roubar?

– A clínica para pessoas que sofreram queimaduras? – citou ele. – E sua mãe me contou que você se juntou a um grupo de apoio.

O queixo de Hanna caiu. Em um momento de fraqueza, ela contara à mãe sobre o Clube da Virgindade, como que dizendo: *Está vendo? Eu tenho valores*. Ela não podia acreditar que a mãe tivesse dito ao pai.

– Eu... – gaguejou ela. – Não é nada importante.

– É claro que é importante. – O sr. Marin apontou o garfo para ela.

– *Pai* – sibilou Hanna.

As outras olharam para ela, na expectativa. Os olhos já grandes de Isabel se arregalaram ainda mais. Kate tinha um traço quase imperceptível de sorriso no rosto, mas seus olhos expressavam simpatia. Hanna olhou para a cesta de pão. *Dane-se*, pensou ela, e enfiou um brioche inteiro na boca.

— É um clube de abstinência, tá legal? — disparou ela, com a boca cheia de massa de pão e sementes de papoula, e então se levantou. — Muito obrigada, papai.

— Hanna! — O pai empurrou a cadeira para trás e fez menção de se levantar, mas Hanna saiu andando. Por que ela tinha acreditado naquela historinha de *eu adoraria passar um fim de semana com você*? Era exatamente como da última vez, quando ele a chamara de porquinha. E pensar em tudo o que ela havia arriscado para estar ali, dissera àquelas putinhas que vomitava três vezes por dia! Aquilo nem era mais verdade!

Ela empurrou a porta do banheiro, entrou em uma das cabines e se ajoelhou na frente do vaso sanitário. O estômago dela estava embrulhado, e ela sentiu vontade de resolver logo o problema. *Acalme-se*, disse a si mesma, olhando meio tonta para o próprio reflexo na água do vaso. *Você consegue*.

Hanna se levantou novamente, o maxilar tremendo, lágrimas transbordando dos olhos. Se ela pudesse ficar naquele banheiro pelo resto da noite... eles que tivessem o fim de semana especial de Hanna sem ela. O celular tocou. Hanna tirou-o da bolsa para silenciá-lo. Então, seu estômago se contraiu. Ela tinha recebido um e-mail de um endereço familiar.

> Já que você seguiu minhas ordens tão direitinho ontem, considere isto um presente: vá para a Foxy, agora. Sean está lá com outra garota. —A

Ela ficou tão assustada que quase derrubou o telefone no chão de mármore do banheiro.

Então ligou para Mona. Elas ainda não estavam se falando — Hanna nem tinha contado a Mona que não iria à Foxy — e

Mona não atendeu. Hanna desligou, tão frustrada que atirou o telefone contra a parede. Com quem Sean poderia estar? Naomi? Alguma putinha do Clube da Virgindade?

Ela saiu da cabine fazendo barulho, assustando uma senhora que estava lavando as mãos. Quando Hanna estava quase chegando à porta, parou abruptamente. Kate estava sentada na *chaise-longue*, passando um batom cor-de-rosa pálido. Suas pernas longas e esbeltas estavam cruzadas, e ela parecia ser a pessoa mais chique do mundo.

– Tubo bem? – Kate levantou os olhos, de um azul profundo, para Hanna. – Vim ver como você estava.

Hanna se enrijeceu.

– Sim, estou bem.

Kate torceu a boca.

– Sem querer ofender o seu pai, mas, às vezes, ele é capaz de dizer as coisas mais inadequadas. Teve uma vez em que eu tive um encontro com um cara. Nós estávamos saindo de casa, e o seu pai disse: "Kate, eu vi que você escreveu OB na lista de compras. O que é isso? Em que prateleira eu devo procurar?" Eu quase morri de vergonha.

– Deus. – Hanna sentiu uma pontada de simpatia. Aquilo soava bem como algo que seu pai faria.

– Ei, não importa – disse Kate, gentilmente. – Ele não teve má intenção.

Hanna sacudiu a cabeça.

– Não é isso. – Ela olhou para Kate. Mas, que diabos! Talvez elas *tivessem* algum laço de mulherzinha. – É... é o meu ex. Eu recebi uma mensagem dizendo que ele está numa festa beneficente chamada Foxy, com outra garota.

Kate franziu a testa.

— Quando vocês terminaram?

— Há oito dias. — Hanna sentou-se na *chaise*. — Eu estou meio que tentada a voltar lá agora e acabar com ele.

— E por que não vai?

Hanna se recostou no sofá.

— Eu queria, mas... — Ela fez um gesto em direção ao restaurante.

— Ouça. — Kate se levantou e fez biquinho em frente ao espelho. — Por que você não põe a culpa nesse tal grupo de apoio que você está frequentando? Diga que alguém de lá ligou pra você e disse que estava se sentindo muito "fraco", e você é amiga dele, e precisa ir lá dar uma força.

Hanna levantou uma das sobrancelhas.

— Você parece saber muito sobre grupos de apoio.

Kate deu de ombros.

— Eu tenho alguns amigos que passaram pela reabilitação.

Tuuuuuuuuudo beeeem.

— Eu não acho que seja uma boa ideia.

— Eu te dou cobertura, se você quiser — ofereceu Kate.

Hanna olhou para ela, pelo espelho.

— Sério?

Kate olhou de volta, significativamente.

— Vamos dizer que eu te devo uma.

Hanna se encolheu. Algo lhe dizia que Kate estava falando sobre aquela vez, em Anápolis. Aquilo a fazia sentir-se desconfortável — que Kate lembrasse, e que reconhecesse que havia sido cruel. Ao mesmo tempo, lhe dava uma certa satisfação.

— Além disso — continuou Kate —, seu pai disse que nós nos veríamos muito mais. É bom começar do jeito certo.

Hanna piscou.

– Ele disse... ele disse que quer me ver mais?

– Bom, você *é* filha dele.

Hanna brincou com o pingente em forma de coração em sua pulseira Tiffany. Dava a ela uma certa excitação, ouvir Kate falar daquele jeito. Talvez ela tivesse exagerado na mesa do jantar.

– Vai levar quanto tempo? Duas horas, no máximo? – perguntou Kate.

– Provavelmente menos que isso. – Tudo o que ela queria era pegar o trem para Rosewood e xingar aquela vaca. Ela abriu a bolsa para ver se tinha dinheiro para a passagem. Kate ficou em pé ao lado dela e apontou para algo no fundo da bolsa.

– O que é isso?

– Isso? – Assim que Hanna tirou o objeto da bolsa, quis enfiá-lo lá de novo. Era a caixa de Percocet que havia roubado da clínica para pessoas com queimaduras na terça-feira. Ela havia esquecido.

– Posso pegar um? – sussurrou Kate, excitada. Hanna olhou para ela de soslaio.

– Sério?

Kate deu a Hanna um olhar malicioso.

– Eu preciso de *alguma coisa* para me ajudar a aguentar esse musical para o qual seu pai vai nos arrastar.

Hanna deu a ela uma cartela. Kate guardou as pílulas, virou-se nos saltos e saiu com passos confiantes do banheiro. Hanna a seguiu, boquiaberta.

Aquela fora a coisa mais surreal da noite. Talvez, se ela tivesse que ver Kate novamente, não fosse um destino pior que a morte. Poderia até ser... *divertido*.

26

PELO MENOS ELA NÃO TEM QUE CANTAR NO CORAL

Quando Spencer e Andrew chegaram à Foxy, o lugar já estava lotado. A fila para o estacionamento tinha uns vinte carros, pessoas sem convite se aglomeravam ao redor da entrada, e a tenda principal estava repleta de gente nas mesas, junto ao bar e na pista de dança.

Enquanto Andrew abria caminho até a mesa de drinques, Spencer checou o celular de novo. Nenhuma chamada de Wren *ainda*. Ela andou pelo chão de mármore do salão, perguntando a si mesma por que estava ali. Andrew havia passado para apanhá-la, e apesar de toda a ansiedade, Spencer tinha colocado as habilidades da aula de teatro em prática e enganado a família, fazendo todos pensarem que eles eram um casal – dando em Andrew um beijinho perto da boca quando o vira, graciosamente aceitando suas flores, posando para uma foto com o rosto encostado ao dele. Andrew parecera alegremente constrangido, o que contribuíra ainda mais para a farsa.

Agora ele não tinha mais utilidade para ela, mas, infelizmente, ele não sabia disso. Andrew apresentava Spencer a todos

– pessoas que ambos *conheciam* – como sua namorada. O que ela realmente queria fazer era ir para um lugar silencioso e pensar. Precisava descobrir o que aquele policial, Wilden, sabia, e o que não sabia. Se Toby fosse A *e* o assassino de Ali, ele não estaria conversando com a polícia. Mas e se Toby não fosse A... e A *tivesse* contado algo à polícia?

– Eu acho que aqui tem um caraoquê. – Andrew apontou para o palco. De fato, uma menina estava berrando "I Will Survive". – Quer cantar?

– Acho que não – respondeu Spencer, ansiosa, brincando com o botão do corpete. Ela olhou ao redor pela quinquagésima vez, procurando as velhas amigas, esperando que elas aparecessem. Sentia que devia avisá-las sobre Toby *e* sobre os policiais. A havia dito para não fazer aquilo, mas podia tentar um código.

– Bom, talvez você queira cantar uma comigo? – insistiu Andrew.

Spencer voltou-se para ele. Andrew parecia um dos labradores de sua família, implorando por migalhas da mesa.

– Eu não acabei de dizer que não quero?

– Ah. – Andrew brincou com a gravata. – Desculpe.

No final, ela concordou em cantar, nos vocais de apoio, "Dirrty", de Christina Aguilera – incrível que o certinho Andrew escolhesse cantar *aquela* música – porque era mais fácil assim. Agora, Mona Vanderwaal e Celeste sei-lá-o-sobrenome-dela – ela frequentava a escola Quaker – estavam no palco cantando "Total Eclipse of the Heart". Elas já pareciam um pouco tontas, uma segurando o braço da outra para manter o equilíbrio, e repetidamente derrubando as pequenas bolsas de veludo no chão.

– Nós vamos cantar muito melhor que elas – disse Andrew. Ele estava perto demais. Spencer sentia seu hálito quente, cheirando a chiclete de menta, e se irritou. A respiração pesada de Wren em seu pescoço era uma coisa, mas Andrew era bem diferente. Se ela não apanhasse algum ar imediatamente, podia desmaiar.

– Já volto – murmurou ela para Andrew e saiu correndo em direção à porta.

Assim que passou pelas portas francesas do terraço, seu telefone vibrou. Ela se assustou. Quando olhou para o mostrador, seu coração deu um pulo. *Wren.*

–Você está bem? – quis saber Spencer. – Eu estava tão preocupada!

–Você deixou doze mensagens – respondeu Wren. – O que está acontecendo?

Spencer podia sentir a tensão se esvair dela, e seus ombros relaxando.

– Eu... não tive notícias suas, e pensei... por que você não checou sua caixa postal?

Wren limpou a garganta, parecendo um pouco desconfortável.

– Eu estava ocupado, só isso.

– Mas eu pensei que você estava...

– O quê? – disse Wren, meio rindo. – Caído na sarjeta? Ora, vamos, Spence.

– Mas... – Spencer fez uma pausa, tentando achar um jeito de explicar. – É que eu tive uma sensação estranha.

– Bom, eu estou bem. – Wren fez uma pausa. – *Você* está bem?

– Estou. – Spencer abriu um leve sorriso. – Quero dizer, estou aqui nesta festa ridícula, com meu parceiro ridículo, e preferia estar com você, mas me sinto muito melhor agora. Estou feliz por você estar bem.

Quando desligou, estava tão aliviada que queria correr e beijar qualquer pessoa no terraço – como Adriana Peoples, a garota da escola católica que estava sentada na estátua de Dionísio, fumando um cigarro de cravo. Ou Liam Olsen, o jogador de hóquei que estava agarrando uma menina. Ou Andrew Campbell, que estava parado atrás dela, parecendo chateado e inútil. Quando o cérebro de Spencer registrou que Andrew era, bem, *Andrew*, seu estômago se contraiu.

– Hum, oi – disse ela, apressada. – Há quanto tempo... há quanto tempo você está aqui?

Pela expressão desolada no rosto de Andrew, Spencer percebeu que ele estava ali por tempo suficiente.

– Ouça – suspirou ela. Era melhor cortar o mal pela raiz. – A verdade, Andrew, é que eu espero que você não pense que vai acontecer alguma coisa entre a gente. Eu tenho namorado.

Primeiro, Andrew pareceu espantado. Depois, magoado; então, envergonhado; e, por fim, furioso. As emoções passaram tão rápido pelo rosto dele que era como assistir a um pôr do sol em câmera acelerada.

– Eu sei. – Ele apontou para o Sidekick dela. – Eu ouvi a conversa.

É claro que ouviu.

– Sinto muito – respondeu Spencer. – Mas eu...

Andrew levantou a mão para interrompê-la.

– Então, por que convidar a mim, e não a ele? Ele é algum cara que os seus pais não querem que você namore? Daí, você vem comigo, pensando que pode enganá-los?

– Não – disse Spencer depressa, sentindo-se incomodada. Ela era tão transparente assim, ou Andrew era simplesmente um bom adivinhador? – É... é difícil de explicar. Eu pensei que a gente pudesse se divertir. Eu não quis magoar você.

Um cacho de cabelos caiu sobre os olhos de Andrew.
– Pois eu caí direitinho. – Ele correu para a porta.
– Andrew! – gritou Spencer. – Espere! – Enquanto ela o observava desaparecer na multidão de garotos, uma sensação gelada e desconfortável a invadiu. Ela, definitivamente, havia escolhido o garoto errado para fingir ser seu namorado. Teria sido melhor ter ido à festa com Ryan Vreeland, que estava no armário; ou Thayer Anderson, interessado demais em basquete para levar qualquer garota a sério.

Ela correu para a tenda principal e olhou ao redor; devia, pelo menos, pedir desculpas a Andrew. O lugar inteiro estava iluminado por velas, de modo que era difícil encontrar alguém. Ela conseguia identificar Noel e a garota da escola Quaker na pista de dança, bebendo da garrafinha de uísque. Naomi Zeigler e James Freed estavam no palco, cantando uma música da Avril Lavigne que Spencer não suportava. Mason Byers e Devon Arliss estavam se beijando. Kirsten Cullen e Bethany Wells cochichavam em um canto.

– Andrew? – chamou ela.

Então, Spencer notou Emily do outro lado do salão. Ela usava um vestido tomara que caia cor-de-rosa e tinha uma *pashmina* no mesmo tom sobre os ombros. Spencer deu alguns passos na direção de Emily, mas, então, percebeu o parceiro dela parado ao seu lado, a mão em seu braço. Assim que Spencer apertou os olhos para ver melhor, o rapaz virou a cabeça e a notou. Ele tinha olhos azul-escuros, a mesma cor que ela havia visto em seu sonho.

Spencer engasgou e recuou.

Eu vou aparecer quando você menos esperar.

Era Toby.

27

ARIA ESTÁ DISPONÍVEL APENAS SOB PRESCRIÇÃO MÉDICA

Aria encostou-se no balcão do bar da Foxy e pediu uma xícara de café puro. A tenda estava tão lotada que a costura de seu vestido de bolinhas já estava ensopada de suor. E ela só havia chegado há vinte minutos.

– Oi. – O irmão dela se aproximou. Ele usava o mesmo terno cinza que vestiu no funeral de Ali, e sapatos pretos engraxados que pertenciam a Byron.

– Oi – guinchou Aria, surpresa. – Eu... eu não sabia que você vinha. – Quando ela saiu do banho para se arrumar, a casa estava vazia. Confusa, por um momento ela pensara que sua família a havia abandonado.

– É, eu vim com... – Mike se virou e apontou para uma moça magra e pálida, que Aria reconheceu da festa de Noel Kahn, na semana anterior. – Bonita, não é?

– É. – Aria virou o café em três goles e notou que suas mãos estavam tremendo. Aquela era a quarta xícara que ela tomava em uma hora.

– Então, cadê o Sean? – perguntou Mike. – Foi com ele que você veio, não foi? Todo mundo está comentando.

– Está? – perguntou Aria, com sinceridade.

– Está. Vocês são o novo casal do momento.

Aria não sabia se ria ou chorava. Ela podia imaginar algumas das garotas da Rosewood Day fofocando sobre ela e Sean.

– Eu não sei onde ele está.

– Por quê? O casalzinho do momento já se separou?

– Não... – A verdade era que Aria estava meio que se escondendo de Sean.

Na noite anterior, depois que Meredith dissera a Aria que ela e Byron estavam apaixonados, ela havia corrido de volta para Sean e se desmanchado em lágrimas. Nunca, em um milhão de anos, ela havia esperado que Meredith dissesse aquilo. Agora que Aria sabia a verdade, se sentia impotente. Sua família estava condenada. Por dez minutos, ela uivara no ombro de Sean: *O que é que eu vou fazeeeeer?* Sean a acalmou o suficiente para levá-la para casa, e até mesmo a acompanhou ao seu quarto, colocando-a na cama e deixando o bichinho de pelúcia favorito dela, Pigtunia, no travesseiro a seu lado.

Logo que Sean saiu, Aria jogou as cobertas para longe e andou pela casa. Ela olhou para o quarto principal. A mãe estava lá, dormindo tranquilamente... sozinha. Mas Aria não podia acordá-la. Quando Aria despertou novamente, algumas horas depois, foi ao quarto principal de novo, preparando-se para *simplesmente fazer o que devia ser feito*, mas, desta vez, Byron estava na cama, ao lado de Ella. Ele estava deitado de lado, com o braço por cima do ombro da esposa.

Por que alguém dormiria abraçado a uma pessoa quando estava apaixonado por outra?

De manhã, quando Aria acordou, após uma única hora de sono, seus olhos estavam inchados, e uma série de pequenas brotoejas vermelhas haviam estourado em sua pele. Ela sentia como se estivesse de ressaca e, quando se lembrou dos acontecimentos da noite, se escondeu debaixo do edredom, envergonhada. Sean a havia *colocado na cama*. Ela havia *fungado* no ombro dele. Ela havia uivado como uma pessoa insana. Que melhor modo de perder o cara de quem você gosta, além de babar nele todo? Quando Sean a apanhou para a Foxy – incrível que tivesse aparecido –, ele imediatamente quis conversar sobre a noite anterior, mas ela evitou o assunto, dizendo que estava se sentindo muito melhor. Sean olhou para ela de modo estranho, mas era inteligente o suficiente para não fazer perguntas. E, desde de então, ela estava fugindo dele.

Mike se apoiou contra o balcão de madeira do bar da Foxy, balançando a cabeça quando o DJ começou a tocar Franz Ferdinand. Havia um sorrisinho satisfeito em seu rosto – Aria sabia que ele se sentia o máximo por ter conseguido um convite para a Foxy, já que estava apenas no segundo ano. Mas ela era irmã dele, por isso podia enxergar a tristeza e a dor por baixo da superfície. Era como na vez em que eles eram pequenos e brincavam na piscina comunitária, e os amigos de Mike o chamaram de gay porque seu calção de banho branco tinha ficado cor-de-rosa na lavagem. Mike tentara aguentar firme, entretanto, mais tarde, durante o treino de natação dos adultos, Aria o encontrara chorando escondido perto da piscina infantil.

Ela queria dizer alguma coisa para fazer com que ele se sentisse melhor. Sobre o quanto ela sentia pelo que estava prestes a contar a Ella – Aria contaria tudo à mãe naquela noite, quando chegasse em casa, sem desculpas – e que nada daquilo era culpa dele, e que se a família deles se desintegrasse, tudo ainda ficaria bem. De algum jeito.

Mas ela sabia o que aconteceria se tentasse. Mike simplesmente fugiria.

Aria pegou mais café e saiu do bar. Ela só precisava de movimento.

— Aria — chamou uma voz atrás dela. Ela se virou. Sean estava a cerca de dois metros de distância, perto de uma das mesas. Ele parecia chateado.

Em pânico, Aria colocou o café na mesa e saiu correndo em direção ao banheiro feminino. Uma de suas sandálias escapou de seu pé. Enfiando-a de volta depressa, ela continuou correndo, mas terminou encurralada por uma parede de gente. Ela tentou abrir caminho a cotoveladas, mas ninguém se mexeu.

— Ei. — Sean estava bem do lado dela.

— Ah — gritou Aria por sobre a música, tentando agir normalmente. — Oi.

Sean tomou Aria pelo braço e a levou para o estacionamento, que era o único lugar vazio na Foxy. Sean pegou as chaves com o manobrista. Ele ajudou Aria a entrar no carro e dirigiu até um local deserto, um pouco mais abaixo da estrada.

— O que está havendo com você? — exigiu saber ele.

— Nada. — Aria olhou pela janela. — Estou bem.

— Não, não está. Você parece... um zumbi. Está me assustando.

— Eu só... — Aria brincou com sua pulseira de pérolas, rolando-a para cima e para baixo no braço. — Eu não sei. Eu não quero aborrecer você.

— Por quê?

Ela deu de ombros.

– Porque você não quer ouvir isso. Você deve pensar que eu sou completamente doida. Tipo, sinistramente obcecada pelos meus pais. Eu só consigo falar nisso.

– Bem... é verdade. Mas... quer dizer...

– Eu não ficaria zangada – interrompeu ela –, se você quisesse ir dançar com outras garotas e tudo. Tem umas garotas bem bonitas aqui.

Sean piscou, o rosto pálido.

– Mas eu não quero dançar com mais ninguém.

Eles ficaram quietos. Dava para ouvir a música de Kanye West, "Gold Digger", vindo da tenda.

– Você está pensando em seus pais? – perguntou Sean, baixinho.

Ela assentiu.

– Acho que sim. Eu tenho que contar tudo para a minha mãe hoje.

– Por que é que *você* tem que contar a ela?

– Porque... – Aria não podia contar a ele sobre A. – Tem que ser eu. Isso não pode continuar assim.

Sean suspirou.

– Você coloca muita pressão em si mesma. Não dá pra tirar uma noite de folga?

No começo, Aria ficou na defensiva, mas depois relaxou.

– Eu realmente acho que você deve voltar para lá, Sean. Você não devia me deixar estragar a sua noite.

– Aria... – Sean deixou escapar um suspiro frustrado. – Pare com isso.

Aria fez uma careta.

– Eu só acho que a gente não vai dar certo.

– Por quê?

— Porque... — Ela fez uma pausa, tentando descobrir o que queria dizer. Porque ela não era a típica garota de Rosewood? Porque o que quer que Sean admirasse nela, havia muito mais a respeito de sua pessoa para *não* admirar? Ela se sentia como algum daqueles remédios maravilhosos que são sempre anunciadas na TV. O narrador lê parágrafos e mais parágrafos sobre como o remédio ajuda milhões de pessoas, mas, bem no finalzinho do comercial, ele diz bem baixinho que os efeitos colaterais incluem palpitações cardíacas e diarreia. No caso dela, seria algo do tipo: *Garota legal, inteligente... mas a história familiar pode resultar em surtos psicóticos e, de vez em quando, ela pode fungar bem na sua camisa cara.*

Sean pôs a mão cuidadosamente sobre a de Aria.

— Se você está com medo de que eu tenha ficado assustado com a noite passada, está enganada. Eu gosto de você de verdade. Acho que gosto ainda mais *por causa* da noite passada.

Lágrimas encheram os olhos de Aria.

— Sério?

— Sério.

Ele apertou a testa contra a dela. Aria prendeu a respiração. Finalmente, seus lábios se tocaram. E de novo. Com mais força, desta vez.

Aria apertou a boca contra a dele e segurou-o pela nuca, puxando-o para mais perto. O corpo dele era tão quente e seguro. Sean correu as mãos pela cintura de Aria. De repente, eles estavam mordendo os lábios um do outro, as mãos subindo e descendo pelas costas um do outro. Então, se separaram por um instante, com a respiração pesada e se olharam nos olhos.

Eles se agarraram de novo. Sean puxou o zíper do vestido de Aria. Ele tirou o paletó e atirou-o no banco de trás, e ela atacou os botões da camisa dele. Ela beijou as lindas orelhas de Sean e enfiou as mãos por dentro da camisa dele, arrastando-as pela pele macia. Ela envolveu a cintura dele com as mãos da melhor forma possível, o corpo em um ângulo estranho no banco apertado do Audi. Sean abaixou o banco do carro, levantou Aria e a apertou contra si. A espinha dela batia contra o volante.

Ela arqueou o pescoço enquanto Sean beijava sua garganta. Quando Aria abriu os olhos, viu alguma coisa – um pedaço de papel amarelo sob o limpador do para-brisas. Primeiro, pensou que fosse algum tipo de anúncio – talvez, algum garoto fazendo propaganda de uma festa depois da Foxy –, mas, então, notou as palavras grandes, arredondadas, escritas de forma descuidada com hidrocor preto.

Não esqueça! Ao bater da meia-noite!

Ela se afastou de Sean rapidamente.
– O que foi? – perguntou ele.
Ela apontou para a nota, as mãos tremendo.
– Você escreveu aquilo? – Era uma pergunta estúpida. Ela já sabia a resposta.

28

NÃO É UMA FESTA SEM HANNA MARIN

Assim que o táxi parou no Kingman Hall, Hanna deu vinte pratas para o taxista, um cara velho e careca, que parecia ter um problema com suor.

– Fique com o troco. – Ela bateu a porta do carro e correu para a entrada com o estômago embrulhado. Tinha comprado um pacote de Doritos na estação de trem, na Filadélfia, e comido o saquinho todo feito uma desvairada, em cinco minutos. Péssima escolha.

À sua direita, estava o balcão de entrada da Foxy. Uma moça magra como um galgo, com cabelos loiros muito curtos e toneladas de delineador, estava pegando os ingressos e verificando os nomes num livro. Hanna hesitou. Ela não tinha ideia de onde colocara seu convite, mas se tentasse negociar sua entrada, iriam mandá-la para casa. Focou os olhos na tenda da Foxy, que brilhou como um bolo de aniversário. De jeito nenhum ela ia deixar Sean se livrar dessa. Ela ia entrar na Foxy, quer a Garota de Delineador gostasse ou não. Respirando fundo para tomar fôlego, Hanna correu em alta velocidade pelo balcão de entrada.

— Ei! — Ela ouviu a moça falar. — Espere!

Hanna se escondeu atrás de uma coluna, o coração batendo acelerado. Um segurança musculoso, vestindo um smoking, passou correndo por ela, depois parou e olhou ao redor. Frustrado e confuso, ele deu de ombros e disse alguma coisa no radiocomunicador. Hanna sentiu certa satisfação. Entrar de penetra causou-lhe a mesma sensação de roubar algo.

A Foxy era uma confusão de garotos e garotas. Ela não se lembrava de nenhum ano em que a festa tivesse estado tão lotada. A maioria das meninas na pista de dança tinha tirado os sapatos, segurando-os no ar enquanto rodopiavam. Havia uma multidão igualmente enorme no bar, e mais jovens estavam amontoados numa fila do que parecia uma cabine de caraoquê. Pelas mesas arrumadas e vazias, eles ainda não tinham servido o jantar.

Hanna agarrou o cotovelo de Amanda Williamson, estudante do ensino médio de Rosewood Day, que sempre tentava lhe dar um oi nas festas. O rosto da menina se iluminou.

— *Oiii*, Hanna!

— Você viu o Sean? — berrou Hanna.

Um olhar de surpresa passou pelo rosto de Amanda; então, ela deu de ombros.

— Não tenho certeza...

Hanna continuou andando, seu coração dando cambalhotas. Talvez ele não estivesse ali. Mudou de direção, quase esbarrando num garçom, que carregava uma enorme bandeja de queijo. Hanna agarrou um pedaço enorme de cheddar e enfiou na boca. Engoliu sem sentir o gosto.

— Hanna! — gritou Naomi Zeigler, que usava um vestido dourado apertado e parecia ter acabado de sair de uma câmara de bronzeamento artificial.

— Que legal! Você está aqui! Eu pensei que você tivesse dito que não vinha!

Hanna franziu a testa. Naomi estava abraçada a James Freed. Ela apontou para os dois.

— Vocês dois vieram juntos? — Hanna tinha achado que talvez Naomi fosse a acompanhante de Sean.

Naomi fez que sim. Então, ela se inclinou para a frente.

— Você está procurando o Sean?

Ela balançou a cabeça, abismada.

— É que *todos* têm comentado. Eu, sinceramente, não consigo acreditar nisso.

O coração de Hanna bateu mais rápido.

— Então, o Sean está aqui?

— É, está aqui, sim. — James se esquivou, tirou do bolso do blazer uma garrafa de Coca-Cola, cheia de um líquido transparente com aparência suspeita, e o despejou no seu suco de laranja. Ele tomou um gole e sorriu.

— Quer dizer, eles são tão *diferentes*. — Naomi admirou-se.

— Você disse que ainda são amigos, certo? Ele contou pra você por que convidou a outra?

— Para com isso — disse James para Naomi.

— Ela é sexy.

— *Quem?* — berrou Hanna. Por que todo mundo sabia o que estava rolando menos ela?

— Olha eles ali. — Naomi apontou para o outro lado do salão.

Foi como se o mar de jovens se abrisse e um grande holofote os iluminasse do teto. Sean estava no canto perto do aparelho de caraoquê, abraçado a uma moça alta, com um vestido de bolinhas preto e branco. Ele estava com a cabeça enfiada no pescoço dela, e as mãos dela estavam perigosamente perto do traseiro dele. Então, a moça virou a cabeça, e Hanna viu a elfa que ela conhecia muito bem – as características exóticas, e aquele típico cabelo negro azulado. *Aria*.

Hanna gritou:

– Ai, meu Deus, eu não acredito que você não sabia. – Naomi colocou um dos braços ao redor do ombro de Hanna, para consolá-la.

Hanna balançou a cabeça e saiu enfurecida pelo salão, bem na direção de Sean e Aria, que estavam se abraçando. Não dançando, apenas se abraçando. Que gente *bizarra*.

Depois de Hanna ter ficado parada lá por alguns segundos, Aria abriu um dos olhos, depois o outro. E soltou um pequeno suspiro.

– Hum... oi, Hanna.

Hanna ficou lá parada, tremendo de raiva.

– Sua... sua *vadia*.

Sean entrou na frente de Aria, para defendê-la.

– Segura a onda...

– Segura a onda? – A voz de Hanna desafinou por completo. Ela apontou para Sean. Estava tão brava que seu dedo tremia. – Você... você disse que não viria porque todos os seus amigos trariam alguma garota, e você não queria vir!

Sean deu de ombros.

– As coisas mudaram.

As bochechas de Hanna estavam ardendo, como se ele tivesse dado um tapa nela.

— Mas nós íamos sair para um *encontro* esta semana!

— Nós vamos *jantar* juntos esta semana — corrigiu Sean. — Como amigos. — Ele sorriu para Hanna, como se ela estivesse no jardim da infância. — Nós terminamos sexta passada, Hanna. Lembra?

Ela piscou.

— E aí você fica com *ela*?

— Bem.... — Sean olhou para Aria. — Sim.

Hanna abraçou a própria barriga, certa de que iria vomitar. Isso tinha de ser uma piada. Sean e Aria juntos fazia tanto sentido quanto uma garota gorda usar um jeans apertado.

Então, ela notou o vestido de Aria. O zíper lateral estava aberto, mostrando metade de seu sutiã de renda tomara que caia.

— Seu peito está escapando do vestido — grunhiu ela, apontando para o zíper.

Aria rapidamente olhou para baixo, cruzou os braços sobre o peito e fechou o zíper do vestido.

— Onde você conseguiu esse vestido, hein? — perguntou Hanna. — Na ponta de estoque da Luella?

Aria endireitou as costas.

— Na verdade, foi mesmo. Eu achei uma graça.

— Meu Deus. — Hanna revirou os olhos. — Você é uma pobre coitada. — Ela olhou para Sean. — De fato, eu acho que vocês dois têm isso em comum. Você sabia que o Sean quer ficar virgem até os trinta anos, Aria? Ele deve ter tentado te passar a mão, mas não vai chegar até o fim. Ele fez uma *promessa* sagrada.

— Hanna... — Sean tentou fazê-la calar a boca.

— Eu, pessoalmente, acho que ele é gay. O que você acha?

– Hanna... – Havia, então, um tom de súplica na voz de Sean.

– O quê? – desafiou-o Hanna. – Você é um mentiroso, Sean. E um safado.

Quando Hanna olhou ao redor, um grupo de jovens havia se juntado em torno deles. Aqueles que sempre eram convidados para as festas, aqueles que eram convidados de vez em quando. As garotas que não eram descoladas o suficiente, os garotos com excesso de peso, aceitos apenas por serem engraçados, os garotos riquinhos que gastavam rios de dinheiro com todo mundo, pois eram bonitinhos, interessantes ou manipuladores. Todos estavam devorando avidamente a situação. Os murmúrios já haviam começado.

Hanna deu uma última olhada em Sean, mas, em vez de dizer alguma coisa, foi embora.

No banheiro feminino, ela encaminhou-se diretamente para a frente da fila. Como se estivesse saindo de uma barraca de feira, Hanna abriu caminho.

–Vagabunda! – gritou alguém, mas Hanna não se importou.

Uma vez que a porta se fechou, ela se inclinou e livrou-se do Doritos e de tudo o mais que havia comido aquela noite. Quando terminou, deu um suspiro.

A expressão no rosto de todo mundo. De pena. E Hanna tinha chorado na frente das pessoas. Esta era uma das primeiras regras dela e de Mona, depois de terem se reinventado: nunca, de jeito nenhum, deixe alguém ver você chorar. E, mais do que isso, ela sentiu-se tão ingênua. Realmente estava pensando que Sean voltaria para ela. Achou que, indo à clínica para pessoas com queimaduras e ao Clube da Virgindade, estivesse fazendo a diferença, mas o tempo todo... ele estava pensando em outra pessoa.

Quando, finalmente, abriu a porta, o banheiro encontrava-se vazio. Estava tão quieto que ela podia ouvir a água pingando no mosaico de azulejos da pia. Hanna olhou-se no espelho, para ver se estava com uma aparência muito ruim. Quando o fez, gritou.

Uma Hanna muito diferente a encarou de volta. Essa Hanna era gorducha, com cabelos castanhos, cor de cocô, e uma pele horrível. Ela usava aparelho com elástico cor-de-rosa, e seus olhos estavam semicerrados por tentar focar o que via, pois não quis usar óculos. O casaco marrom estava apertado em seus braços roliços, e a blusa estava enrugada na linha do sutiã.

Hanna cobriu os olhos horrorizada. *É A*, ela pensou. *A está fazendo isso comigo.*

Então, pensou no recado de A: *Vá à Foxy agora. Sean está lá, com outra garota.* Se *A* sabia que Sean estava na Foxy com outra garota, então, isso significava que...

A estava na Foxy.

– Oi.

Hanna deu um pulo e se virou. Mona estava parada na porta, linda num vestido preto colado que Hanna não reconheceu de nenhuma das expedições de compras que haviam feito juntas. O cabelo claro estava preso pra trás, e sua pele brilhava. Envergonhada – ela provavelmente tinha vômito no rosto –, Hanna cambaleou de volta à privada.

– Espere. – Mona agarrou o braço dela.

Quando Hanna se virou, Mona parecia realmente muito preocupada.

– Naomi disse que você não viria esta noite.

Hanna deu uma olhada no espelho novamente. Seu reflexo mostrou a Hanna do segundo ano do ensino médio, não a do ensino fundamental. Seus olhos estavam um pouco vermelhos, mas, no geral, parecia bem.

– É o Sean, não é? – perguntou Mona. – Eu acabei de chegar e o vi com aquela garota. – Ela abaixou a cabeça. – Sinto muito, Han.

Hanna fechou os olhos.

– Eu me sinto uma grande idiota – admitiu ela.

Não. *Ele* é que é.

Elas se entreolharam. Hanna sentiu uma ponta de arrependimento. A amizade da Mona significava muito para ela, e ela estava deixando todo o restante entrar no caminho. Nem conseguia lembrar por que haviam brigado.

– Eu sinto muito, Mon. Por tudo.

– Me desculpe – disse Mona.

E elas se abraçaram, bem forte.

Spencer Hastings sapateou no piso de mármore do banheiro e puxou Hanna do abraço.

– Eu preciso falar com você.

Hanna se desvencilhou, incomodada.

– O quê? Por quê?

Spencer deu uma olhada de través para Mona.

– Não posso contar aqui. Você precisa vir comigo.

– Hanna não precisa ir a lugar nenhum. – Mona pegou no braço dela e a puxou para mais perto.

– Desta vez, precisa sim – disse Spencer, aumentando o tom da voz. – É uma emergência.

Mona segurou firmemente o braço da Hanna. Ela tinha a mesma expressão de proibição do outro dia, no shopping – o olhar que dizia: *se você esconder mais um segredo de mim, eu juro que nossa amizade estará acabada.* Mas Spencer parecia apavorada. Alguma coisa parecia errada. *Muito* errada.

– Desculpe – disse Hanna, tocando a mão de Mona. – Eu já volto.

Mona largou o braço dela.

– Tudo bem. – Brava, ela foi em direção ao espelho para verificar a maquiagem. – Sem pressa.

29

BOTE TUDO PARA FORA

Sem pronunciar uma única palavra, Spencer guiou Hanna para fora do banheiro, passando por um amontoado de jovens. Então, ela notou Aria parada perto do bar, sozinha.

– Você vem também.

Hanna largou a mão de Spencer.

– Eu não vou a lugar nenhum com ela.

– Hanna, você disse para todo mundo que terminou com o Sean! – reclamou Aria. – Preciso ser mais clara?

Hanna cruzou os braços sobre o peito.

– Não significa que era para você vir aqui com ele. Não significa que eu queria que você o *roubasse* de mim.

– Eu não estou roubando nada! – gritou Aria, levantando o punho.

Por um segundo, Spencer ficou preocupada com a possibilidade de Aria tentar bater em Hanna e enfiou seu corpo entre as duas.

– Chega – disse ela. – Vamos parar com isso. Temos que achar a Emily.

Antes que pudessem protestar, ela as arrastou pelas esculturas de gelo, pela fila do caraoquê e pela mesa do leilão de joias. Spencer tinha visto Emily não fazia nem vinte minutos, mas depois ela havia desaparecido. Ela tinha passado por Andrew, que estava sentado a uma mesa longa, iluminada por candelabros, junto com seus amigos. Ele a viu e, então, se virou rapidamente de costas para o pessoal que o acompanhava e se esgoelou bem alto, dando uma risada falsa, obviamente fazendo alguma piadinha a respeito dela. Spencer sentiu uma ponta de remorso. Mas não podia lidar com Andrew naquele momento.

Apertando mais as mãos das meninas, ela andou a passos largos, passando pelas mesas, em direção ao terraço. Jovens estavam reunidos ao redor da fonte, molhando os pés descalços, mas nem sinal de Emily. Na estátua gigante de Pan, Hanna começou a gemer.

– Eu preciso voltar.

– Você não pode voltar ainda. – Spencer empurrou Aria e Hanna de volta à sala de jantar.

– Isso é importante para todas nós. Temos que encontrar Emily.

– Por que isso é tão importante? – perguntou Hanna. – Quem liga para onde ela está?

– Porque sim. – Spencer fez uma pausa. – Ela está aqui com Toby.

– E? – perguntou Aria.

Spencer respirou bem fundo.

– Eu acho que Toby pode tentar machucá-la. Acho que ele quer machucar todas nós.

As meninas ficaram chocadas.

– Por quê? – insistiu Aria, com as mãos nos quadris.

Spencer olhou para o chão. Seu estômago se apertou.

— Eu acho que Toby é A.

— O que a faz pensar isso? — Aria parecia zangada.

— A me enviou uma mensagem — admitiu ela. — Dizendo que todas nós estávamos em perigo.

— Você recebeu uma mensagem? — esganiçou Hanna. — Eu pensei que íamos contar tudo umas para as outras!

— Eu sei. — Spencer encarou os sapatos Louboutins pontudos, de salto. Dentro da tenda, alguns garotos estavam dançando *break* num concurso. Noel Kahn estava tentando fazer um passo de dança chamado *kickworm*, e Mason Byers estava dando rodopiando sobre o traseiro. Aquela não deveria ser uma festa civilizada? — Eu não sabia o que fazer. Eu... na verdade recebi duas mensagens. A primeira dizia que seria melhor se eu *não* contasse pra vocês. Mas a segunda realmente soou como se fosse o Toby... e agora o ele está aqui com a Emily, e...

— Espere, o primeiro recado dizia que nós estávamos encrencadas, e você não fez nada? — perguntou Hanna. Ela não parecia exatamente zangada, apenas confusa.

— Eu não estava certa de que era verdade — explicou Spencer. Ela passou uma das mãos pelos cabelos. — Quer dizer, se eu soubesse...

— Sabe... eu também recebi uma mensagem — confessou Aria, calmamente.

Spencer piscou para ela.

— Recebeu? Era sobre o quê?

— Não... — Aria parecia estar medindo as palavras. — Spencer, por que você estava na academia de ioga na sexta-feira?

— Academia de ioga? — Spencer cerrou os olhos. — O que é que isso tem a ver com...?

— É *um pouco mais* do que uma coincidência — continuou Aria.

— Do que você está falando? — gritou Spencer.

Hanna as interrompeu.

— Aria, seu recado era sobre o Sean?

— Não. — Aria se virou para Hanna e franziu as sobrancelhas.

— Bem, *que pena*! — resmungou Hanna. — Eu tenho um recado de A também, e *era* sobre o Sean! Dizia que ele estava na Foxy com outra garota... *você*!

— Vocês, hein? — advertiu Spencer, não querendo entrar no assunto novamente. Então, ela franziu as sobrancelhas. — Espere. Quando você recebeu essa mensagem, Hanna?

— Esta noite, um pouco mais cedo.

— Então, isso significa... — Aria apontou para Hanna. — Se o seu recado de A dizia que Sean estava na Foxy comigo, quer dizer que A nos viu. O que quer dizer...

— Que A está na Foxy, eu sei — terminou Hanna, lançando um sorriso falso para Aria.

O coração de Spencer deu um pulo. Estava mesmo acontecendo. A estava ali... e A era Toby.

— Vamos. — Spencer as encaminhou para o longo e estreito corredor que levava à sala de leilões. Durante o dia, a sala era entulhada, decorada à maneira típica da Filadélfia, com toneladas de mesinhas baixas, retratos a óleo de homens ricos e mal-humorados, e o comum assoalho barulhento de madeira, mas, à noite, em cada mesa havia uma vela de aromoterapia, e os painéis das paredes estavam decorados com luzes multicoloridas. Quando pararam embaixo de uma luz azul, as garotas ficaram parecendo cadáveres.

— Recapitule tudo para mim, Spencer — pediu Aria, lentamente. — Sua primeira mensagem dizia que você não devia contar para nós. Mas não devia nos contar o quê? Que você recebeu a mensagem? Que A é Toby?

– Não... – Spencer virou-se para encará-las de frente. – Eu não deveria contar para vocês o que eu sabia. Sobre A Coisa com Jenna.

O terror apareceu nos rostos das meninas. *Lá vamos nós*, pensou Spencer. Ela respirou fundo.

– A verdade é que... Toby viu quando Ali acendeu os fogos de artifício. Ele sabe de tudo.

Aria deu um passo para trás e trombou com a mesa. Uma peça de porcelana balançou e, então, caiu, despedaçando-se por todo o chão. Ninguém se mexeu para limpar.

– Você está mentindo – sussurrou Hanna.

– Antes fosse.

– O que você quer dizer? *Toby viu?* – A voz de Aria estava trêmula. – Ali disse que ele não tinha visto.

Spencer apertou as mãos.

– Ele me disse que viu. Para mim e para Ali.

As amigas piscaram para ela, embasbacadas.

– Na noite em que Jenna se machucou, quando eu corri para fora para ver o que estava acontecendo, Toby veio até mim e Ali. Ele disse que viu Ali... acendendo. – A voz de Spencer estava trêmula, ela tivera tantos pesadelos com aquele momento; era surreal estar *revivendo* aquilo. – Ali resolveu tomar uma atitude – continuou Spencer. – Ela disse ao Toby que o havia visto fazendo algo... horrível... e que ia contar para todo mundo. A única maneira de evitar isso seria Toby concordar em levar a culpa. Antes de fugir, ele falou: *Eu vou pegar você.* Mas, no dia seguinte, ele contou à polícia que havia acendido os fogos.

Spencer passou a mão na nuca. Falar aquilo em voz alta a transportou diretamente para a noite da Coisa com Jenna. Ela podia sentir o cheiro de enxofre do rojão estourado e o odor da grama recém-aparada. Ela podia ver Ali, seu cabelo loiro preso em um rabo de cavalo, usando os brincos de pérola em formato de gota que ganhara de aniversário. Ficou com lágrimas nos olhos.

Ela engoliu em seco e prosseguiu.

– A segunda mensagem que A me mandou dizia: *Você me magoou, então, eu vou magoar você também*, e que iria aparecer quando nós menos esperássemos. Um policial foi até a minha casa esta manhã e perguntou sobre Ali mais uma vez, e me ameaçou, agindo como se eu soubesse de alguma coisa que não deveria. Eu achei que Toby estava por trás disso. Agora ele está aqui com a Emily. Estou com medo de que possa machucá-la.

Demorou um tempão para Aria e Hanna responderem. Finalmente, as mãos de Aria começaram a tremer. Uma mancha vermelha subiu por seu pescoço até as bochechas.

– Por que você não nos contou antes? – gritou ela, incerta, para Spencer, procurando pelas palavras. – Quer dizer, teve aquela vez, no sétimo ano, quando eu estive *sozinha* com o Toby, naquele lance de teatro! Ele podia ter me machucado... ou a todas nós... e se ele realmente machucou Ali, nós poderíamos ter ajudado a salvá-la!

– Eu estou enjoada – gemeu Hanna, baixinho.

Lágrimas desceram pelo rosto de Spencer.

– Eu queria contar a vocês, gente, mas estava apavorada.

– O que Ali disse para chantagear Toby, para que ele não contasse o que viu? – perguntou Aria.

– Ali não me falou – mentiu Spencer. Ela se sentia meio supersticiosa quanto a confessar o segredo de Toby, como se assim que contasse, um monte de raios fossem descer pelos céus... ou Toby aparecesse, de modo sobrenatural, depois de ouvir tudo.

Aria olhou para as próprias mãos.

– Toby sabe *de tudo* – repetiu ela.

– E, agora, ele... está *aqui* – falou Spencer. – Ele está aqui. E ele é A.

Aria agarrou o braço de Hanna.

– Vamos.

– Aonde você vai? – perguntou Spencer, nervosamente. Ela não queria Aria fora de sua vista.

Aria virou de volta.

– Nós temos que encontrar Emily – disse, amarga. Ela levantou a barra do vestido e começou a correr.

30

AS PLANTAÇÕES DE MILHO SÃO OS LUGARES MAIS ASSUSTADORES DE ROSEWOOD

Emily tinha se enfiado num quartinho, no fundo do terraço do Kingman Hall, e estava calada, observando todos os fumantes da Foxy. As garotas nos vestidos claros bufantes; os garotos em seus ternos elegantes. Mas quem ela estava observando com mais atenção? Ela não estava certa. Cerrou os olhos com força, então, os abriu bem rápido, e a primeira pessoa que notou foi Tara Kelley, uma aluna do último ano de Rosewood Day. Ela tinha cabelos ruivos, brilhantes, e uma linda pele clara. Emily rangeu os dentes e fechou os olhos novamente. Quando os abriu, viu Ori Case, o jogador de futebol gostosão. Um *cara*. Lá.

Mas, então, não pode deixar de notar os braços finos, parecidos com os de uma girafa, de Rachel Firestein. Chloe Davis fez uma cara sexy e insinuante para seu namorado, o Chad Fulano-de-tal, que fez sua boca ficar linda. Elle Carmichael fez um beicinho tão bonito quanto. Emily sentiu o cheiro do perfume de Michael Kors – ela nunca tinha sentido nada tão delicioso em sua vida. Com exceção de chiclete de banana.

Não podia ser verdade. Não *podia*.

– O que você está fazendo?

Toby estava parado, olhando para ela.

– Eu... – gaguejou Emily.

– Eu estava procurando por você em todos os cantos. Você está bem?

Emily ponderou: estava se escondendo num cantinho de um terraço gelado, usando sua *pashmina* como uma capa de invisibilidade, e fazendo um perigoso jogo de esconde-esconde para testar se gostava de meninos ou meninas. Ela olhou para Toby. Queria explicar o que lhe acontecera. Com Ben, com Maya, com a cartomante – tudo.

– Você vai me odiar pelo que eu vou te pedir, mas... você se importa se formos embora?

Toby sorriu.

– Eu estava com *esperança* que você pedisse isso. – Ele puxou Emily pelos pulsos.

No caminho para a saída, Emily notou Spencer Hastings parada na beira da pista de dança. Spencer estava de costas para Emily, que pensou em ir até ela e dizer oi. Então, Toby puxou sua mão, e ela decidiu não ir. Spencer poderia perguntar alguma coisa sobre A, e ela não estava a fim de falar nada sobre *esse* assunto naquele momento.

Quando o carro deixou o estacionamento, Emily abaixou o vidro da janela. A noite cheirava deliciosamente. A lua estava enorme e cheia, e algumas nuvens começavam a chegar. Estava tão quieto lá fora, Emily podia ouvir os pneus do carro rolando no asfalto.

– Você está bem? – perguntou Toby.

Emily deu um pulinho.

– Sim, estou bem. – Ela deu uma olhada em Toby. Ele disse que ia comprar um terno novo para a festa e ela o estava fazendo ir para casa três horas mais cedo.

– Desculpe, a noite foi uma porcaria.

– Não tem problema – balbuciou Toby.

Emily virou a pequena caixa da Tiffany que estava no seu colo. Ela pegou uma da mesa, antes de sair da tenda, pensando que também podia ter uma lembrancinha da festa.

– Então, tem certeza de que não aconteceu nada? – perguntou Toby. – Você está tão quieta.

Emily assoprou. Ela viu passarem três plantações de milho antes de responder.

– Uma cartomante veio falar comigo.

Toby franziu as sobrancelhas, sem entender nada.

– Ela só disse que alguma coisa ia me acontecer esta noite. Algo que ia mudar minha vida. – Emily tentou simular uma risada. Toby abriu a boca para falar alguma coisa, mas logo a fechou.

– Acontece que acabou se tornando verdade – continuou Emily. – Eu esbarrei naquele cara, o Ben. Aquele que estava no corredor da Tank, que estava... você sabe. De qualquer forma, ele tentou... eu não sei. Acho que ele tentou me machucar.

– O quê?

– Não tem problema. Eu estou bem. Ele só... – O queixo de Emily tremeu. – Eu não sei. Talvez eu tenha merecido.

– Por quê? – Toby cerrou os dentes. – O que você fez?

Emily segurou no laço branco da lembrancinha. Gotas de chuva começaram a cair no para-brisa. Ela tomou fôlego. Ia mesmo dizer aquilo em voz alta?

– Ben e eu éramos namorados. Quando ainda estávamos juntos, ele me pegou beijando outra pessoa. Uma garota. Ele me chamou de lésbica e, quando tentei lhe dizer que eu não era nada disso, ele tentou me fazer provar. Dando um beijo nele e... essas coisas. Era isso que estava acontecendo no vestiário.

Toby se mexeu no assento, desconfortável.

Emily acariciou a gardênia que ele lhe dera para prender no vestido.

— O lance é que talvez eu *seja* lésbica. Quer dizer, eu realmente, tipo, *amei* a Alison DiLaurentis. Mas eu achei que só tivesse amado a Ali, não que eu fosse lésbica. Agora... agora, eu não sei. Talvez Ben esteja certo. Talvez eu *seja* homossexual. Talvez eu devesse simplesmente lidar com isso.

Emily não conseguia acreditar que tudo isso tivesse saído de sua boca. Ela virou-se para Toby. Sua boca estava estática, uma linha impassível. Ela achou que, se tivesse uma hora para ele admitir que havia sido namorado de Ali, seria aquela. Em vez disso, ele disse baixinho.

— Por que você está com tanto medo de admitir isso?

— Porque sim! — Emily riu. Não era óbvio? — Porque eu não quero *ser*... você sabe. Homossexual. — E aí, numa voz baixinha: — Todo mundo vai rir da minha cara.

Eles dirigiram até uma placa que indicava "pare", numa via de mão dupla, deserta. Em vez de parar e depois continuar, Toby desligou o carro. Emily estava intrigada.

— O que nós vamos fazer?

Toby tirou as mãos da direção e encarou Emily por um longo tempo. Tão longo que ela começou a se sentir esquisita. Ele parecia chateado. Ela pôs a mão na nuca, então, se virou e olhou pela janela. A rua estava silenciosa e morta, e, do outro lado, havia outra plantação de milho, uma das maiores de Rosewood. A chuva caía forte agora, e Toby não tinha ligado o limpador de para-brisa, então tudo estava borrado. Ela desejou, inesperadamente, ver um pouco de civilização. Um carro que passasse. Uma casa. Um posto de gasolina. Alguma coisa. Será que Toby estava chateado porque gostava dela, e ela havia sido capaz de quase se assumir? Será que Toby era *homofóbico*? Era com isso que ela teria que lidar, se realmente achasse que era homossexual. As pessoas iam fazer aquilo todos os dias, pelo resto da sua vida.

— Isso nunca chegou a acontecer, chegou? — disse Toby, quebrando o silêncio. — Ninguém nunca riu da sua cara.

— N-Não... — Ela tentou adivinhar o que significava a expressão de Toby, tentando entender a pergunta dele. — Acho que não. Bem, não antes de Ben, de qualquer forma.

Ouviu-se o barulho de um trovão, e ela pulou. Então, viu um raio riscando o céu, alguns quilômetros à frente deles. Tudo ficou iluminado por um instante, e Emily pôde ver Toby franzindo as sobrancelhas, mexendo num dos botões do blazer.

— Ver todas essas pessoas esta noite acabou me fazendo perceber como era difícil viver em Rosewood — disse ele. — A galera costumava me odiar de verdade. Mas, esta noite, todos foram tão gentis... todas as pessoas que me sacaneavam. Foi revoltante. Como se nada nunca tivesse acontecido. — Ele franziu a testa. — Eles não percebem que são uns cretinos?

— Acho que não. — Emily se sentia desconfortável.

Toby olhou para ela.

— Eu vi uma de suas antigas amigas lá. Spencer Hastings.

Um relâmpago caiu de novo, fazendo Emily pular. Toby deu um sorriso malévolo.

— Vocês eram uma turma e tanto, antigamente. Aprontavam com todo mundo. Comigo... com minha irmã...

— Não era de propósito — disse Emily, por instinto.

— Emily. — Toby deu de ombros. — Por que não? Vocês eram as garotas mais populares da escola. Vocês *podiam*. — A voz dele era extremamente sarcástica.

Emily tentou sorrir, com esperança de que aquilo fosse uma brincadeira. Mas Toby não sorriu de volta. Por que estavam falando sobre *esse assunto*? Eles não deveriam estar falando sobre o fato de Emily ser homossexual?

— Desculpe. Nós apenas... éramos tão idiotas. Fazíamos o que Ali queria que fizéssemos. Quer dizer, eu achei que você tivesse superado isso, já que você e Ali ficaram juntos no ano seguinte.

— O quê? — interrompeu-a Toby de imediato.

Emily encostou-se na janela. Seu peito queimava de tanta adrenalina.

— Você... você não estava saindo com a Ali no, hum, sétimo ano?

Toby olhou para Emily, horrorizado.

— Era difícil para mim até olhar para ela — confessou Toby baixinho. — Agora é difícil até mesmo ouvir o nome dela.

Ele colocou as mãos na testa e expirou longamente. Quando se virou para Emily novamente, seus olhos estavam escuros.

— Especialmente depois... depois do que ela fez.

Emily o encarou. Um relâmpago rasgou o céu mais uma vez e o vento ficou mais forte, fazendo a plantação de milho balançar. As folhas pareciam mãos, tentando desesperadamente alcançar alguma coisa.

— Espera aí, o quê? — Ela riu, na expectativa, rezando para que tivesse entendido tudo errado. Apostando que, se ela piscasse, a noite ia se endireitar e voltar ao normal.

— Acho que você me ouviu — disse Toby, num tom seco, sem emoção. — Eu sei que vocês eram amigas, e que você a amava e coisa e tal, mas, pessoalmente, estou feliz que aquela vagabunda esteja morta.

Emily sentiu como se algo tivesse sugado todo o oxigênio de seu corpo. *Alguma coisa vai acontecer com você esta noite. Algo que vai mudar sua vida.*

Vocês aprontavam com todo mundo. Comigo... com minha irmã... É difícil para mim até mesmo ouvir o nome dela. Especialmente depois do que ela fez...

DEPOIS DO QUE ELA FEZ.

Estou feliz que aquela vagabunda esteja morta.

Toby... sabia?

Uma ideia começava a se formar no cérebro de Emily. Toby realmente sabia. Ela estava certa disso, mais certa do que jamais estivera em toda sua vida. Emily sentiu como se sempre soubesse disso, como se isso sempre estivesse bem na sua cara, embora ela tentasse ignorar. Toby sabia o que elas tinham feito com Jenna, mas A não tinha contado para ele. Toby já sabia havia muito tempo. E ele devia ter odiado Ali por causa disso. E teria odiado todas elas se soubesse que estavam envolvidas.

— Ai, meu Deus — sussurrou Emily.

Ela puxou a maçaneta da porta, segurando a saia com as mãos, ao sair do carro. A chuva a pegou imediatamente e os pingos pareciam agulhas. Claro que havia alguma coisa suspeita sobre Toby sendo tão amistoso com ela. Ele queria arruinar a vida de Emily.

— Emily? — Toby desatou o cinto de segurança. — Onde você...

Então, ela ouviu o motor rugir. Toby estava dirigindo estrada abaixo, na sua direção, com a porta do passageiro aberta. Ela olhou para a direita e para a esquerda, e, então, esperando que soubesse onde estava, entrou na plantação de milho, não se importando de estar ensopada.

– Emily! – chamou Toby de novo. Mas Emily continuou correndo.

Toby tinha matado Ali. Toby era A.

31

COMO SE HANNA FOSSE ROUBAR UM AVIÃO... ELA NEM SABIA PILOTAR!

Hanna abriu caminho pela multidão de jovens, na esperança de ver os conhecidos cabelos loiro-avermelhados de Emily. Ela achou Spencer e Aria perto das janelas enormes, conversando com Gemma Curran, colega de Emily na equipe de natação.

— Ela estava com aquele cara da Tate, não é? — Gemma mordeu o lábio e tentou pensar. — Tenho quase certeza de que os vi saindo.

Hanna trocou olhares nervosos com as amigas.

— O que nós vamos fazer? — sussurrou Spencer. — Não temos a menor ideia de para onde eles foram.

— Eu tentei ligar para ela — informou Aria. — Mas o celular só chama e ninguém atende.

— Ai, meu Deus. — Os olhos de Spencer começavam a se encher de lágrimas.

— Bem, o que você esperava? — falou Aria, por entre os dentes. — Foi você quem deixou isso acontecer.

— Eu sei — repetiu Spencer. — Desculpem.

Um estrondo as interrompeu. Todos olharam para fora, para ver as árvores balançando de lado e a chuva torrencial caindo.

– Droga. – Hanna ouviu uma menina perto dela xingando. – Vai estragar todo o meu vestido.

Hanna encarou as amigas.

– Eu sei de alguém que pode nos ajudar. Um policial.

Ela olhou em volta, meio que esperando ver o policial Wilden – o cara que tinha prendido Hanna por roubar uma pulseira da Tiffany e o carro do sr. Ackard, *e* que a livrara dessas encrencas – na Foxy naquela noite. Mas os caras de guarda nas saídas e no leilão de joias eram da equipe de seguranças particulares da Liga de Caça à Raposa – só no caso de alguma coisa devastadora acontecer, eles chamariam a polícia. No ano anterior, um aluno do ensino médio bebeu demais e fugiu com um David Yurman que estava para ser leiloado, e, mesmo assim, tudo o que tinham feito foi deixar uma mensagem discreta na secretária eletrônica da família do garoto, dizendo que gostariam de ter o item de volta no dia seguinte.

– Nós não podemos ir até a *polícia* – gritou Spencer. – Do jeito que aquele policial agiu comigo esta manhã, eu não me surpreenderia se eles achassem que *nós* matamos a Ali.

Hanna olhou para o lustre de cristal no teto. Uma dupla de garotos estava jogando guardanapos nele, tentando fazer os cristais balançarem.

– Mas, quer dizer, sua mensagem dizia basicamente: *Eu vou magoar você*, certo? Isso não é suficiente?

– Está assinado A. E diz que nós o magoamos. Como vamos explicar isso?

– Mas como faremos para ter certeza de que Emily está bem? – perguntou Aria, puxando para cima seu vestido de bolinhas. Hanna notou, amargamente, que o zíper ainda estava meio aberto.

— Talvez devêssemos ir até a casa dela — sugeriu Spencer.

— Sean e eu poderíamos ir agora mesmo — ofereceu-se Aria.

Hanna ficou boquiaberta.

— Você vai contar para *ele*?

— Não — gritou Aria, por cima dos berros de Natasha Bedingfield e da chuva torrencial.

Hanna pôde até ver a claraboia do salão embaçando, nove metros acima de suas cabeças.

— Eu não vou contar nada a ele. Nem sei como explicar isso. Mas ele não vai saber.

— Então, você e o Sean vão para alguma *after-party*? — intrometeu-se Hanna.

Aria olhou para ela com uma expressão enlouquecida.

— Você acha que eu iria para algum lugar depois da festa com tudo isso acontecendo?

— Tudo bem, mas se não tivesse acontecido, você teria ido?

— Hanna. — Spencer colocou a mão fria e fina no ombro dela. — Deixa pra lá.

Hanna rangeu os dentes, pegou um copo de champanhe da bandeja do garçom e entornou. Ela não podia deixar pra lá. Não era possível.

— Você dá uma olhada na casa da Emily — falou Spencer para Aria. — Eu vou continuar ligando pra ela.

— E se nós formos de carro até a casa da Emily e o Toby estiver com ela? — perguntou Aria. — Nós o confrontamos? Quer dizer... se ele *for* A...?

Hanna trocou olhares apreensivos com as outras. Ela queria dar um pé na bunda do Toby — como ele tinha descoberto sobre a Kate? Seu pai? Suas prisões? Que Sean tinha terminado com ela e que ela enfiara o dedo na garganta para vomitar? Como é que ele se atrevia a tentar a acabar com ela?! Mas ela também estava com medo. Se Toby era A – se ele sabia – então realmente ia querer machucá-las. Fazia... sentido.

– Nós deveríamos nos concentrar apenas em ter certeza de que Emily está bem – falou Spencer. – O que vocês acham de, caso não tenhamos notícias dela logo, ligarmos pra polícia e fazer uma denúncia anônima? Poderíamos dizer que vimos o Toby machucando Emily. Nós não teríamos que dar detalhes.

– Se o policial vier procurar por Toby, ele saberá que fomos nós – argumentou Hanna. – Além do mais, e se ele contar sobre a Jenna?

Ela podia se ver numa instituição para menores infratores, usando um macacão laranja e conversando com o pai através de uma parede de vidro.

– Ou o que faremos se ele vier atrás da gente? – quis saber Aria.

– Vamos ter que achá-la antes que isso aconteça – interrompeu Spencer.

Hanna olhou o relógio. Dez e meia.

– Estou fora. – Ela marchou em direção à porta. – Eu ligo pra você, Spencer. – Não disse nada a Aria. Ela nem podia *olhar* para Aria. Ou para o enorme chupão em seu pescoço.

Ao sair, Naomi Zeigler segurou sua mão.

– Han, sobre aquilo que você me disse ontem, no jogo de futebol. – Ela tinha aquele olhar de simpatia de uma apresentadora de televisão. – Existem grupos de apoio para bulímicos. Eu posso ajudar você a achar um.

– Dá o fora – disse Hanna e passou esbarrando nela.

Quando despencou no vagão, completamente encharcada de ter corrido do táxi para o trem, sua cabeça estava pesada. Em cada reflexão, uma nebulosa quimera de si mesma no sétimo ano aparecia de volta. Ela fechou os olhos.

Quando os abriu novamente, o trem tinha quebrado. Todas as luzes estavam apagadas, exceto pelos sinais de saída de emergência que brilhavam no escuro. Só que eles não diziam mais SAÍDA. Diziam: VEJA ISTO.

À sua esquerda, Hanna viu quilômetros de florestas. A lua brilhava, cheia e clara, acima da copa das árvores. Mas não tinha caído uma tempestade, minutos atrás? O trem estava paralelo à Estrada Trinta. A rodovia, normalmente, estaria abarrotada pelo trânsito, mas, naquele momento, não havia um carro sequer aguardando no cruzamento. Ao virar a cabeça para o corredor, para ver como os outros estavam reagindo à quebra do trem, notou que todos os passageiros estavam dormindo.

– Eles não estão dormindo – falou uma voz. – Estão mortos.

Hanna pulou. Era Toby. O rosto dele estava borrado, mas ela sabia que era ele. Vagarosamente, ele levantou de seu assento e caminhou em direção a ela.

O trem apitou, e Hanna acordou com o susto. As luzes fluorescentes eram brilhantes e nada convidativas, como sempre. O trem bufou em direção à cidade; e, do lado de fora, relâmpagos estalavam e dançavam. Quando olhou pela janela, viu um galho de árvore rachar e se espatifar no chão. Duas senhoras de cabelo branco, no banco imediatamente em frente, continuaram comentando sobre os raios, dizendo:

– Ai, Senhor! Esse foi dos grandes!

Hanna pôs os pés em cima do assento, os joelhos perto do peito. Nada como uma confissão avassaladora a respeito de Toby Cavanaugh para chacoalhar seu mundo. E deixá-la paranoica.

Ela não estava certa sobre como encarar as novidades. Não reagia às coisas imediatamente, como Aria; tinha de digeri-las por inteiro. Estava chateada com Spencer por não ter lhe contado nada, sim. E apavorada por causa de Toby. Mas, naquele momento, seus pensamentos insuportáveis giravam em torno de Jenna. Ela sabia, também? Soubera o tempo todo? Saberia que Toby tinha matado Ali?

Hanna tinha visto Jenna depois do acidente – apenas uma vez – e nunca contou às outras. Foi algumas semanas antes de Ali desaparecer, e ela tinha dado uma festa improvisada em sua casa. Todos os alunos mais populares de Rosewood Day compareceram – até mesmo algumas garotas mais velhas do time de Ali de hóquei na grama. Pela primeira vez, Hanna teve uma conversa de verdade com Sean; eles falaram sobre *Gladiador*. Hanna comentou sobre quão assustador o filme era, quando Ali chegou, de mansinho, ao lado deles.

Primeiramente, Ali olhou para Hanna como quem dizia: *Viva! Você finalmente está falando com ele!* Mas aí, quando Hanna disse: "Quando meu pai e eu saímos do cinema, ai, meu Deus, estava tão apavorada que fui direto pro banheiro e vomitei", Ali cutucou Hanna de leve.

– Você tem tido alguns problemas com isso ultimamente, não tem? – brincou ela.

Hanna empalideceu.

– *O quê?* – Aquilo tinha sido pouco tempo depois do lance de Annapolis.

Ali fez questão de atrair a atenção de Sean.

– Esta é a Hanna. – Ela enfiou um dedo na garganta, fingiu engasgar e depois soltou uma gargalhada.

Sean não riu, entretanto. Olhou para as duas, alternadamente, parecendo desconfortável e confuso.

– Eu, hum, tenho que... – Ele se calou e saiu de fininho, em direção aos seus amigos.

Hanna virou-se para Ali, horrorizada.

– *Por que* você fez isso?

– Ai, Hanna! – Ali se virou para ir embora. – Você não aguenta uma brincadeira?

Mas Hanna não aguentava. Não sobre isso. Ela foi pisando duro para o outro lado da varanda da casa de Ali, brava, sua respiração audível. Quando olhou para cima, se viu encarando Jenna Cavanaugh.

Jenna estava parada nos limites da propriedade de sua família, usando grandes óculos escuros e segurando uma bengala branca. Hanna ficou com um nó na garganta. Era como ver um fantasma. *Ela ficou realmente cega*, pensou Hanna. Ela meio que achava que aquilo não tivesse acontecido de verdade.

Jenna estava completamente imóvel no meio-fio. Se ela pudesse ver, estaria olhando para o enorme buraco na lateral do jardim de Ali, que eles estavam cavando para construir um caramanchão que abrigaria uma mesa de vinte lugares – o exato lugar onde, anos depois, os trabalhadores encontrariam o corpo da Ali. Hanna a encarou por um longo tempo, e Jenna a encarou de volta, sem expressão. Foi então que lhe ocorreu. Naquela época, com o Sean, Hanna havia tomado o lugar de Jenna, e Ali tinha tomado o de Hanna. Não havia razão para ela provocar Hanna, senão o fato de que ela *podia*. A percepção do acontecido a pegou tão de surpresa que ela teve de segurar no corrimão para não perder o equilíbrio.

Ela olhou para Jenna mais uma vez. *Desculpe*, falou, apenas movendo os lábios. Jenna, obviamente, não respondeu. Ela não podia ver.

Hanna nunca ficara tão feliz por ver as luzes da Filadélfia – finalmente estava longe de Rosewood e de Toby. Ainda tinha tempo de voltar para o hotel antes que o pai, Isabel e Kate retornassem de *Mamma Mia!* e, talvez, pudesse tomar um banho de espuma. Provavelmente, também haveria algo bom no frigobar. Algo forte. Talvez ela até contasse para Kate o que tinha acontecido, e elas pediriam serviço de quarto e tomariam alguma coisa juntas.

Nossa! *Esse* era um pensamento que Hanna nunca imaginou que pudesse passar por sua cabeça.

Ela encaixou o cartão na porta do quarto, abriu-a, despencou para dentro e... quase trombou no pai. Ele estava parado em frente à porta, falando ao telefone celular.

– Ah! – gritou ela.

O pai se virou.

– Ela está aqui – falou ele ao telefone, e desligou. Olhou friamente para Hanna. – Bom, bem-vinda de volta.

Hanna piscou. Diante do pai estavam Kate e Isabel. Simplesmente... sentadas lá, no sofá, lendo as revistas de turismo da Filadélfia que colocam no quarto.

– Oi – disse ela, com cuidado. Todos estavam olhando para ela. – Kate contou pra vocês? Eu tive que...

– Ir à Foxy? – interrompeu Isabel.

Hanna ficou boquiaberta. Outro clarão de relâmpago do lado de fora a fez pular. Ela se virou desesperada para Kate, que estava com as mãos orgulhosamente dobradas no colo e a cabeça inclinada para o alto. Ela tinha... ela tinha *contado*? Sua expressão indicava que sim.

Hanna sentiu como se o mundo estivesse desabando em sua cabeça.

— Foi... foi uma emergência.

— Tenho certeza de que foi. Eu nem acredito que você está de volta. Nós pensamos que você fosse varar a noite... roubar outro carro, talvez. Ou... ou, quem sabe? Roubar o avião de alguém? Assassinar o presidente?

— Pai... — suplicou Hanna.

Ela nunca havia visto o pai daquele jeito. Sua camisa estava para fora da calça, as meias não estavam completamente esticadas e havia uma mancha atrás de sua orelha. E estava *enlouquecido*. Ele não costumava gritar daquele jeito.

— Eu posso explicar.

O pai apertou as mãos contra a própria testa.

— Hanna... você pode explicar isto também? — Ele procurou algo no bolso. Lentamente, abriu os dedos, um por um. Dentro, havia um pacote de Percocet. Lacrado.

Quando Hanna tentou alcançá-lo, ele fechou a mão em concha.

— Não, você não vai pegar.

Hanna apontou para Kate.

— Ela pegou isso de mim. Ela queria o pacote para ela.

— Você me deu — disse Kate, da mesma forma. Ela ostentava aquele conhecido olhar de *te peguei*, um olhar que dizia: *não pense que você está conseguindo dar um jeitinho de entrar em nossas vidas*. Hanna odiou a si mesma por ter sido tão burra. Kate não tinha mudado. Nem um pouquinho.

— Para que você está usando estes comprimidos, em primeiro lugar? — perguntou o pai. Então, levantou as mãos. — Não.

Esqueça. Eu não quero saber. Eu... – Ele cerrou os olhos. – Eu não sei mais quem você é, Hanna. Eu realmente não sei.

Hanna não conseguiu se conter.

– Bem, é claro que não! – gritou ela. – Você nem sequer se preocupou em falar comigo por quase quatro anos!

Um silêncio pairou sobre o quarto. Todos estavam com medo de se mexer. As mãos de Kate estavam apoiadas na revista. Isabel ficou estática, um dos dedos estranhamente parado no lóbulo da orelha. O pai abriu a boca para falar, mas depois a fechou de novo.

Alguém bateu à porta, e todos pularam.

A sra. Marin estava do outro lado, parecendo toda desarrumada: o cabelo estava molhado e esfiapado, ela não estava muito maquiada e vestia simplesmente camiseta e uma calça jeans, muito diferente dos terninhos que normalmente usava para ir trabalhar.

– Você vem comigo. – Ela semicerrou os olhos ao olhar para Hanna, mas nem olhou para Kate e Isabel. Hanna estava imaginando rapidamente se aquela era a primeira vez que todos se encontravam. Quando a mãe viu o Percocet na mão do sr. Marin, empalideceu.

– Ele me contou sobre *aquilo* enquanto eu estava vindo.

Hanna olhou sobre os ombros para o pai, mas ele tinha abaixado a cabeça. Ele não parecia exatamente desapontado. Apenas parecia... triste. Sem esperança. Envergonhado.

– Pai... – grunhiu ela, desesperada, deixando a mãe para trás. – Eu não tenho que ir, tenho? Pensei que você quisesse saber.

– Tarde demais – disse ele, automaticamente. – Você vai para casa com sua mãe. Talvez ela possa botar algum juízo na sua cabeça.

Hanna teve que rir.

– Você acha que *ela* vai botar juízo na minha cabeça? Ela está... está indo pra cama com o policial que me prendeu na semana passada. É conhecida por chegar em casa às duas da manhã durante a semana. Se eu fico doente e tenho que ficar em casa, diz que não tem problema ligar pra secretaria da escola e fingir que sou ela, pois está muito ocupada, e...

– Hanna – gritou a mãe, agarrando o seu braço.

A cabeça de Hanna estava tão confusa. Ela não sabia se contar aquelas coisas para o pai a estava ajudando ou machucando. Simplesmente se sentia *vitimada*. Por todos. Estava cansada das pessoas passando por cima dela.

– Tem tantas coisas que eu queria contar pra você, mas não posso. Por favor, me deixe ficar. *Por favor*.

A única coisa que se mexia no rosto do pai dela era um pequeno músculo, em cima do pescoço. De resto, seu rosto continuava imóvel e impassível. Ele deu um passo para perto de Isabel e Kate. Isabel segurou a mão dele.

– Boa-noite, Ashley – disse ele para a mãe de Hanna. Para Hanna, não disse absolutamente nada.

32

EMILY NA LINHA DE DEFESA

Emily suspirou aliviada quando descobriu que a porta lateral de sua casa estava aberta. Jogou o corpo encharcado dentro da lavanderia, quase se debulhando em lágrimas pela isolada e descomplicada domesticidade de tudo: a bagunça abençoada de sua mãe! Ponto cruz em cima da lavadora; a fila bem-organizada de sabão em pó, alvejante e amaciante na prateleira, as galochas verdes de borracha que o pai usava para trabalhar no jardim perto da porta.

O telefone tocou, soando como um grito. Emily apanhou uma toalha da pilha de roupa suja, enrolou-a em volta dos ombros e, cedendo à tentação, pegou a extensão sem fio do telefone.

– Alô? – Até o som de sua própria voz pareceu assustador.

– Emily? – Era uma voz séria e familiar do outro lado da linha.

Emily franziu as sobrancelhas.

– Spencer?

— Ai, meu Deus – sussurrou Spencer. – Nós estávamos procurando por você. Você está bem?

— Eu... eu não sei – respondeu Emily, tremendo.

Ela havia corrido loucamente pela plantação de milho. A chuva tinha feito rios de lama entre as fileiras. Um de seus sapatos havia saído do pé, mas ela continuou andando e, naquele momento, a parte de trás do vestido e suas pernas estavam imundas. O fundo da plantação dava no bosque atrás de sua casa, e ela também tinha atravessado a pequena extensão de floresta. Escorregou duas vezes na grama molhada, ralando o cotovelo e o quadril e, em algum momento, um raio caiu numa árvore a seis metros dela, jogando galhos no chão com violência. Ela sabia que era perigoso ficar ali fora no meio de uma tempestade, mas não podia parar, com medo de que Toby estivesse bem atrás dela.

— Emily, fique onde está – instruiu Spencer. – E fique longe do Toby. Eu explico tudo depois, mas, por agora, apenas tranque a porta e...

— Eu acho que o Toby é A – interrompeu Emily, sua voz, um sussurro arranhado e trêmulo. – E acho que ele matou Ali.

Houve uma pausa.

— Eu sei. Eu também acho.

— *O quê?* – gritou Emily.

Um clarão de relâmpago iluminou o céu, fazendo Emily encolher-se. Spencer não respondeu. A linha estava muda.

Emily colocou o telefone em cima da secadora. Spencer *sabia*? Isso fez a revelação de Emily ainda mais real – e muito, muito mais assustadora.

Então, ela ouviu uma voz:

— Emily! Emily?

Ela congelou. Soava como se estivesse vindo da cozinha.

Ela voou pra lá e viu Toby olhando pra dentro, as mãos contra a porta de vidro. A chuva havia encharcado seu terno e emplastrado seu cabelo, e ele estava tremendo. Seu rosto estava na sombra.

Emily gritou.

– Emily! – chamou Toby novamente. Ele virou a maçaneta, mas Emily rapidamente trancou-a.

– Vá embora! – gritou ela. Ele podia... podia queimar a casa toda. Entrar. Sufocar Emily enquanto ela dormia. Se ele pôde matar Ali, era capaz de qualquer coisa.

– Estou todo ensopado – falou Toby. – Me deixa entrar.

– Eu... Eu não posso falar com você. Por favor, Toby, *por favor*. Apenas me deixe em paz.

– Por que você fugiu de mim? – Toby olhava para dentro da casa, confuso. Ele também estava gritando, pois a chuva estava muito forte. – Eu não estou certo do que aconteceu lá no carro. Eu fiquei apenas... simplesmente fiquei meio confuso ao ver toda aquela gente. Mas isso foi há muitos anos. Desculpe.

A suavidade da voz dele tornou tudo muito pior. Ele tentou a maçaneta de novo, e Emily gritou:

– Não!

Toby parou, e Emily começou a procurar por algo que pudesse usar como arma. Um prato de frango pesado de cerâmica. Uma faca de cozinha cega. Talvez ela pudesse caçar a chapa dentro do armário...

– Por favor.

Emily estava tremendo muito, suas pernas estavam bambas.

– Apenas vá embora.

– Pelo menos me deixe entregar sua bolsa. Está no meu carro.

— Pode pôr na caixa do correio.

— Emily, não seja ridícula. — Toby começou a bater na porta, nervosamente. — Venha aqui agora e me deixe entrar!

Emily pegou a pesada travessa de frango da mesa da cozinha. Ela a segurou diante de si como um escudo.

— Vá embora!

Toby tirou o cabelo molhado do rosto.

— As coisas que eu disse no carro... saiu tudo errado. Desculpe se falei algo que...

— Tarde demais — interrompeu-o Emily. Ela fechou os olhos, apertando-os bem. Tudo que queria era abri-los novamente e que tudo fosse apenas um sonho.

— Eu sei o que você fez com ela.

Toby endureceu.

— Espere aí. *O quê?*

— Você me ouviu — disse Emily. — Eu... sei... o... que... você... fez... com... ela.

Toby ficou boquiaberto. A chuva caía mais forte, fazendo com que os olhos dele parecessem buracos vazios.

— Como você poderia saber disso? — Sua voz trêmula. — Ninguém... ninguém sabia. Foi... foi há muito tempo, Emily.

Emily ficou boquiaberta. Como assim? Ele pensava que era tão esperto que sairia *ileso* daquela?

— Acho que seu segredo vazou.

Toby começou a andar para lá e para cá do lado de fora da casa de Emily, passando os dedos pelo cabelo.

— Mas, Emily, você não entende, eu era muito *jovem*. E... e confuso. Eu gostaria de não ter feito aquilo...

Emily sentiu um enorme remorso. Ela não queria que Toby fosse o assassino de Ali. O jeito meigo com que ele a havia ajudado a sair do carro, como ele a tinha defendido na frente do Ben, quão perdido e vulnerável ele tinha parecido quando ela botou os olhos nele, parado sozinho na pista de dança da Foxy. Talvez ele realmente estivesse arrependido do que fizera. Talvez estivesse apenas confuso.

Mas aí Emily se lembrou da noite em que Ali desapareceu. Estava tão bonito lá fora, o início perfeito para o que seria um verão perfeito. Elas tinham planejado ir pra Jersey Shore no final de semana seguinte, tinham ingressos para ir ao show do No Doubt em julho, e Ali ia dar uma enorme festa para comemorar seus treze anos em agosto. Foi tudo por água abaixo no instante em que Ali entrou no celeiro da família de Spencer.

Toby deve ter entrado por trás. Talvez tenha batido nela com alguma coisa. Talvez tenha dito coisas para ela. Quando ele a jogou no buraco, ele deve ter... coberto ali com terra para que ninguém a encontrasse. Será que foi assim que aconteceu? E depois que Toby a machucou, teria pego sua bicicleta, pedalado para casa e se escondido? Ele teria assistido a todo o mundo lendo o jornal, com um balde de pipoca de micro-ondas no colo, como se fosse um filme da HBO?

Estou feliz que aquela vagabunda esteja morta. Emily nunca tinha ouvido nada tão horrível em sua vida.

– Por favor! – gritou Toby. – Eu não consigo passar por tudo isso de novo. E nem a...

Ele nem sequer conseguiu terminar a frase. Então, de repente, cobriu o rosto com as mãos e correu para ir embora, de volta ao bosque, no quintal da casa dela.

Tudo ficou quieto. Emily olhou ao redor. A cozinha estava impecável – os pais tinham ido passar o final de semana em Pittsburgh para visitar a avó, e sua mãe sempre fazia uma limpeza maníaca antes de partir. Carolyn ainda estava fora, com Topher.

Emily estava completamente sozinha.

Ela correu para a porta da frente. Estava trancada, mas ela passou o trinco para se sentir mais protegida. Torceu o cadeado para checar se estava de fato fechado. Então, se lembrou da porta da garagem: o controle estava quebrado, e o pai ainda não tinha consertado. Alguém forte o suficiente poderia levantar a porta da garagem sozinho.

E aí ela se deu conta. Toby estava com sua bolsa. O que significava que... ele estava com suas *chaves*.

Ela pegou o telefone na sala e ligou para a polícia. Mas não ouviu nenhum ruído no fone. Ela desligou e esperou pelo sinal, mas não havia nenhum. Emily sentiu os joelhos amolecerem. A tempestade devia ter danificado as linhas telefônicas.

Ela ficou congelada no corredor por alguns instantes, com o queixo tremendo. *Será que Toby arrastara Ali pelos cabelos? Será que ela estava viva quando ele a jogou naquele buraco?*

Ela correu para a garagem e olhou ao redor. No canto, estava seu velho taco de beisebol. Pareceu muito forte e pesado em suas mãos. Satisfeita, deslizou para fora, na varanda da frente, trancou a porta atrás de si com as chaves reserva da cozinha, e sentou gentilmente no balanço da varanda, na sombra, com o taco no colo. Estava muito frio lá fora, e ela podia ver uma aranha gigantesca fazendo uma teia no outro canto da varanda. Aranhas sempre a haviam apavorado, mas tinha de ser forte. Não deixaria Toby machucá-la também.

33

QUEM É A IRMÃ DESOBEDIENTE AGORA?

Na manhã seguinte, Spencer voltou para o quarto depois de tomar um banho e notou que a janela estava aberta, toda aberta mesmo, erguida uns sessenta centímetros. As cortinas balançavam com o vento.

Ela correu até a janela, com um nó na garganta. Embora tivesse se acalmado depois de ter conseguido falar com Emily na noite anterior, isso era esquisito. Os Hastings *nunca* abriam os vidros, pois mariposas poderiam entrar e estragar os tapetes caríssimos. Ela fechou a janela. Muito nervosa, verificou embaixo da cama e no guarda-roupa. Não havia ninguém.

Quando o Sidekick tocou, ela quase pulou para fora das calças do pijama de seda. Achou o telefone enterrado no vestido que usou na Foxy, ela o havia tirado na noite passada e deixado numa pilha no chão – algo que a velha Spencer Hastings nunca teria feito. Era um e-mail do Lula Molusco.

Cara Spencer, obrigado por entregar as questões do seu trabalho adiantadas. Eu li e estou muito contente. Vejo você na segunda. —Sr. McAdam

Spencer pulou de volta na cama, seu coração batia, lentamente, mas com força.

Pela janela do quarto, ela podia ver um dia lindo, um delicioso domingo de setembro. O cheiro das maçãs pairava no ar. Sua mãe, usando um chapéu de palha e calças jeans com as barras dobradas, caminhava para o fundo do quintal com o tesourão para podar os arbustos.

Ela não conseguia lidar com isso... com toda a calmaria. Pegou o celular e apertou a discagem rápida para o número de Wren. Talvez eles pudessem se encontrar mais cedo. Ela precisava se livrar de Rosewood. O telefone tocou algumas vezes; então, veio o bipe que indicava bateria fraca. Demorou alguns segundos para Wren dizer alô.

– Sou eu – gemeu Spencer.

– Spencer? – Wren soou grogue.

– Sim. – Seu humor mudou para irritação. Ele não reconheceu sua voz?

– Posso ligar depois? – Wren bocejou. – Desculpe... ainda estou dormindo.

– Mas... eu preciso falar com você.

Ele suspirou.

Spencer assumiu um tom mais dócil.

– Desculpe. Você pode, *por favor*, falar comigo agora? – Ela caminhava pelo quarto. – Preciso ouvir uma voz conhecida.

Wren estava quieto. Spencer até verificou a tela de seu aparelho para ter certeza de que a ligação não tinha caído.

— Olha só – disse ele, finalmente. – Não é a coisa mais fácil de dizer, mas... não acho que isso vá funcionar.

Spencer esfregou as orelhas.

— O quê?

— Eu achei que ia ser legal. – Wren soava entorpecido. Quase robótico. – Mas acho que você é muito nova para mim. Eu simplesmente... não sei. Parece que estamos em lugares diferentes.

O quarto ficou borrado e, então, turvo. Spencer apertou tanto o telefone que as juntas dos dedos ficaram brancas.

— Espere. *O quê?* Nós estivemos juntos no outro dia, e estava tudo bem.

— Eu sei. Mas... Deus, isso não é fácil... eu comecei a sair com outra pessoa.

Por alguns segundos, o cérebro de Spencer desligou. Ela não fazia ideia de como responder. Tinha certeza de que não estava nem respirando.

— Mas eu transei com você – sussurrou ela.

— Eu sei. Desculpe. Mas acho que é melhor assim.

Melhor... para quem? No fundo, Spencer podia ouvir a cafeteira de Wren apitando para indicar que o café estava pronto.

— Wren... – suplicou ela. – Por que você está fazendo isso?

Mas ele já havia desligado.

O visor do telefone indicava LIGAÇÃO ENCERRADA. Spencer o contemplou, segurando-o com o braço esticado.

— Oi!

Spencer se assustou. Melissa estava parada na porta. Vestindo uma camiseta J. Crew de tecido amarelo e shorts Adidas laranja. Parecia irradiar raios de sol.

— Como foi?

Spencer piscou.

— Hein?
— A Foxy! Foi legal?

Spencer tentou disfarçar o seu turbilhão de emoções.

— Hum, sim, foi divertida.

— Eles fizeram um leilão de joias feias este ano? Como está o Andrew?

Andrew? Ela queria ter explicado tudo para Andrew, mas Toby tinha entrado no meio. Spencer havia saído da Foxy pouco depois de ter descoberto que Emily estava bem, tomando um dos táxis que zuniam pela rotatória do Kingman Hall. Seus pais tinham reativado seus cartões de crédito, então, podia pagar para volta pra casa.

Pensar em como Andrew estaria se sentindo naquele dia a fez tremer. Eles deviam estar se sentindo da mesma forma – postos de lado, descartados. Mas o que acontecera entre eles havia sido uma coisa boba. Spencer e Wren tinham tido algo sério... Andrew estava delirando se achava que ele e Spencer tinham estado juntos para valer.

Os olhos de Spencer se escancararam. *Ela* também estaria delirando, pensando que estava mesmo com Wren? Que tipo de sacana dispensa alguém pelo telefone?

Melissa sentou-se ao seu lado na cama, esperando ansiosamente por uma resposta.

— Andrew foi legal. — O cérebro de Spencer parecia mais lerdo que nunca. — Ele... bem... é... hum... cavalheiro.

— O que tinha pra jantar?

— Hum, codorna — mentiu Spencer. Ela não fazia a menor ideia.

— E foi romântico?

Spencer rapidamente tentou imaginar umas cenas românticas com Andrew. Compartilhando o aperitivo. Dançando ao som de Shakira. Ela se controlou. Para que fazer isso? Já não importava mais.

O cérebro dela começou a desenevoar. Melissa estava sentada ali, tentando docemente fazer um esforço para consertar as coisas. O jeito como ela tinha se interessado pela Foxy, a maneira como implorara a seus pais para a perdoarem... e Spencer a tinha recompensado roubando Wren e afanando seu velho relatório de economia. Nem mesmo Melissa merecia aquilo.

– Eu tenho uma coisa para te contar – desembuchou Spencer. – Eu... eu vi Wren.

Melissa não deu um pio, por isso Spencer continuou:

– Esta semana toda. Fui ao novo apartamento dele, na Filadélfia, conversamos pelo telefone e tudo mais. Mas... acho que está tudo acabado agora.

Ela se curvou em posição fetal, protegendo-se para quando Melissa começasse a bater nela.

– Você pode me odiar. Quer dizer, eu não a culparia. Pode ir contar à mamãe e ao papai, para eles me expulsarem de casa.

Melissa calmamente abraçou o travesseiro listrado de Spencer contra o peito e levou um tempão para responder.

– Tudo bem. Eu não vou contar nada. – Melissa se encostou de volta. – Na verdade, eu tenho uma coisa pra contar a *você*. Lembra-se de sexta à noite, quando você não conseguia achar o Wren? De quando você deixou cinco mensagens?

Spencer a encarou.

– C-Como é que você sabe disso?

Melissa deu um sorriso satisfeito. Um sorriso que, de repente, deixou tudo muito claro. *Estou saindo com outra pessoa*, Wren tinha dito. *Não pode ser*, pensou Spencer.

– Porque Wren não estava na Filadélfia – respondeu Melissa friamente. – Estava aqui, em Rosewood. Comigo.

Ela levantou-se da cama, colocou o cabelo atrás das orelhas e Spencer viu o chupão no pescoço de Melissa, praticamente no mesmo lugar em que o seu tinha estado. Melissa não poderia deixá-lo mais aparente nem que o tivesse contornado com caneta marca-texto.

— Ele contou pra você? — conseguiu dizer ela. — Você sabia, o tempo todo?

— Não, só descobri na noite passada. — Melissa passou a mão no queixo. — Digamos que eu recebi uma denúncia anônima de uma pessoa preocupada.

Spencer segurou a sua colcha. A.

— De qualquer forma — anunciou Melissa —, eu estava com Wren na noite passada também, quando você estava na Foxy. — Ela abaixou a cabeça até Spencer, com aquele mesmo olhar de desdém que ela dava quando brincavam de rainha, antigamente, quando eram pequenas. As regras do jogo nunca mudaram: Melissa era sempre a rainha, e Spencer sempre tinha que fazer o que ela mandava. *Faça minha cama, súdito leal*, Melissa dizia. *Beije meus pés. Você será minha para sempre.*

Melissa deu um passo em direção à porta.

— Mas eu decidi esta manhã. Não disse a ele ainda, mas Wren, realmente, não é pra mim. Então, nunca mais o verei de novo. — Ela fez uma pausa, mediu suas palavras e então deu um sorriso falso. — E pelo jeito que as coisas estão indo, acho que você também não vai vê-lo nunca mais.

34

VÊ? NO FUNDO, HANNA
É REALMENTE UMA BOA MENINA

A primeira coisa que Hanna ouviu na manhã de domingo foi alguém cantando uma música de Elvis Costello chamada "Alison".

"Aaaaalison, I know this world is KILLING you!": Alison, sei que este mundo está te matando. Era um cara, com uma voz estridente e irritante como um cortador de grama cantando. Hanna jogou as cobertas para longe. Seria a TV? Seria alguém lá fora?

Quando se levantou, sua cabeça parecia cheia de algodão-doce. Ela viu a jaqueta Chloé que tinha usado na noite passada jogada em cima de sua cadeira, e a lembrança de tudo voltou numa enxurrada.

Depois de a mãe tê-la buscado no Four Seasons, elas voltaram para casa num silêncio sepulcral. Quando pararam na entrada, a sra. Marin puxou o freio de mão do Lexus e correu desconjuntada para dentro de casa, trôpega de raiva. Quando Hanna se aproximou, a mãe bateu a porta na cara dela, com um estrondo forte. Hanna ficou para trás, chocada. Tudo bem, então, ela revelara o pior aspecto de suas habilidades maternais, o que provavelmente não tinha sido uma boa tática. Mas a mãe estava mesmo trancando-a lá fora?

Hanna bateu na porta, e a sra. Marin abriu uma fresta. Suas sobrancelhas estavam franzidas.

– Ah, desculpe, você quer entrar?

– S-Sim – piou Hanna.

Sua mãe gargalhou.

–Você está realmente querendo me insultar e me desrespeitar na frente do seu pai, mas não é orgulhosa demais para morar aqui?

Hanna tinha tentado balbuciar um pedido de desculpas, mas a mãe foi embora, pisando com força. Entretanto, deixou a porta aberta. Hanna pegou Dot e correu para o seu quarto, traumatizada demais até para chorar.

Ohhhhhhh, Aaaaalison...I know this world is KILLLing YOU!

Hanna foi até a porta nas pontas dos pés. A cantoria vinha de dentro de casa. Suas pernas começaram a tremer. Somente um louco seria idiota o suficiente pra cantar aquela música em Rosewood nesse momento. A polícia poderia prender alguém só por cantarolá-la em público.

Seria *Toby*?

Ela endireitou a camisola amarela e entrou na sala. Na mesma hora, a porta do banheiro se abriu e de lá saiu um cara.

Hanna tampou a boca com a mão. O cara estava com uma toalha – *sua* toalha fofa da Pottery Barn – enrolada na cintura. Seus cabelos escuros estavam arrepiados. Um grito silencioso ficou preso na garganta de Hanna.

E aí, ele se virou e a encarou. Hanna deu um passo para trás. Era Darren Wilden. O *policial* Darren Wilden.

— Ei. — Ele estacou. — Hanna.

Era difícil não admirar seu abdome perfeito. Ele, definitivamente, não era o tipo de policial que comia rosquinhas.

— Por que você está *cantando* isso? — perguntou ela finalmente.

Wilden parecia envergonhado.

— Às vezes, não percebo que estou cantando.

— Eu achei que você... — Hanna parou de falar.

O que diabos Wilden estava *fazendo* ali? Mas aí ela se deu conta. Claro. Sua mãe. Ela passou a mão no cabelo, embora isso não a acalmasse. E se tivesse sido Toby? O que ela poderia ter feito? Provavelmente, estaria morta.

— Você... você precisa usar aqui? — Wilden apontou para o banheiro cheio de vapor. — Sua mãe está no dela.

Hanna estava muito chocada para responder. Então, antes de saber exatamente o que estava fazendo, desembuchou.

— Eu tenho uma coisa pra contar. Uma coisa importante.

— Como? — Uma gota de água caiu de um fio de cabelo de Wilden direto no chão.

— Eu acho que sei de umas coisas sobre... sobre quem matou Alison DiLaurentis.

Wilden levantou uma das sobrancelhas.

— Quem?

Hanna lambeu os lábios.

— Toby Cavanaugh.

— Por que você acha isso?

— Eu... eu não posso contar por quê. Você tem que confiar na minha palavra.

Wilden franziu as sobrancelhas e se apoiou no batente da porta, ainda seminu.

—Você vai ter que me contar um pouco mais do que isso. Você poderia estar tentando se vingar de um cara que te magoou.

Nesse caso eu teria dito Sean Ackard, pensou Hanna, amargamente. Ela não sabia o que fazer. Se contasse a Wilden sobre A Coisa com Jenna, seu pai a odiaria. Todos em Rosewood iam comentar. Ela e suas amigas iriam parar em um reformatório.

Mas não contar o segredo por causa do seu pai – e do restante de Rosewood – não fazia mais sentido. Toda sua vida estava destruída, e, além disso, era verdade que fora ela quem machucara Jenna. Naquela noite, pode ter sido um acidente, mas Hanna a machucara muitas vezes de propósito.

– Eu vou contar – disse ela, devagar. – Mas não quero mais ninguém envolvido. Só... só eu, se alguém tiver que estar. Tudo bem?

Wilden levantou a mão.

– Não tem importância. Nós verificamos Toby quando Alison desapareceu. Ele tem um álibi perfeito. Não pode ter sido ele.

Hanna bufou.

– Ele tem um álibi? *Quem?*

– Eu não posso contar isso. – Wilden pareceu sério por um momento, mas aí os cantos de sua boca se curvaram para cima num sorriso. Ele apontou para as calças de flanela E&F com desenho de alce. – Você fica uma graça de pijaminha.

Hanna curvou os dedos dos pés no carpete. Ela sempre odiou a palavra *pijaminha*.

– Espera aí, você tem *certeza* de que Toby é inocente?

Wilden estava quase respondendo, mas seu radiocomunicador, que estava na beirada da pia do banheiro, fez uns barulhos e ele se virou para pegá-lo, mantendo a mão na toalha em volta da cintura.

– Casey?

– Apareceu outro corpo – respondeu uma voz entrecortada. – E é de... – A transmissão transformou-se em estática.

O coração de Hanna estava galopando novamente. *Outro corpo?*

– Casey? – Wilden estava abotoando a camisa do uniforme. – Você pode repetir? Alô? – Mas só conseguiu barulhos de estática como resposta. Ele notou Hanna ainda parada ali.

– Vá para o seu quarto.

Hanna se eriçou. Que coragem a dele, de falar com ela como se fosse seu pai!

– E o outro corpo? – sussurrou ela.

Wilden pôs o rádio de volta no balcão, colocou as calças em um segundo, e tirou a toalha da parte de baixo, jogando-a no chão do mesmo modo que Hanna tinha feito tantas vezes.

– Acalme-se – ordenou ele. Sua gentileza se fora. Ele pôs a arma no coldre e correu escada abaixo.

Hanna o seguiu. Spencer tinha ligado na noite passada para dizer que Emily estava bem – mas e se ela estivesse enganada?

– É o corpo de uma menina? Você sabe?

Wilden saiu quase correndo pela porta da frente. Na saída, perto do Lexus cor de champanhe da mãe, estava sua viatura. Polícia de Rosewood estava escrito em letras garrafais, na lateral. Hanna admirou-se. O carro teria estado lá durante a noite toda? Os vizinhos conseguiriam vê-lo da rua?

Hanna o seguiu até a viatura.

– Será que agora você pode me dizer de quem é o corpo?

Ele olhou em volta.

– Eu não posso contar isso para você.

– Mas... você não entende...

– Hanna – Wilden não a deixou terminar –, diga à sua mãe que eu telefono depois. – Ele entrou na viatura e ligou a sirene. Se antes os vizinhos não sabiam ao certo se ele estivera lá, agora eles tinham certeza.

35

ENTREGA ESPECIAL

Domingo, às 11:52, Aria sentou na sua cama, olhando para as unhas pintadas de vermelho. Ela se sentia ligeiramente desorientada, como se estivesse esquecendo algo... algo grande. Como naqueles sonhos que tinha de vez em quando, em que era junho e ela se dava conta de que não tinha ido para as aulas de matemática o ano todo e de que ia tomar pau.

Aí, se lembrou. Toby era A. E hoje era domingo. Seu tempo tinha acabado.

Dar um nome e um rosto à vingança de A a apavorava – assim como o fato de que Ali e Spencer *estavam* escondendo algo, algo que poderia ser muito, *muito* sério. Aria ainda não fazia a menor ideia de como Toby tinha descoberto sobre Byron e Meredith, mas se ela os flagrou juntos duas vezes, outros poderiam tê-los visto juntos, também – inclusive Toby.

Ela não tinha intenção de contar a Ella sobre tudo que acontecera na noite anterior. Quando Sean a deixou em casa, perguntou repetidas vezes se deveria entrar com ela. Mas Aria disse que não – tinha que fazer aquilo sozinha. A casa estava escura e quieta, o único som era o barulho do lava-louças, no modo superlavagem. Aria tinha procurado as luzes da entrada, e aí, seguira pela cozinha escura nas pontas dos pés. Normalmente, a mãe ficava acordada até uma ou duas da manhã no sábado à noite, fazendo Sudoku ou debatendo com Byron à mesa, tomando café descafeinado. Mas a mesa estava impecável; ela podia ver as marcas circulares da esponja na superfície.

Aria então dera um pulo no quarto dos pais, imaginando se Ella tinha caído no sono mais cedo. A porta estava escancarada. A cama estava desfeita, mas não havia ninguém nela. O banheiro da suíte também estava vazio. Então, Aria percebeu que o Honda Civic dos pais não estava na entrada.

Aí, ela os esperou nos degraus da escada, olhando ansiosamente para o relógio a cada trinta segundos até meia-noite. Possivelmente, os pais eram as únicas pessoas no universo que não tinham telefones celulares, então, não podia ligar para eles. Isso significava que Toby também não podia ligar para eles... ou ele tinha achado outro meio para se comunicar?

E então... ela acordara ali em cima, na própria cama. Alguém deve tê-la carregado, e Aria, que dormia feito pedra, não notou nada.

Ela ouviu barulhos no andar de baixo. Gavetas abrindo e fechando. O assoalho de madeira rangendo debaixo dos pés de alguém. Páginas de jornal sendo viradas. Será que seus pais estariam lá embaixo, ou apenas um deles? Ela foi, nas pontas dos pés, lá para baixo, um bilhão de cenas passando por sua cabeça... Aí ela viu: pequenas gotas vermelhas, por todo o chão da entrada. Havia uma trilha que vinha da cozinha até a porta de entrada.

Parecia sangue.

Aria correu para a cozinha. Toby teria contado para a mãe, e Ella, num acesso de raiva, teria matado Byron? Ou Meredith? Ou Toby? Ou todo mundo? Ou Mike teria matado a todos? Ou... ou Byron teria matado Ella? Quando chegou à cozinha, Aria estacou.

Ella estava à mesa, sozinha. Usava uma blusa vinho, saltos altos e maquiagem, como se estivesse pronta para sair. O *New York Times* estava dobrado na página das palavras cruzadas, mas, em vez de letras dentro dos quadrados, a página estava cheia de rabiscos grossos em tinta preta. Ella olhava para a frente, meio vagamente, pela janela da cozinha, apertando os dentes de um garfo contra a palma de sua mão.

– *Mãe* – grunhiu Aria, chegando mais perto. Só então, Aria percebeu que a blusa estava amassada e a maquiagem parecia borrada. Era como se ela tivesse dormido com aquelas roupas... ou não tivesse nem dormido. – Mãe? – perguntou Aria novamente, sua voz com um tom de medo.

Por fim, a mãe olhou para ela, lentamente. Os olhos de Ella estavam pesados e úmidos. Ela enfiou o garfo bem fundo na mão. Aria queria tirá-lo dela, mas ficou com medo. Nunca tinha visto a mãe daquele jeito.

– O que está acontecendo?

Ella engoliu em seco.

– Oh... você sabe.

Aria engoliu em seco.

– O que é... essa coisa vermelha na sala?

– Coisa vermelha? – perguntou Ella, desconsolada. – Ah. Talvez seja tinta, eu joguei fora uns materiais de pintura de manhã, joguei um monte de coisa fora esta manhã.

— Mãe. — Aria podia sentir as lágrimas em seus olhos. — Tem alguma coisa errada?

A mãe olhou para cima. Seus movimentos eram lentos, como se ela estivesse embaixo d'água.

— Faz quatro anos que você sabe.

Aria prendeu a respiração.

— O quê? — sussurrou.

—Você é *amiga* dela? — perguntou Ella, ainda com a mesma voz morta. — Ela não é muito mais velha que você. E ouvi dizer que você foi à academia de ioga dela, no outro dia.

— O *quê*? — sussurrou Aria. — *Academia de ioga?* Não sei do que você está falando!

— É claro que sabe. — Ella deu o sorriso mais triste que Aria jamais havia visto. — Eu recebi uma carta. Primeiro, não acreditei, mas depois perguntei ao seu pai. E pensar que achei que ele estava distante por causa de trabalho.

— O *quê?* — Aria deu um passo para trás. Sua visão começou a escurecer. — Você recebeu uma *carta?* Quando? Quem mandou?

Pelo jeito ausente e frio com o qual Ella a olhava, Aria sabia exatamente quem tinha mandado a carta. *A. Toby.* E ele tinha contado tudo a ela.

Aria pôs as mãos na testa.

— Eu sinto muito. Eu... eu queria te contar, mas estava com tanto medo e...

— Byron foi embora — disse Ella, quase que de maneira casual. — Ele está com a garota. — Ela deixou escapar uma risadinha. — Talvez, eles estejam fazendo *ioga* juntos.

— Eu tenho certeza de que nós conseguiremos convencê-lo a voltar. — Aria engasgou em lágrimas. — Quer dizer, ele tem que voltar, certo? Nós somos a família dele.

Naquele momento, o relógio cuco da cozinha bateu meio-dia. O relógio havia sido um presente de Byron para Ella no décimo segundo aniversário de casamento deles, no ano anterior, na Islândia; Ella estava muito interessada na peça, pois supostamente pertencera a Edvard Munch, o famoso pintor norueguês que fez *O Grito*. Ela o havia trazido cuidadosamente consigo no avião, constantemente tirando o plástico bolha para ver se o relógio estava intacto. A partir de então, eles sempre tinham de ouvir as doze badaladas e ver aquele passarinho idiota sair da casinha de madeira doze vezes. Cada piado soava cada vez mais acusador. Em vez de cuco, o passarinho cantarolava: *Você sabia. Você sabia. Você sabia.*

— Ah, Aria — falou Ella, com ar de censura. — Eu não acho que ele vá voltar.

— Onde está a carta? — perguntou Aria, seu nariz escorrendo. — Posso ver? Eu não sei quem faria isso conosco... quem estragaria as coisas desse jeito.

Ella a encarou. Seus olhos estavam cheio de lágrimas e também enormes.

— Eu joguei a carta fora. Mas não importa quem mandou. O que importa é que é *verdade*.

— Eu sinto muito. — Aria ajoelhou-se perto dela, sentindo o cheiro engraçado e familiar de sua mãe: terebentina, tinta de jornal, incenso de sândalo e, estranhamente, ovos mexidos. Ela colocou sua cabeça no ombro da mãe, mas Ella a afastou.

— Aria — disse ela, diretamente, ficando de pé. — Eu não consigo ficar perto de você agora.

— O quê? — gritou Aria.

Ella não estava olhando para ela, mas para sua mão esquerda, a qual, Aria notou, de repente, não estava mais com a aliança de casamento.

Ela passou por Aria e seguiu, como um fantasma para a sala e pelo rastro de tinta vermelha até as escadas.

— Espere — gritou Aria, indo atrás dela.

Ela cambaleou escada acima, mas tropeçou num par de tacos de lacrosse do Mike, bateu o joelho e escorregou dois degraus.

— Maldição — xingou, raspando o carpete com as unhas. Ela se levantou e chegou lá em cima arfando de raiva. A porta do quarto de sua mãe estava fechada. Assim como a porta do banheiro. A porta do quarto de Mike estava aberta, mas ele não estava lá. *Mike*, pensou Aria, seu coração partido novamente. Ele sabia?

Seu celular começou a tocar. Aturdida, foi até o quarto para procurá-lo. Sua cabeça estava uma bagunça. Ainda estava arfando. Ela quase queria que a ligação fosse de A — Toby — para poder falar bastante. Mas era Spencer. Aria olhou para o número, fumegando. Não importava que Spencer não fosse A — ela bem que poderia ser. Se Spencer não tivesse ficado do lado de Toby lá no sétimo ano, ele nunca teria contado a Ella, e sua família estaria inteira.

Ela abriu o telefone para atender, mas não disse nada. Apenas ficou sentada, respirando fundo, respirações suspiradas.

— Aria? — chamou Spencer, cuidadosamente.

— Eu não tenho nada para te dizer — rebateu Aria. — Você acabou com a minha vida.

— Eu sei — respondeu Spencer, calmamente. — É que... Aria, me desculpe. Eu não queria guardar o segredo do Toby de você. Mas eu não sabia o que fazer. Você pode se pôr no meu lugar?

— Não — respondeu Aria, rudemente. — Você não entende. Você *acabou com a minha vida*.

— Espere aí, o que você quer dizer? — Spencer pareceu preocupada. — O que... o que aconteceu?

Aria colocou as mãos na cabeça. Aquilo era tão difícil de explicar. E ela conseguia ver as coisas do ponto de vista de Spencer. Claro que conseguia. O que Spencer estava dizendo era assombrosamente parecido com o que Aria dissera para Ella, três minutos atrás. *Eu não queria guardar segredo de você. Eu não sabia o que fazer. Eu não queria te magoar.*

Ela suspirou e limpou o nariz.

— Por que você ligou?

— Bem... — Spencer esperou. — Você teve alguma notícia da Emily agora de manhã?

— Não.

— Droga — sussurrou Spencer.

— Qual é o problema? — Aria endireitou-se na cadeira. — Eu pensei que você tivesse dito que tinha achado ela ontem à noite, e que ela estava em casa.

— Bem, ela estava... — Aria ouviu Spencer engolindo em seco. — Eu tenho certeza de que não é nada, mas minha mãe estava passando pelo bairro da Emily e tinha três viaturas policiais na entrada da casa dela.

36

APENAS OUTRO DIA DE NOTÍCIAS FRACAS EM ROSEWOOD

Emily morava em um bairro antigo, modesto, com muitas pessoas aposentadas, e todo mundo estava em suas varandas ou no meio da rua, preocupado com as três viaturas na entrada dos Fields e com a ambulância que tinha acabado de ir embora. Spencer foi para a calçada e avistou Aria. Ela ainda estava usando o vestido de bolinhas da Foxy.

— Eu acabei de chegar — informou Aria, assim que Spencer se aproximou. — Mas não consegui descobrir nada. Eu perguntei para um monte de gente o que estava acontecendo, mas ninguém sabe.

Spencer olhou ao redor. Havia um monte de policiais, paramédicos, e até um carro do jornal do Canal 4 — provavelmente tinha acabado de vir da casa dos DiLaurentis. Ela se sentiu como se todos os policiais estivessem olhando para ela.

E aí, Spencer começou a tremer. Era tudo culpa dela. Só dela, e de ninguém mais. Ela se sentiu mal. Toby a tinha avisado de que as pessoas iam se machucar, e ela não fez nada. Ela estivera tão concentrada em Wren – e olha só o que tinha acontecido. Nem conseguia pensar em Wren naquele momento. Ou em Melissa. Ou nos dois juntos. Ela sentiu como se houvesse vermes se arrastando por suas veias. Alguma coisa tinha acontecido com Emily, e ela poderia ter evitado. A polícia havia estado na sala de sua casa. Até mesmo A a advertira.

De repente, Spencer viu a irmã de Emily, Carolyn, parada na entrada da garagem, falando com alguns policiais. Um dos policiais curvou-se e sussurrou algo em seu ouvido. O rosto de Carolyn se contorceu, como se ela fosse chorar. Ela correu de volta para casa.

Aria cambaleou um pouco, como se fosse desmaiar.

– Ai, meu Deus, Emily...

Spencer engoliu em seco.

– Nós ainda não sabemos de nada.

– Mas eu posso sentir – disse Aria, seus olhos cheios de lágrimas. – A... Toby... suas ameaças. – Ela parou, tirou um fio de cabelo que havia entrado em sua boca. As mãos tremiam muito. – Nós somos as próximas. Eu sei.

– Onde estão os pais de Emily? – perguntou Spencer em voz alta, tentando deixar de lado tudo o que Aria tinha acabado de dizer. – Eles não deveriam estar aqui se Emily estivesse...? – Ela não queria pronunciar a palavra *morta*.

Um Toyota Prius subiu a rua correndo e estacionou atrás da Mercedes de Spencer. Hanna saiu do carro. Ou era uma garota que se *parecia* com Hanna. Ela não tinha se incomodado em trocar as calças do pijama, e seus cabelos ruivo-escuros e em geral superlisos estavam esquisitos e bagunçados num coque nem alto, nem baixo. Fazia anos que Spencer não a via tão largada.

Hanna as viu e correu até elas.

– O que está acontecendo? É...

– Não sabemos – interrompeu Spencer.

– Pessoal, eu descobri uma coisa. – Hanna tirou os óculos escuros. – Eu falei com um policial de manhã, e...

Outro carro de imprensa estacionou e Hanna parou de falar. Spencer reconheceu a mulher do jornal do Canal 8. Ela deu uns dois passos em direção às meninas, com o celular no ouvido.

– Então, o corpo foi achado do lado de fora, esta manhã? – disse ela, olhando numa prancheta. – Tá bem, obrigada.

As meninas trocaram olhares desesperados. Então, Aria pegou nas mãos das outras e elas caminharam pelo jardim da casa de Emily, pisoteando um monte de flores. Estavam bem perto da porta da frente, quando um policial entrou no caminho delas.

– Hanna, eu disse para você ficar fora disso – disse o policial.

Spencer engoliu em seco. Era Wilden, o cara que estivera em sua casa no dia anterior. Seu coração acelerou.

Hanna tentou empurrá-lo para o lado.

– Não me diga o que fazer!

– O policial segurou Hanna pelos ombros, e ela começou se contorcer.

– Me larga!

Spencer rapidamente segurou Hanna pela cintura.

– Tente se acalmar – disse Wilden para Spencer. Aí, se deu conta de quem ela era. – Oh! – suspirou ele. O policial pareceu confuso, depois curioso. – Srta. Hastings.

– Nós apenas queríamos saber o que aconteceu com a Emily – tentou explicar Spencer, o estômago embrulhado. – Ela é... ela é nossa amiga.

– Pessoal, vocês deveriam voltar para casa. – Wilden cruzou os braços sobre o peito.

De repente, a porta da frente se abriu... e Emily saiu.

Ela estava descalça e pálida, e segurando uma caneca dos Muppets, que viera de brinde no McDonalds, com água. Spencer estava tão aliviada de vê-la que até chorou. Um barulho vulnerável de dor escapou de sua garganta.

As garotas correram até ela.

— Você está bem? — perguntou Hanna.

— O que aconteceu? — quis saber Aria, ao mesmo tempo.

— O que está acontecendo? — Spencer gesticulou para a multidão.

— Emily... — Wilden pôs as mãos no quadril. — Talvez você devesse ver suas amigas depois. Seus pais disseram que você deveria ficar dentro de casa.

Mas Emily balançou a cabeça, quase irritada.

— Não, não tem problema.

Emily passou pelo policial e as levou para um canto do quintal. Elas pararam atrás de uma roseira na lateral da parede da casa, assim teriam um pouco de privacidade. Spencer deu uma boa olhada para Emily. Ela tinha olheiras bem escuras, suas pernas estavam todas arranhadas, mas, fora isso, parecia bem.

— O que aconteceu? — perguntou Spencer.

Emily tomou fôlego.

— Um ciclista de montanhismo achou o corpo de Toby na floresta atrás da minha casa, esta manhã. Eu acho... eu acho que foi uma overdose de comprimidos ou algo assim.

O coração de Spencer parou. Hanna engasgou. Aria empalideceu.

— O quê? *Quando?* — perguntou ela.

— Foi durante a noite — explicou Emily. — Eu ia ligar para você, mas um policial estava me vigiando como uma águia. — A boca tremia. – Meus pais estão visitando minha avó neste final de semana. – Ela tentou sorrir, mas acabou saindo uma careta, e teve um espasmo no rosto, em seguida, começou a soluçar.

– Tudo bem – consolou-a Hanna.

– Ele estava agindo feito um louco na noite passada – disse Emily, limpando o rosto com a blusa. – Ele me trouxe para casa depois da Foxy. Num minuto estava tudo normal, no outro, ele estava me contando o quanto odiava a Ali. Ele disse que não podia perdoá-la pelo que ela tinha feito, e que estava feliz por ela estar morta.

– Ai, meu Deus. – Spencer cobriu os olhos. Era tudo verdade.

– Foi quando eu me dei conta. Toby *sabia* – continuou Emily, suas mãos pálidas e sardentas irrequietas. – Ele deve ter descoberto o que Ali fez e... e eu acho que ele a matou.

– Espere um minuto – interrompeu Hanna, levantando a mão. – Eu não acho que ele...

– Shhh. – Spencer colocou uma das mãos sobre o pulso fino de Hanna, que olhou, como se quisesse dizer alguma coisa, mas Spencer estava com medo de que, se Emily parasse, não conseguisse terminar.

– Eu fugi dele... o caminho todo até minha casa – prosseguiu Emily. – Quando entrei, Spencer ligou, mas a ligação foi cortada. Depois... depois Toby estava na porta dos fundos. Eu disse a ele que sabia o que ele tinha feito e que iria contar à polícia. Ele pareceu surpreso por eu ter descoberto.

Emily parecia sem fôlego por toda essa conversa.

– Pessoal... como Toby soube?

O estômago de Spencer despencou. As linhas telefônicas tinham caído antes que pudesse explicar a verdade sobre a Coisa com Jenna, na noite anterior. Ela preferiria não ter que contar para Emily naquele momento – ela parecia extremamente fragilizada. Já havia sido ruim o suficiente contar para Aria e Hanna – mas a verdade destruiria o mundo de Emily.

Aria e Hanna estavam olhando para Spencer com expectativa, então, Spencer tomou coragem.

– Ele sempre soube – disse ela. – Ele viu a Ali. Só que ela o chantageou para que ele assumisse a culpa. Ela me fez guardar segredo.

Spencer parou por um momento para tomar fôlego e notou que Emily não estava reagindo como ela achou que iria. Ela estava ali, parada, completamente calma, como se estivesse ouvindo uma palestra de geografia. Isso desequilibrou Spencer.

– Então... hum... quando Ali desapareceu, eu sempre pensei que, talvez, não sei... – Spencer olhou para cima em direção ao céu, percebendo que o que ela estava prestes a dizer era verdade. – Eu achei que Toby tinha algo a ver com isso, mas estava apavorada demais para dizer qualquer coisa. Mas então, ele voltou para assistir ao funeral... e minhas mensagens de A se referiam ao segredo de Toby. A última dizia: *Você me magoou, então, vou te magoar também.* Ele queria se vingar de todas nós. Ele devia saber que todas nós estávamos envolvidas.

Emily ainda estava parada, estranhamente calma. Então, devagar, seus ombros começaram a tremer. Ela fechou os olhos. Num primeiro momento, Spencer pensou que ela estivesse chorando, mas, então, percebeu que ela estava rindo.

Emily virou a cabeça para trás, rindo mais alto. Spencer olhou para Aria e para Hanna, preocupada. Emily, obviamente, não tinha entendido.

– Emi... – Ela a cutucou, gentilmente.

Quando Emily virou a cabeça de volta para a frente, o lábio inferior estava tremendo.

— Ali tinha jurado para nós que ninguém sabia o que tínhamos feito.

— Acho que ela mentiu — disse Hanna, secamente.

Os olhos de Emily piscaram, como que procurando por algo.

— Mas como ela pôde mentir para nós desse jeito? E se Toby decidisse contar? — Ela chacoalhou a cabeça. — Isso... isso aconteceu quando todas nós estávamos na casa da Ali, olhando para a porta da frente? — perguntou Emily. — Naquela mesma noite?

Spencer assentiu, solene.

— E Ali voltou para dentro e disse que tudo estava bem, e quando nenhuma de nós, exceto ela, conseguiu dormir, nos consolou coçando nossas costas?

— Sim. — Os olhos de Spencer se encheram de lágrimas. Claro que Spencer se lembrava de cada detalhe.

Emily olhou para o nada.

— E ela nos deu isso. — Ela ergueu um dos braços. A pulseira que Ali tinha mandado fazer para elas, para simbolizar o segredo, estava firmemente atada em volta do seu pulso. Todas as outras já a haviam retirado.

As pernas de Emily ficaram bambas, e ela caiu na grama. Então, começou a destruir a pulseira em seu pulso, tentando arrancá-la, mas a corrente era velha e resistente.

— Caramba. — Emily juntou os dedos para tentar encolher a mão e puxar a pulseira sem abri-la. Então, tentou com os dentes, mas a pulseira não cedeu.

Aria colocou a mão no ombro de Emily.

— Está tudo bem.

— Eu não consigo acreditar em nada disso. — Ela esfregou os olhos, desistindo da pulseira. Em seguida, arrancou um monte de grama com a mão. — E eu não consigo acreditar que fui para Foxy com o... *assassino* da Ali.

— Nós estávamos apavoradas por sua causa — sussurrou Spencer.

Hanna chacoalhou os braços.

— Gente, isso é o que eu estou tentando contar para vocês. Toby *não* é o assassino da Ali.

— Como assim? — Spencer franziu as sobrancelhas. — Do que você está falando?

— Eu... eu falei com o policial esta manhã. — Hanna apontou na direção de Wilden, que estava falando com o pessoal do jornal. — Eu contei a ele sobre o Toby... que eu achava que ele tinha matado a Ali. Ele disse que o tinham investigado, tipo, anos atrás. Toby nem sequer é um suspeito.

— Ele, com certeza, é o culpado. — Emily permanecia desconfiada. — Na noite passada, quando eu mencionei para Toby o que ele tinha feito, o garoto entrou em pânico e me implorou para não contar aos policiais.

Todas se entreolharam, confusas.

— Então você acha que os policiais estão errados? — Hanna mexeu com o pingente em forma de coração na sua pulseira.

— Espere um minuto — disse Emily, lentamente. — Spencer, com o que Ali o estava chantageando? Como ela fez para Toby levar a culpa da... da Coisa com a Jenna?

— Spencer disse que a Ali não contou para ela — lembrou Aria.

Spencer sentiu um nervosismo enorme tomar conta de seu corpo. *É melhor do meu jeito*, Ali havia dito. *Nós guardamos o segredo do Toby, ele guarda o nosso.*

Mas Toby estava morto. Ali estava morta. Não tinha mais importância.

— Eu sei — sussurrou ela.

Spencer então notou alguém vindo, dando a volta na lateral do quintal, e seu coração acelerou. Era Jenna Cavanaugh.

Ela vestia uma camiseta preta e um jeans preto justinho, e seus cabelos escuros estavam presos no alto da cabeça. Sua pele ainda era brilhante, como a da Branca de Neve, mas seu rosto estava parcialmente encoberto por enormes óculos de sol. Ela segurava uma bengala branca em uma das mãos e a coleira de seu golden retriever na outra. Ele a guiou para a beirada do grupo.

Spencer estava certa de que estava prestes a desmaiar. Ou isso ou começaria a chorar novamente.

Jenna e seu cachorro pararam bem perto de Hanna.

— A Emily Fields está aqui?

— Sim — sussurrou Emily. Spencer podia sentir o medo na voz da velha amiga. — Estou aqui.

Jenna virou-se na direção da voz de Emily.

— Isto é seu. — Ela estendeu uma bolsa rosa de cetim. Emily a pegou cuidadosamente, como se fosse feita de vidro. — E tem uma coisa que você deveria ler. — Jenna tirou do bolso um pedaço de papel amassado. — É do Toby.

37

DE QUALQUER FORMA, PULSEIRAS DE AMARRAR ESTÃO TÃO FORA DE MODA

Emily colocou o cabelo atrás das orelhas e olhou para Jenna. Os óculos de sol que ela usava iam do osso da bochecha até acima da sobrancelha, mas Emily ainda pôde ver algumas cicatrizes rosadas e enrugadas – cicatrizes de queimadura – na testa dela.

Ela pensou naquela noite. Em como a casa de Ali cheirava a velas de menta. No jeito como a boca de Ali tinha gosto de batata frita sabor sal e vinagre. Em como seus pés roçavam nas reentrâncias do piso de madeira da sala de jantar dos DiLaurentis, quando estava parada em frente à janela, vendo Ali correr pelo gramado da casa dos Cavanaugh. O barulho dos fogos de artifício, dos paramédicos subindo a escada da casa da árvore, em como a boca da Jenna parecia um retângulo de tanto que ela chorava.

Jenna entregou a ela o pedaço de papel sujo e amassado.

– Eles acharam isto com ele – disse ela, sua voz falhando na palavra *ele*. – Ele escreveu para todas nós. Sua parte está em algum lugar pelo meio.

O papel era a lista do leilão da Foxy; Toby tinha rabiscado algo atrás. Ver como as palavras do Toby não estavam sobre as linhas, que ele quase não tinha usado nenhuma letra maiúscula e que tinha assinado o bilhete como *Toby*, com um garrancho de letra cursiva, fez Emily se contorcer por dentro. Embora ela nunca tivesse visto a letra de Toby antes, isso parecia trazê-lo de volta à vida ao lado dela. Ela podia sentir o cheiro do sabonete que ele usava, sentir sua mão enorme segurando a dela, pequenina. Naquela manhã, ela tinha acordado não no balanço da varanda, mas na sua cama. A campainha estava tocando. Ela desabalou escada abaixo, e havia um cara vestindo calção de ciclista e um capacete, esperando na porta.

– Posso usar seu telefone? – perguntou ele. – É uma emergência.

Emily o encarou, zonza, ainda não tinha acordado. Carolyn apareceu atrás dela, e o ciclista começou a se explicar.

– Eu estava pedalando pelo seu bosque e achei um garoto. Primeiro eu achei que ele estava dormindo, mas...

Ele parou, e os olhos de Carolyn se arregalaram. Ela correu para dentro para pegar seu celular. Enquanto isso, Emily ficou parada na varanda, tentando entender o que estava acontecendo. Ela pensou em Toby na sua varanda na noite anterior. Em como ele tinha batido violentamente na porta de vidro corrediça, depois corrido para o bosque.

Ela olhou para o ciclista.

– Esse garoto do bosque, ele estava tentando machucar você? – sussurrou ela, seu coração disparado. Era horrível que Toby *tivesse* acampado lá fora, no bosque, a noite toda. E se ele tivesse voltado para a varanda depois de Emily ter caído no sono?

O ciclista segurou o capacete junto ao peito. Ele parecia ter mais ou menos a mesma idade do pai da Emily, com olhos verdes e barba grisalha.

– Não – disse ele, gentilmente. – Ele estava... *azul*.

E agora, aquilo: a carta. Um bilhete suicida.

Toby parecia tão atormentado, correndo para o bosque. Teria ele tomado os comprimidos lá mesmo? Será que Emily poderia tê-lo impedido? E Hanna estaria certa? Toby não era o assassino de Ali?

O mundo começou a rodar. Ela sentiu a mão de alguém pesar no meio de suas costas.

– Ei – sussurrou Spencer. – Está tudo bem.

Emily se endireitou e olhou para a carta. As amigas se debruçaram também. Lá, bem no meio, estava o nome dela.

> Emily, três anos atrás, prometi a Alison DiLaurentis que guardaria o segredo dela, se ela guardasse o meu. Ela jurou que o segredo nunca vazaria, mas acho que vazou. Eu tentei lidar com isso – e esquecer – e, quando nos tornamos amigos, achei que eu poderia... pensei que eu mudaria – e que minha vida tinha mudado. Mas acho que nunca podemos mudar o que somos. O que eu fiz com Jenna foi o maior erro que já cometi. Eu era jovem, confuso e burro, e nunca quis machucá-la. E não posso mais viver com isso. Já chega para mim.

Emily dobrou o bilhete novamente, o papel estalando em suas mãos. Aquilo não fazia sentido – eram elas que tinham machucado Jenna, não Toby – do que ele estava falando? Ela devolveu a carta para Jenna.

— Obrigada.
— De nada.

Quando Jenna se virou para ir embora, Emily limpou a garganta.

— Espere — grunhiu ela. — Jenna.

Jenna parou. Emily engoliu em seco. Tudo o que Spencer tinha acabado de contar a ela, que Toby sabia e que Ali mentira, tudo que Toby dissera na noite anterior, toda a culpa que ela tinha carregado por tantos anos... tudo isso extravasou.

— Jenna, *eu* preciso me desculpar com você. Nós éramos... nós costumávamos ser tão más. As coisas que fizemos... os apelidos, não era engraçado.

Hanna deu um passo à frente.

— Ela está totalmente certa. Não era engraçado mesmo. — Emily não via Hanna com uma expressão torturada havia muito tempo. — E você não merecia isso — adicionou.

Jenna tocou na cabeça do cachorro.

— Está tudo bem — disse ela. — Eu já superei isso.

Emily suspirou.

— Mas não está tudo bem. Não está tudo bem mesmo. Eu... eu nunca soube como... como uma pessoa se sente... quando tiram sarro porque ela é diferente. Mas agora eu sei. — Ela contraiu os músculos dos ombros, na esperança de que isso a impedisse de chorar. Parte dela queria contar para todo mundo o que a estava atormentando. Mas ela se segurou. Não era o momento certo. Havia mais coisas que queria dizer, também, mas como ela conseguiria?

— E eu sinto muito pelo seu acidente, também. Eu nunca cheguei a dizer isso para você.

Ela queria acrescentar: *me desculpe pelo que nós acidentalmente fizemos*, mas estava com muito medo.

O queixo de Jenna tremeu.

– Não foi culpa sua. E, de qualquer forma, não foi a pior coisa que me aconteceu. – Ela puxou a coleira do cachorro e andou de volta para a frente do jardim.

As meninas ficaram quietas até que Jenna não pudesse mais ouvi-las.

– O que poderia ser pior do que ficar cega? – sussurrou Aria.

– Teve uma coisa pior – interrompeu Spencer. – O que a Ali sabia...

Spencer ostentava aquele olhar de novo – como se tivesse um monte de coisas para falar, mas preferisse ficar calada.

Ela suspirou.

– Toby costumava... tocar... Jenna – sussurrou ela. – Era isso que ele estava fazendo na noite do acidente. É por isso que a Ali mirou os fogos de artifício por engano na casa da árvore.

"Quando Ali chegou à casa da árvore do Toby", continuou Spencer, "ela o viu na janela e acendeu os fogos de artifício. E aí... ela viu que a Jenna estava lá, também. Tinha alguma coisa esquisita na expressão da Jenna, e sua blusa estava desabotoada. Então, Ali viu Toby subir em cima dela e colocar a mão no seu pescoço. Ele moveu a outra mão para debaixo da blusa da Jenna e por cima do sutiã. Ele puxou a alça do ombro dela. Jenna parecia apavorada.

"Ali disse que ficou tão chocada que desencaixou os fogos de artifício. A chama subiu rápido pelo pavio e soltou o foguete. Então, houve um clarão confuso e brilhante. Vidros espatifaram. Alguém gritou... e a Ali correu.

"Quando Toby veio até nós e contou a Ali que a tinha visto, Ali disse ao Toby que *ela* o tinha visto... fazendo aquilo Jenna", falou Spencer. "O único jeito de ela não contar aos pais do Toby, era ele assumir que tinha acendido os fogos de artifício. E Toby concordou." Ela suspirou. "Ali me fez prometer que não contaria sobre o que o Toby tinha feito, junto com todo o resto."

— Jesus — sussurrou Aria. — Então, Jenna deve ter ficado *feliz* quando Toby foi mandado para outro lugar.

Emily não fazia ideia de como reagir. Ela se virou para olhar para Jenna, parada do outro lado do jardim com a mãe, falando com um repórter. Como será que ela se sentia, com o meio-irmão fazendo aquilo com ela? Havia sido ruim o bastante quando Ben veio pra cima dela – e se ela tivesse que morar com ele? E se ele fosse parte da família dela?

Isso a dilacerou por dentro, também. Fazer isso à própria meia-irmã era horrível, mas também era... patético. É claro que Toby estava querendo deixar isso para trás, para seguir com a vida dele. E ele estava conseguindo... até Emily assustá-lo, fazendo-o pensar que tudo estava voltando à tona para assombrá-lo.

Ela ficou horrorizada, cobriu o rosto com as mãos e respirou fundo várias vezes, engolindo em seco. *Eu acabei com a vida do Toby*, pensou. *Eu o matei.*

As amigas a deixaram chorar um pouco – todas elas estavam chorando, também. Quando as lágrimas de Emily secaram, ela ficou reduzida a soluços convulsivos e olhou para cima.

— Eu não consigo acreditar nisso.

— Eu acredito – disse Hanna. – Ali só se importava consigo mesma. Ela era a rainha da manipulação.

Emily olhou para ela, surpresa. Hanna deu de ombros.

— Meu segredo do sétimo ano? O que só Ali sabia? Ela me torturou com ele. Toda vez que eu não concordava com alguma coisa que ela queria que eu fizesse, Ali ameaçava contar para todas vocês. E para todo mundo.

— Ela fez isso com você também? — Aria parecia surpresa. — Houve vezes em que ela disse coisas sobre o meu segredo que o tornavam tão... *óbvio*. — Ela baixou os olhos. — Antes de o Toby... tomar os comprimidos, ele falou sobre esse segredo comigo. O segredo que Ali sabia, e aquele com o qual A, *Toby*, estava me ameaçando.

Todas elas prestaram atenção.

— Que seria...? — perguntou Hanna.

— Eram... só uns lances de família. — Os lábios de Aria tremeram. — Eu não quero falar sobre isso agora.

Todas ficaram em silêncio por um tempo, pensando. Emily olhou para os pássaros pulando para dentro e para fora do comedouro que o pai instalara no quintal.

— Faz o maior sentido que Toby seja A — sussurrou Hanna. — Ele não matou Ali, mas ainda queria vingança.

Spencer deu ombros.

— Eu espero que você esteja certa.

Tudo estava claro e calmo novamente na casa da Emily. Seus pais ainda não estavam em casa, mas Carolyn tinha acabado de fazer pipoca de micro-ondas, e toda a casa estava impregnada com aquele cheirinho característico. Para Emily, pipoca de micro-ondas tinha um cheiro muito melhor do que o gosto, e, apesar de sua falta de apetite, o estômago roncou. Ela pensou, *Toby jamais sentirá cheiro de pipoca de micro-ondas de novo.*

Nem Ali.

Ela olhou para o jardim da janela do seu quarto. Há algumas horas, Toby estivera parado ali, implorando para Emily não contar para os policiais. E pensar que o que ele queria dizer era: *por favor, não conte a eles o que eu fiz com a Jenna.*

Emily pensou em Ali de novo. Como Ali havia mentido para elas sobre tudo.

O mais engraçado e triste de tudo isso era que Emily tinha certeza de ter começado a amar Ali na noite do acidente de Jenna, depois que as ambulâncias foram embora e Ali voltou para dentro de casa. Ali estava tão calma e protetora, tão segura e maravilhosa. Emily estava desesperada, mas Ali estava lá para fazê-la se sentir melhor.

– Está tudo bem – sussurrara Ali para ela, coçando suas costas, seus dedos fazendo grandes e vagarosos círculos. – Eu juro. Tudo vai ficar bem. Você tem que acreditar em mim.

– Mas como pode estar tudo bem? – Emily soluçou. – Como você sabe?

– Porque eu sei.

Então, Ali pegou Emily e a deitou no sofá, arrumando a cabeça dela em seu colo. As mãos de Ali começaram calmamente a fazer cafuné. Pareceu imensamente bom. Tão bom que Emily se esqueceu de onde estava, ou do quão assustada se sentia. Em vez disso, ela estava... nas nuvens.

Os movimentos da Ali ficaram cada vez mais lentos, e Emily caiu no sono. Emily nunca esqueceria do que aconteceu depois. Ali se curvou e beijou a bochecha de Emily. Emily ficou estática, apesar de ter acordado com o gesto. Ali fez de novo.

Estava tão gostoso. Ela voltou a se sentar e começou a fazer cafuné em Emily de novo. O coração de Emily bateu loucamente.

A parte racional do cérebro de Emily afastou essa lembrança de sua mente, achando que Ali tinha feito isso para consolá-la. Mas sua parte emocional deixara o sentimento florescer como as pequenas cápsulas que seus pais colocavam em suas meias natalinas que aumentavam lentamente, fazendo a espuma tomar forma quando mergulhada em água quente. Foi como o amor de Emily por Ali, que tomou conta de tudo e que, sem aquela noite, talvez nunca tivesse acontecido.

Emily sentou-se na cama olhando distraidamente pela janela. Ela se sentia vazia, como se alguém tivesse tirado tudo de dentro dela, como quem limpa uma abóbora de Halloween.

O quarto estava muito quieto; o único som era o das pás do ventilador de teto girando. Emily abriu a gaveta superior de sua mesinha de cabeceira e achou um par de tesouras velhas para canhoto. Ela posicionou as lâminas entre os fios da pulseira que Ali fizera para ela havia tantos anos e, com um rápido movimento, cortou-os. Ela não queria muito jogar a pulseira fora, mas também não queria deixá-la no chão, onde pudesse vê-la. No final, empurrou-a bem para debaixo da cama com a beirada do pé.

– Ali – suspirou ela. As lágrimas rolavam pelo seu rosto. – *Por quê?*

Um barulho do outro lado da sala a assustou. Emily tinha pendurado a bolsa rosa que Jenna trouxera de volta na maçaneta da porta do seu quarto. Ela podia ver seu telefone piscando, através do tecido fino. Lentamente, levantou-se e pegou a bolsa. Na hora em que conseguiu pegar o telefone lá dentro, já tinha parado de tocar.

Estava escrito no pequeno Nokia: NOVA MENSAGEM DE TEXTO. Emily sentiu o coração acelerar.

Pobrezinha da Emily, tão confusa. Eu aposto que você precisaria de um longo e caloroso abraço de menina agora, hein? Não fique muito à vontade. Não está tudo acabado até que eu diga que está. —A

AGRADECIMENTOS

Há uma porção de pessoas a agradecer por *Impecáveis*. Em primeiríssimo lugar, ao pessoal da Alloy Entertainment, por todo o trabalho duro e a perseverança que tiveram para fazer deste um grande livro: o inigualável John Bank, que lida com seu adolescente interior melhor do que qualquer pessoa que eu conheço. Ben Schrank, de cuja orientação editorial e estranho senso de humor sentirei muita saudade. Les Morgenstein, por suas ideias do tipo "Eureka!" para o enredo... e porque ele nos comprava biscoitos. E, por último, mas não menos importante, agradeço à minha editora, Sara Shandler, que pode falar horas a fio sobre cães, que faz sensacionais imitações de papagaio e que é a grande razão de este livro fazer sentido.

Meu reconhecimento também ao extraordinário pessoal da HarperCollins: Elise Howard, Kristin Marang, Farrin Jacobs e o restante da equipe. Todo seu entusiasmo incansável pela série "Pretty Little Liars" foi maravilhoso.

Como sempre, meu muito obrigada e meu amor a Bob e Mindy Shepard, por me ensinarem em tenra idade que as coisas mais importantes da vida são: ser simples, ser feliz com o que se faz e sempre escrever comentários falsos nos cartões de avaliação dos restaurantes. Vocês são e sempre foram pais adoráveis – e combinam apenas as melhores qualidades dos de Emily, Spencer, Aria e Hanna.

Agradecimentos a Ali e ao Polo, seu gato demoníaco listrado, que adora morder. Beijos para Grammar, Pavlov, Kitten, Sparrow, Chloe, Rover, Zelda, Riley e Harriet. Estou muito feliz por ter minha prima Colleen por perto, porque ela dá ótimas festas, tem amigas que leem meus livros e sempre aparece com os melhores campeonatos de "quem bebe mais". E, como de hábito, todo meu amor para Joel por ter, dentre outras coisas, coçado minha costas, cuidado de mim quando eu não fazia mais sentido, comido cobertura de bolo direto da embalagem e assistido a programas de mulherzinha na televisão comigo, e até mesmo conversado sobre eles depois.

Eu também gostaria de agradecer a meu avô, Charles Vent. Ele foi meio que minha inspiração para Hanna – ele tinha o hábito de "pegar coisas sem pagar por elas". Mas, falando sério, ele foi uma das pessoas mais amorosas e criativas que eu já conheci e sempre pensei que merecia ser um pouquinho famoso, mesmo que através da página de agradecimentos de um livro.

O QUE ACONTECE DEPOIS...

Você achava mesmo que eu era o Toby? Qual ééééééé... Eu também teria me matado. Quer dizer, sinceramente... Eca! Ele sabia o que estava por vir. O carma não perdoa, e nem eu – pergunte a Aria, Emily, Hanna e Spencer...

Vamos começar com Aria. A garota está tão ocupada em ficar ocupada que eu nem consigo manter a conta dos seus namorados. Primeiro Ezra, agora Sean, e eu tenho mais do que uma pequena suspeita de que ela ainda não terminou com o Ezra. Isso é que é irritante em garotas artistas: elas nunca conseguem se decidir. Eu acho que vou ter de ajudar a pequena Aria e tomar a decisão por ela. Eu tenho certeza de que ela vai amaaaaaaar isso.

Aí tem a Emily. A doce e desnorteada Emily. Alison e Toby provavelmente diriam que o beijo dela é quase igual ao beijo da morte. Mas... ops... eles não podem falar nada – eles estão mortos. Acho que Emi deveria prestar atenção onde ela põe os lábios. Ela é dois por dois, e a supersticiosa Emily sabe melhor que ninguém que coisas ruins sempre acontecem em trios.

A solitária e geniosa Hanninha. Sean a deixou. O pai a deixou. E a mãe, provavelmente, a deixaria se pudesse. Ser o tipo patinho feio faz você querer vomitar, não é? Ou isso só acontece com a Hanna? Pelo menos, ela tem sua Melhor Amiga Para Sempre, Mona, para segurar o cabelo dela para trás. Opa, espere um segundo... não, ela não tem. Eu gostaria de poder dizer que as coisas não poderiam piorar para Hanna, mas ninguém gosta de mentirosos. Muito menos eu.

Finalmente, tem a Spencer. Claro, o supergênio sabe de cor as respostas das questões do vestibular, mas sua memória fica meio embaralhada quando se trata do desaparecimento de Alison. Não se preocupe, ela está prestes a ganhar uma bolsa de estudos num curso para refrescar a memória. Uma cortesia minha. Olha eu – tão benevolente! Isso quer dizer "legal", em vestibulês.

Se você fosse tão inteligente quanto eu, provavelmente já teria descoberto quem eu sou. Ai, meu Deus, não ser um gênio deve ser tão irritante. E eu não posso ajudar você com isso – eu tenho estado com meu tempo tomado com as minhas mentirosas bonitinhas neste momento. Mas, como você foi muito paciente, eu vou te dar uma dica: Spencer pode ter um 4.0, mas eu tenho As no meu nome também. Beijos! —A

Impressão e Acabamento:
EDITORA JPA LTDA.